De vrouw die naar Kashgar fietste

SUZANNE JOINSON

De vrouw die naar Kashgar fietste

the house of books

Oorspronkelijke titel
A Lady Cyclist's Guide to Kashgar
Uitgave
Bloomsbury, London
Copyright © 2012 by Suzanne Joinson
Copyright voor het Nederlandse taalgebied © 2012 by The House of Books,
Vianen/Antwerpen

Vertaling
Marcella Houweling
Omslagontwerp
Studio jan de Boer BNO, Amsterdam
Foto auteur
Simon Webb
Opmaak binnenwerk
ZetSpiegel, Best

ISBN 978 90 443 3527 9
NUR 302
D/2012/8899/82

www.thehouseofbooks.com
www.suzannejoinson.com

Voor Ben

Hier eindigt de reis der vogelen, onze reis, de reis der
woorden,
En na ons zal een einder zijn voor nieuwe vogelen.
Wij zijn het die des hemels koper smeden, de ruimte
waaruit na ons wegen geworden en wij boven het verre
wolkendek onze namen rechten.
Dra dalen wij de weg der weduwen af naar velden vol
herinnering en slaan de tenten op tegen de laatste wind:
blaas, opdat het vers leve, en blaas op het poëtisch pad.
Na ons groeien de planten almaar aan en overwoek'ren
wegen die wij bewandelden, door onze stugge stappen
ingewijd.
En wij zullen kerven in de laatste rotsen: 'Lang leve het
leven, ja, het leven leve lang,' en in ons zelfs vervallen.
En na ons zal een einder zijn voor nieuwe vogelen.

'Here the Birds' Journey Ends', Mahmoud Darwish
Vertaling Rob van Moppes

De vogelen des hemels zouden het geluid overbrengen en
het gevogelte zou te kennen geven wat gij gezegd hebt.

Prediker 10:20

EEN PAAR ZAKEN OM TE ONTHOUDEN. *Verdiep u in het land waar uw reis naartoe gaat en bestudeer de toestand van de wegen, analyseer de kaarten, leer uw route uit het hoofd. Kijk altijd goed naar de weg die u aflegt; maak aantekeningen in een klein boekje; noteer alles wat interessant zou kunnen zijn.*

Maria E. Ward, *Bicycling for Ladies,* 1896

Een dame op de fiets in Kashgar – aantekeningen

Kashgar, Oost-Turkestan, 1 mei 1923

Helaas moet ik opschrijven dat ik in onze huidige, hachelijke situatie helemaal niets heb aan *Bicycling for Ladies* met alle tips, die zijn gerangschikt onder DE KUNST VAN HET FIETSEN – ADVIEZEN VOOR BEGINNERS – KLEDING – ONDERHOUD VAN DE FIETS – DE TECHNIEK – TRAINING – OEFENINGEN, etc., etc.

Het beste kan ik maar met de botjes beginnen.

Ze waren geblakerd in de zon, gebleekt, als kleine fluiten, en ik riep naar onze voerman dat hij moest stoppen. Het was aan het begin van de avond; omdat we zo graag onze bestemming wilden bereiken, hadden we, op z'n Engels, op het heetst van de dag gereisd. Het waren vogelbotjes, op een hoopje voor een tamariskboom, en ik neem aan dat ik mijn lot had kunnen aflezen aan de manier waarop ze in het zand lagen, als ik had geweten hoe je dat moest doen.

En op dat moment hoorde ik een schreeuw, een gruwelijk geluid van achter een groep dode populieren. Wat een desolate vlakte was deze woestijn. Ik klom van de kar, keek of ik Millicent en mijn zus, Elizabeth, achter ons zag, maar beiden waren nergens te bekennen. Millicent reist liever te paard dan per kar, omdat ze dan gemakkelijker kan stoppen om een Hatamen-sigaret te roken.

Vijf uur lang waren we door een stoffig bekken afgedaald, het laagste gedeelte. Hier en daar rezen tamarisken op uit hopen aarde en zand die waren voortgeblazen en zich rondom de wortels hadden verzameld; en toen zagen we die dode populieren.

Om elkaar heen gedraaide stammetjes van saksaulstruiken met hun grijze bast groeiden in bosjes tussen de boomstronken. En achter die vegetatie zat een meisje op haar knieën, voorovergebogen. Ze maakte een zeer vreemd geluid, bijna als het balken van een ezel. Onze voerman, die absoluut geen haast had, voegde zich bij me en samen keken we naar het meisje; hij kauwend op zijn houtje – arrogant en uit de hoogte zoals al dat soort mannen – en zwijgend.

Toen keek ze naar ons op. Ze was een jaar of tien, elf oud en had een buik als een rijpe Hami-meloen. De voerman staarde alleen maar naar haar en voordat ik iets kon zeggen, viel het meisje voorover, met haar gezicht tegen de grond en met haar mond open alsof ze het stof wilde opeten. Ze vervolgde haar verontrustende gekerm. Achter me hoorde ik het hoefgeklepper van Millicents paard op het pad met de losse stenen.

'Ze staat op het punt een kind te baren,' zei ik, omdat ik dat vermoedde.

Millicent, de toegewezen leidster van onze groep en vertegenwoordigster van de Missieorde van het Vastberaden Gelaat – onze begunstiger – deed er een eeuw over om uit het zadel te komen, stijf als ze was geworden van het urenlange rijden. Insecten zoemden om ons heen, door de afnemende hitte tevoorschijn gelokt. Ik keek naar Millicent. Niets viel hier in de woestijn zo uit de toon als zij, zoals ze onelegant afsteeg, met haar prominente neus in de lucht en de ring met de grote robijn, die een schril contrast vormde met de rest van haar mannelijke kledij.

'Zo jong, nog maar een kind.'

Millicent boog door haar knieën en fluisterde iets in het oor van het meisje, in het Oeigoers. Ineens stootte het meisje een schreeuw uit, die werd gevolgd door een vreselijk gesnik.

'Het is inderdaad zo. We hebben een verlostang nodig, denk ik.'

Millicent gaf de voerman opdracht de kar met onze bevoorrading te halen en begon daarna in onze bezittingen te rommelen, op zoek naar de verbandkist. Terwijl ze dat deed, zag ik dat een groep vrouwen, mannen en kinderen – misschien wel een grote familie – over het pad op ons af kwam, wijzend en elkaar vol verbazing aanstotend over die buitenlandse duivels met hun stugge varkenshaar, die daar zomaar ineens in levenden lijve op hun pad stonden.

Millicent keek naar hen op en zei met haar priesterstem: 'Blijf daar staan en geef ons de ruimte, alstublieft.'

Duidelijk geschokt door haar accurate woorden, die ze in het Chinees en Oeigoers herhaalde, stelde de familie zich op alsof ze op de foto zouden gaan; ze werden pas tot zwijgen gebracht toen het meisje op handen en knieën voorover leunde in het stof en hard genoeg schreeuwde om een bos te vellen.

'Eva, ondersteun haar, snel.'

Het huilende meisje met haar echt afzichtelijk opgezwollen buik keek me aan als een verzopen wilde kat, en het stond me tegen om haar aan te raken. Maar toch knielde ik voor haar neer in het stof, trok haar hoofd op mijn knieën en deed een poging haar te strelen. Ik hoorde Millicent een oudere vrouw om hulp vragen, maar die feeks deinsde achteruit, alsof ze besmet zou raken als ze met ons in contact zou komen. Het meisje verborg haar ongelukkige gezicht tegen mijn benen. Ik voelde wat nattigheid van haar mond, misschien probeerde ze me te bijten, maar toen tilde ze haar hoofd op en liet het terug op de grond zakken. Millicent worstelde met haar, draaide haar op haar rug. Het meisje stootte deerniswekkende kreten uit.

'Hou haar hoofd vast,' zei Millicent.

Ik probeerde haar op haar plaats te houden terwijl Millicent haar knieën van elkaar trok en die met haar ellebogen naar beneden duwde. De gewaden rond haar onderbuik waren makkelijk los te maken.

Mijn zus was nog steeds niet gearriveerd. Zij reist ook liever te paard, omdat ze dan kan toegeven aan haar grillen om zomaar ineens de woestijn in te rijden en 'zand te fotograferen'. Ze gelooft dat ze in de zandkorrels en duinen een glimp van Hem kan vastleggen. *En het gloeiende zand zal tot een plas worden, en het dorstige land tot waterbronnen; waar de jakhalzen verblijven en legeren, zal gras met riet en biezen zijn...* Deze en andere woorden zingt ze met die eigenaardige hoge stem die ze zich heeft aangemeten sinds ze volledig geobsedeerd is door de krachten van het geloof. Ik keek om me heen of ik haar zag, maar het was tevergeefs.

Ik kan die schreeuwen nu nog horen, een akelig geluid vol pijn. Millicent drukte haar vingers in het vlees om ruimte voor de verlostang te maken, totdat even later een mengsel van bloed en een andere vloeistof naar buiten kwam en strepen over haar pols trok.

'We moeten dit niet doen,' zei ik. 'Laten we haar naar de stad brengen. Daar is wel iemand met meer ervaring dan wij.'

'Geen tijd. Genadige God, blik neder uit de hemel en ontferm

U over ons en bewaar ons, Uw dienaren,' – Millicent keek niet naar mij – 'voor angst en kwade geesten die het werk Uwer handen wensen te vernietigen.'

De verlostang werd naar binnen geduwd en veroorzaakte een schreeuw die letterlijk waanzinnig schel klonk.

'Heer, verlicht het lijden in deze zwangerschap,' zei Millicent, trekkend en duwend terwijl ze haar gebed opdreunde, 'en schenk ons de kracht en vastberadenheid om deze geboorte te volbrengen. Maak dit mogelijk met Uw almachtige bijstand.'

'We moeten dit niet doen,' herhaalde ik. Het haar van het meisje was nat en in haar ogen was grote paniek te zien, zoals in die van een paard in een onweersbui. Millicent gooide haar hoofd achterover zodat haar bril langs haar neus weer op zijn plaats gleed. En toen maakte ze een snelle beweging alsof ze een anker optrok, tot een blauw-rood schepseltje naar buiten glibberde, samen met een enorme guts waterige substantie, en ze het als een vis in haar handen opving. Bloed van de jonge moeder vormde al snel een rode wassende maan in het zand. Millicent zette haar mes tegen de navelstreng.

Op dat moment dook Lizzie op, met haar Leica-camera in de hand. Ze droeg ons uniform, dat bestaat uit een zwarte satijnen brock met daaroverheen een donkerblauwe zijden rok en een zwarte Chinese katoenen overjas. De zoom van haar rok zat onder de rozerode vlekken van het stof waarmee hier alles wordt ondergestoven. Ze bleef staan, staarde naar het tafereel als een verdwaald meisje aan de rand van een kermisterrein.

'Lizzie, haal water.'

Millicents mes scheidde de baby voor eeuwig van haar moeder. Het meisje sidderde en haar hoofd hing achterover, terwijl de vissenbaby luidkeels eiste in de hemel toegelaten te worden. De maan bleef wassen.

'Ze verliest te veel bloed,' zei Millicent. Het gezicht van het meisje lag nu opzijgedraaid; ze vocht niet meer.

'Wat moeten we doen?'

Millicent begon zachtjes een gebed op te zeggen, dat ik door het gekrijs van de baby niet goed kon verstaan.

'We moeten haar ergens anders heen brengen, hulp zoeken,' zei ik, maar Millicent reageerde niet. Ik zag dat ze de hand van de moeder optilde. Ze schudde haar hoofd, keek niet naar me op.

'Millicent, nee.'

Ik zei het tevergeefs, maar ik kon het niet geloven: een leven dat voor onze neus had opgehouden te bestaan, dat was verdwenen door de scheuren in de woestijngrond; net zo eenvoudig als wolken die transformeren. Onmiddellijk ontstond er opschudding onder de toeschouwers die ons hadden aangegaapt.

'Wat zeggen ze, Lizzie?' schreeuwde ik. Bloed liep nog steeds tussen haar benen vandaan, een hoopvolle vloed op zoek naar een kust. Lizzie staarde naar de rode sporen op Millicents pols.

'Ze zeggen dat we het meisje hebben gedood,' zei ze, 'en dat we haar hart hebben gestolen om onszelf te beschermen tegen de zandstormen.'

'Wat?' De gezichten in het publiek waagden het dicht bij me te komen, ze stootten tegen me aan, legden hun handen met zwarte nagels op me. Ik duwde de handen weg.

'Ze zeggen dat we het meisje hebben weggenomen om onszelf sterker te maken en dat we van plan zijn de baby te stelen en haar op te eten.' Lizzie sprak snel, met die rare hoge stem. Ze kan veel beter overweg met die ondoorgrondelijke Turkse taal dan ik.

'Ze is tijdens de bevalling overleden, een natuurlijke oorzaak, zoals jullie allemaal heel goed hebben kunnen zien!' schreeuwde Millicent tevergeefs in het Engels. Ze herhaalde haar boodschap in het Oeigoers. Lizzie begon water te halen in onze kroezen, en zorgde voor een deken.

'Ze eisen dat we worden doodgeschoten.'

'Onzin.' Millicent nam de deken over van Lizzie en zo bleven ze samen staan: een dame met haar dienstmaagd.

'Oké, wie...' Millicent hield de krijsende baby omhoog alsof het een afgehakt hoofd was, een offerande, 'wil deze baby meenemen?'

Geen geluidje kwam uit de monden van de stomverbaasde groep die naar haar keek.

'Wie is er verantwoordelijk voor dit babymeisje? Kennen jullie een bloedverwant?'

Ik wist het antwoord al. Niemand wilde de baby. Niemand van die groep keek zelfs naar het meisje op de grond, zelf nog maar een kind, of naar het bloed dat aarde werd. Insecten liepen al over haar benen. Lizzie hield de deken omhoog en Millicent wikkelde het woedende, brullende, afgedankte hoopje mens erin. Zonder iets te zeggen gaf ze het aan mij.

Daarna werden we door de pater familias en zijn zoon naar de stadspoorten van Kashgar 'geëscorteerd', waar men door een of andere magische vorm van communicatie al op de hoogte was van onze aankomst. De avond was gevallen, maar de politie-rechtbank was open en er werd een Chinese ambtenaar bij ge-haald, omdat deze regio, hoewel ze islamitisch-Oeigoers is, door de Chinezen wordt bestuurd. Onze karren werden doorzocht, onze bezittingen uitgebreid bekeken. Van de achterkant van de kar haalden ze mijn fiets, die net als wij veel belangstelling trok. Fietsen zie je hier zelden en een vrouw die erop rijdt, is voor de plaatselijke bevolking gewoonweg onvoorstelbaar.

Millicent verklaarde tegenover de ambtenaar: 'We zijn vrou-welijke missionarissen, volledig vredelievend. Onderweg naar uw stad troffen we de jonge moeder aan.' En daarna: 'Blijf zo stil als Boeddha zitten,' fluisterde ze. 'Onverschilligheid is in dit soort situaties het beste.'

Het hoofdje van de baby voelde vreemd warm aan in mijn hand, niet zacht maar ook niet hard; een gewatteerde cocon gevuld met vers bloed. Dit was de eerste keer dat ik ooit een baby had vastgehouden die zo jong was. Ik wikkelde het kleine meisje in de deken en hield haar dicht tegen me aan in een poging om de kwade vuistjes en het paarsrode gezichtje van deze stakker tot bedaren te brengen. Ze brulde van verontwaardiging en paniek, maar viel uiteindelijk totaal uitgeput in slaap. Ik hield haar voortdurend in de gaten, bang dat ze zou doodgaan. Het kostte ons moeite om zo stil mogelijk te blijven zitten. Er werd in het rappe plaatselijke dialect gemopperd en gediscussieerd.

Millicent en Lizzie sisten naar me: 'Bedek je haar.'

Ik trok mijn sjaal snel weer over mijn hoofd. Net als mijn moeders haar is dat van mij echt afschuwelijk vuurrood, en in deze regio is het kennélijk een sensatie. Vooral tijdens de laatste etappe van onze reis, van Osj naar Kashgar, staarden mannen ons met open monden aan alsof we naakt waren, alsof ik voor hun neus rondsprong met vleugels op mijn rug en zilveren ringen in mijn neus. In de dorpen renden kinderen op me af, wijzend, en deinsden daarna weer achteruit alsof ze bang waren. Tot ik er genoeg van had en als een mohammedaanse mijn hoofd met een sjaal bedekte. Dat werkte, maar gedurende de geboortestrubbelingen in het zand was hij afgezakt.

Millicent vertaalde: 'Vanwege de aanklacht van de getuigen moeten we terechtstaan, beschuldigd van moord en hekserij, of het oproepen van duivels.' Of liever gezegd, Millicent moest dat. Zij was degene die de baby omhooggehouden had en haar mes op het meisje had gebruikt.

'We zullen steekpenningen moeten betalen om hier onderuit te komen,' fluisterde Millicent tegen ons; haar gezicht had een uitdrukking zo hard als de door de zon verschroeide woestijngrond.

'We zullen u het geld geven,' zei Millicent, haar stem rustig maar duidelijk, 'maar daarvoor zullen we een bericht moeten sturen naar degenen die ons ondersteunen in Shanghai en Moskou, wat enige dagen kan duren.'

'Dan nodigen we u hier als gasten uit,' antwoordde de ambtenaar. 'Onze prachtige stad Kashgar zal u met genoegen onderdak verschaffen.'

Daarom zijn we gedwongen in dit roze, stoffige bekken te blijven. Niet echt onder 'huisarrest', maar we moeten kennelijk wel toestemming vragen om het huis te verlaten; ik geef toe dat ik het verschil niet zie.

Londen, heden

Pimlico

Het was een vergissing geweest om de geurkaarsen aan te steken; de kamer rook nu naar een synthetisch dennenbos. Frieda blies ze stuk voor stuk met een overdreven *puf-puf* uit. Het was tien voor halftwee 's nachts. Ze trok het schuifraam dicht, met een klap kwam het neer, en keek in de spiegel. Haar zijden hemdje had de kleur van de binnenkant van een schelp – chic, zilver, broos – en door de parelmoertint zag haar gezicht er vaal uit, verbleekt. Ze keek om zich heen op zoek naar een vest en goot de fles wijn, die ze had geopend om hem te laten ademen, in de gootsteen leeg. Met haar ogen volgde ze de bloedstroom terwijl deze wegstroomde. Nu kon de wijn zo veel ademen als hij wilde. Zo te ruiken was die trouwens behoorlijk wrang geweest. *Ik heb ten minste niet voor hem gekookt.* Ze keek naar haar mobieltje dat op de tafel lag. Geen telefoontje, geen sms'je, niets.

Ze overwoog, ergens in haar achterhoofd, het bad vol te laten lopen, maar het ontbrak haar aan de energie om zichzelf onder te dompelen of te besluiten wanneer ze er weer uit zou stappen. Mascara werd met een wattenschijfje verwijderd. De laatste keer dat ze het bed met Nathaniel had gedeeld, enige maanden geleden of zo, had hij gezegd: 'Ik begrijp niet dat je deze viespeuk zo naast je laat liggen.' Ze wreef met een handdoek over haar gezicht. Ze begreep het zelf ook niet. Op de vensterbank stonden drie cactussen als vermoeide soldaten die op bevelen wachtten. Ze zette een vinger tegen een gele stekel van de grootste en duwde ertegen om pijn te voelen, maar de stekel was zacht en viel eraf zodra ze hem had aangeraakt. De cactussen zaten onder de wittige vlekken alsof ze aan bloedarmoede leden. Ze moesten nodig verzorgd worden. Ze liep naar de keuken.

Kinderen gaan voor. Zo was het en niet anders. Als er een wedstrijd of een selectieproces of een rangorde bestond, zouden kinderen altijd winnen. Topprioriteit: de jongens. Lijdend, kennelijk, aan verstoorde nachten, voortdurend wakker wordend om te kijken of papa er nog wel was, om zeker te weten dat hij ademhaalde in hun kamer; dat zijn hand dicht bij hun hoofd was, dat ze nooit alleen in het donker zouden worden achtergelaten. Hun dromen waren eng – vol monsters, piraten en eenzaamheid – zoals met gedachten gebeurde waar je geen grip op had of die je niet goed onder woorden kon brengen, nog niet. Het laatste wat ze wilden, was dat hij een paar uur midden in de nacht verdween om sigaretten te gaan halen.

Haar handpalmen jeukten, werden warm, daarna koud. Een tijd lang was het allemaal prima gegaan met Nathaniel, de balans tussen vrijheid en intimiteit. *Je bent een vrije geest, Frie. Je komt en je gaat.* Het reizen en weer terugkomen: dat geile, heftige, impulsieve gedrag van hem. Meestal bezorgde haar dat een gevoel alsof ze zweefde en alsof haar dagelijkse bestaan onwerkelijk en onbelangrijk was, dat het er niet toe deed dat hij er niet veel in aanwezig was. Toen Nathaniel ooit een keer te berde bracht dat hij zijn vrouw zou verlaten om samen met haar verder te gaan, had ze alles in de hand en wees ze hem af. Drie gebroken jongetjesharten wilde ze niet op haar geweten hebben. Maar dat was niet alles. Hij was zo'n man die er een enorme behoefte aan had om verzorgd te worden, zoals haar cactussen met vlekken. Daar had ze helemaal geen trek in.

Ze stond bij de gootsteen in de keuken. Haar eerste nacht terug en hij was niet komen opdagen. Koele kietelingen van septemberlucht hadden ergens doorheen een weg naar binnen gevonden. Buiten dook een trein op, onderweg naar Victoria Station. Elektrische draden boven de rails maakten contact en flitsten, schiepen een streep licht die Frieda's gezicht en nek als een laser doorsneed, zodat ze een seconde belicht werd, een opgehangen röntgenfoto tegen wit licht; daarna werd ze onmiddellijk weer in de duisternis teruggeworpen. Het was een opluchting om weer thuis te zijn. Deze laatste reis, dat laatste hotel, was niet wat je noemt een pretje geweest: vier sterren, maar zonder roomservice en met een lege minibar. Busjes van de politie en van het leger reden rondjes over het plein voor haar hotel en luidsprekers bulderden bevelen. Het internet was in de hele regio door de autoriteiten afgesloten en de straten waren leeg op hordes soldaten na, in groepjes van acht man met oproerschilden en op een sukkeldrafje rennend. Ze had bij het raam gestaan, starend naar haar telefoon alsof het een gebroken hart in haar handpalm was. Iedere keer wanneer ze internationaal probeerde te bellen, verscheen er VERBINDING VERBROKEN op het display. Een soort ongeregeldheden, maar ze kon er onmogelijk achter komen wat er aan de hand was; ze wist alleen dat ze daar niet hoorde te zijn. Waar? Het deed er eigenlijk niet toe. Alle steden vergroeiden met elkaar tot één grote stad. Het was gewoon weer een andere plaats waar het niet veilig voor haar was, als Engelse, als vrouw. Eerlijk gezegd was het Engels-zijn het grootste probleem. In taxi's vertelde ze de chauffeurs altijd dat ze uit Ierland kwam. Niemand had meer een hekel aan Ieren.

Ze had de eerste de beste vlucht naar huis geboekt en tijdens de lange reis voortdurend aan Nathaniel gedacht. In de lounge op het vliegveld – die existentiële ruimte voor de eenzame reiziger – kwam het in haar op dat de balans waardoor ze de situatie zo goed in de hand had, de laatste tijd was verstoord. Nathaniels onbetrouwbaarheid had een nietsontziende, bijna verlammende frustratie bij haar teweeggebracht. Een nieuw gevoel kwam in haar op en ze besefte vol ontzetting dat ze iets miste, nee, nog erger, ze voelde een hunkering naar vastigheid. Voor het eerst had ze niet genoeg aan haar werk.

Bij de voordeur klonk gehoest. Verdomme. Net nu ze al haar make-up had verwijderd. Ze liep naar de deur, maar bleef ineens staan. Daar was het weer. Dat was Nathaniel niet. Ze wachtte een paar seconden en liep toen op haar tenen naar het kijkgaatje. Het nachtlicht in het trappenhuis was aan en op de grond vlak bij de deur zat een man met zijn rug tegen de muur, benen gestrekt voor zich uit. Zijn ogen waren gesloten, maar hij zag er niet uit alsof hij sliep.

Frieda sprong achteruit, haar hart bonkte in haar borst, maar ze kon het niet laten om nog een keer naar buiten te gluren. Hij keek nu haar kant op alsof hij dwars door de deur kon kijken. Ze dacht dat hij zou opstaan en naar haar toe komen, maar hij wierp een blik op zijn hand en kwam niet in beweging. Hij hield een vulpen vast.

Ze liep zo stil mogelijk terug naar de keuken. Op het prikbord hing een nummer van de City Guardians, een christelijke groep vrijwilligers die straten schoonveegden en zorgden dat daklozen afdropen; ze kon die altijd bellen. Of de politie? Er zaten twee sloten op de deur, maar als ze die nu zou dichtdraaien, zou hij dat horen en zou ze alleen maar de aandacht op zichzelf vestigen. Ze liep in plaats daarvan naar de woonkamer en keerde terug naar het raam. Op straat was het groepje jongens met hun mobiele telefoons verdwenen. Er leek helemaal niemand meer te zijn – alleen nog de regen en het beton dat in de nattigheid bol ging staan, en het schudden van de bomen die doorbogen onder hun waterlast. Zo nu en dan hoorde ze het gehoest vanuit het trappenhuis. Een stadsvos, broodmager en met een erg dunne vacht, schoot weg onder de vuilcontainers. Frieda keek naar beneden, naar de lege, natte straat en nam een besluit. Uit een kast trok ze een kussen en een deken. Ze keek nog een keer door het gaatje. Hij lag nu opgerold op de vloer; ze kon nog net zijn gebogen rug zien, zijn leren jasje, het zwarte haar in zijn nek.

Het was zonder enige twijfel onverstandig om hem te laten weten dat hier een jonge vrouw woonde, hoogstwaarschijnlijk alleen, maar ze trok de deur toch open. De man krabbelde onmiddellijk overeind tot hij zat en keek haar aan. Hij had een snor en keek slaperig uit zijn ogen, had geen onaangenaam gezicht. Frieda zei niets, glimlachte ook niet, maar gaf hem het kussen en de deken aan en deed de deur weer snel dicht. Vijf minuten later gluurde ze weer door het kijkgaatje. Hij zat een sigaret te roken, geleund tegen de muur met het kussen achter zijn hoofd gepropt en met de deken om zijn benen geslagen.

De volgende morgen vond ze de deken opgevouwen en met het kussen er netjes bovenop, en op de muur naast haar deur stond een grote tekening van een vogel: lange snavel, eigenaardige poten en een staart met veel veren. Ze kon de vogel niet thuisbrengen. Er stonden een paar woorden in het Arabisch onder en hoewel ze wel wat elementaire kennis van het Arabisch had, begreep ze niet wat het betekende. Daaronder stond in het Engels geschreven:

> *Zoals de grote dichter zegt, lijd je,*
> *net als ik, aan een reis van de vogel.*

Naast de vogel was een werveling van pauwenveren te zien, en daarnaast een ingewikkelde tekening van een boot gemaakt van een zwerm zeemeeuwen, die ook nog wegzweefden en een zonsondergang vormden. Frieda stapte de deur uit om het beter te kunnen bekijken. Ze raakte de zwarte lijnen met haar vinger aan en leunde daarna over de balustrade om naar de spiraal van de afdalende trap te kijken. De schoonmaker was op de benedenverdieping bezig met zijn zwabber. Hij keek naar haar omhoog en knikte.

VOOR BEGINNERS. *Stap op en rijd weg! Het lijkt zo gemakkelijk. Voor de beginneling is het niet zo eenvoudig als het eruitziet, maar iedereen – of bijna iedereen – kan leren fietsen, en er zijn verschillende manieren om dat aan te pakken.*

Een dame op de fiets in Kashgar – aantekeningen

2 mei

We zijn naar een islamitische herberg gebracht, omdat we volgens de Chinezen nu eenmaal zulke pechvogels zijn dat we niet in een woonruimte kunnen worden ondergebracht. We zijn 'gasten' in deze Herberg van Harmonieuze Broederschap, die me doet denken aan de woorden van Marco Polo over deze in hitte gesmoorde stad:

De inwoners van Kasghar zijn verbazingwekkend goed op de hoogte van de duivelse krachten van de hekserij, zelfs zo goed dat ze hun afgoden aan het praten kunnen krijgen. Ze kunnen met hun zwarte kunsten ook veranderingen in het weer brengen en duisternis oproepen, en doen een paar dingen die zo bijzonder zijn, dat je het niet zou geloven als je het niet met eigen ogen had gezien.

Ik geloof het wel. Het zou me niets verbazen als in alle hoeken van deze binnenplaats waartoe we zijn veroordeeld, de duivel op de loer ligt.

Vanmorgen, terwijl we op Millicent wachtten, spanden Lizzie en ik ons in om de vrouwen in hun sluiers en doeken te kunnen zien terwijl ze heen en weer fladderden. Ze droegen bonte sjaals over tunieken, en felgekleurde hoofddoeken, en hoewel hun gezichten bedekt waren, was het mogelijk om aan de hand van de kunstzinnige schikking van hun hoofdbedekking enigszins in te schatten wie knap was en wie minder knap.

'Ze zien er kleuriger uit dan ik had verwacht.' We zaten op de grond, op fleurige peluws en kussens, in een ontvangstkamer die uitkwam op de binnenplaats. Lizzie zat tegenover mij, tikkend tegen haar geliefde camera.

Buiten bij de hoofdingang van deze herberg hangt een houten uithangbord waarop met rode verf de woorden ÉÉN WAAR GELOOF zijn geschilderd. Tinnen potten op een rij vullen de planken in de kleine, benauwde keuken en in de divankamer staan vol trots een aantal verfraaide, decoratieve theepotten met ingewikkelde ivoren handvatten uitgestald. Onze gastheer, Mohammed, schenkt zelf een groene bittere thee voor ons in, waarbij hij zijn eigenaardige theepot hoog boven de kopjes houdt en de stroom vloeistof als een schitterglanzend touw steeds langer laat worden. Het ontbijt wordt op grote koperen plateaus geserveerd en zo neergezet dat we naar buiten kunnen kijken, naar het meest opvallende object van het huis: een kleine fontein met een ondiep bassin waarin rozen- en geraniumblaadjes op het water zijn gestrooid. Bewerkte pilaren van populierenhout ondersteunen de dakspanten, en een kleurig balkon loopt rondom een tweede verdieping met kamers. Het stromende fonteinwater in dit dorstige woestijngebied is, neem ik aan, een eeuwig vloeiend symbool van de persoonlijke rijkdom van deze Mohammed.

'Ze zijn met zoveel. Millicent zegt dat het een combinatie van echtgenotes en dochters is.'

'Lizzie, ik wil naar de baby vragen. Denk je dat ze nog in leven is?'

Lizzie haalde haar schouders op.

Mohammed keerde terug en dekte de tafel ordelijk met kannen vol perzik- en meloensap, schalen met lillende, nauwelijks doorbakken eieren, platte broden, roze yoghurt en tomaten besprenkeld met suiker. Vervolgens werden er blauwe aardewerken kommetjes met honing, amandelen, olijven en rozijnen in een rij neergezet, samen met kommen vol dikke, wormachtige vermicelli. Dat hij ons zelf bediende, leek bijna een soort statement. Onder zijn eigenaardige baard is Mohammeds gezicht magerder en jonger dan je op het eerste gezicht zou vermoeden, en hoewel hij maar een paar woorden Engels spreekt, merkte ik dat hij, toen Millicent gisteravond zachtjes voor het eten het tafelgebed uitsprak, zijn hoofd omdraaide en verachtelijk snoof als een paard dat aan zijn teugels trekt.

Lizzie en ik begonnen voorzichtig te eten en keken op toen Millicent tevoorschijn kwam uit een van de onverlichte kamers, gekleed in een blauwe katoenen jas. Haar weerspannige haar, een kroeskop die zich verzet tegen haar pogingen om hem met wax in bedwang te houden, zag er zoals gebruikelijk uit als een wolk om haar hoofd.

'Het zal wel een paar weken duren voordat het smeergeld vanuit het missiehoofdkwartier zal zijn gearriveerd, en dat betekent dat we niets anders kunnen doen dan hier in Kashgar blijven,' zei ze terwijl ze zonder te glimlachen neerknielde bij de volgeladen ontbijttafel, met haar kin naar voren gestoken alsof ze een richel probeerde te bereiken om hem op te leggen. Millicents lichaam straalt die tegenstrijdigheid uit van een vrouw van zekere leeftijd die geen kinderen heeft gebaard: op de heupen en in het middel verbazingwekkend meisjesachtig, alsof de kiem van vrouwelijkheid aan haar voorbij is gegaan, hoewel ze er ook niet mannelijk uitziet, ondanks het feit dat ze buiten de beperkende gebaande paden voor vrouwen werkzaam is, wat op zich weer niet past bij haar vrouwelijke mond, lach en hoge stem.

'En de baby, Millicent?'

'Ze hebben een min voor haar gevonden. Ze zal weldra aan ons worden teruggegeven.' Millicent nam een slok van het perziksap, likte haar dunne lippen af en keek mij aan. 'De vraag wat we met de baby moeten doen, is nog niet opgelost, maar voorlopig ben jij verantwoordelijk voor haar.'

'Goeie genade, Millicent, ik weet helemaal niets van de verzorging van baby's. Ik wilde alleen maar weten of ze niet dood was of op de brandstapel terecht was gekomen.'

Ze negeerde me en stak een Hatamen op.

'Vergeet niet dat hij ons niet-mohammedanen alleen in zijn herberg tolereert omdat we vrouwen zijn, de ongevaarlijke sekse – we mogen deze kans niet verknoeien. Ik heb ontdekt dat een van de middelste dochters, Khadega, Russisch spreekt, waardoor we heel goed met elkaar hebben kunnen praten. We hebben afgesproken dat we haar uitspraaklessen zullen gaan geven. Ze is erop gebrand haar Engels te oefenen, zoals ze zelf zegt.'

Het is Millicents aspiratie om jonge vrouwen in haar heilige netten te verstrikken zoals een visser voorntjes aan de haak slaat, en wat zou dit een prachtige vangst zijn: regelrecht uit het huis van de valse profeet, in de armen van de enige ware profeet gedreven worden.

'Hoe weet je zo zeker dat ze haar Engelse uitspraak wil oefenen?' vroeg ik. 'Misschien wil ze gewoonweg Engels leren.'

'Mag ik je herinneren,' zei Millicent terwijl ze van de tafel opstond en haar bril langs haar neus omhoog schoof, 'aan Matteüs
achtentwintig, vers zestien tot en met twintig, en aan de elf discipelen in Galilea die aan Jezus twijfelden. Wat deed Hij? Hij
kwam op hen toe en zei: "Mij is gegeven alle macht in de hemel en
op aarde. Gaat dan henen, maakt al de volken tot mijn discipelen
en doopt hen in de naam des Vaders en des Zoons en des Heiligen
Geestes en leert hen onderhouden al wat Ik u bevolen heb."'

Ik maakte de laatste regel voor haar af: '"En zie, Ik ben met u
al de dagen tot aan de voleinding der wereld."'

Ze floot zachtjes. Het ergert Millicent dat ik zo Bijbelvast
ben, en de laatste tijd valt ze terug op de meer bekende teksten.
Lizzies ogen, altijd groot en vochtig, werden nog groter en voch-
tiger: *niet doen, Eva.* Dat had ik eigenlijk niet voor mogelijk gehouden.

'Ik denk dat we hier net zo goed een missiepost kunnen opzetten als ergens anders.'

Lizzie keek me aan. Het is al heel wat maanden geleden dat
we vanaf Victoria Station vertrokken (waar ik mijn heerlijke
groene BSA Roadster-damesfiets kon ophalen). Op onze bagage
waren labels met fantastische woorden geplakt: BERLIJN, BAKOE,
KRASNOVODSK, OSJ, KASHGAR. Voor die tijd praatte de eerwaarde
James McCraven over onze bestemming (als we die al hadden)
alsof het de minst bezochte plaats op aarde was. Zijn verweerde
vingers prikten in onzichtbare zeepbellen in de lucht terwijl hij
raaskalde over dorre woestijnen vol zondige afgoden en wezens
niet beter dan dieren. En hij deed dat met een blik in zijn ogen
die impliceerde dat ik op de een of andere manier verantwoordelijk was voor die dorheid, voor dat lege, heidense grondge-
bied. Ik lag in het stugge, oncomfortabele bed in de opleidings-
school van het missiehoofdkwarier in Liverpool, met onder de

deken in mijn hand een gestolen, verboden en daarom als een schat gekoesterde appel. Terwijl mijn vinger over de glanzende rode schil van de appel schraapte, probeerde ik me een beeld van een woestijn te vormen, een enorm uitgestrekte, lege ruimte vol brekingen van het licht en een oneindige variëteit aan schaduwen van het zand. Ik stak door de schil heen zodat het sap naar buiten kwam en met mijn vingertop groef ik een gaatje in het vruchtvlees zoals een worm zou kunnen maken, snakkend naar een lege plek, denkend aan de rust en stilte die inherent aan zo'n landschap moesten zijn. Ik moet die paradijselijke leegte nog steeds vinden. In plaats daarvan was er voortdurend gesleep, spoorwegtickets en vreemde hotels, reistassen vol kinine en vastplakkende pleisters, het oprollen en uitrollen van een Jaegerslaapzak, woordenwisselingen met de dragoman, hutkoffers die in- en uitgeladen werden en erbarmelijke hoofdpijnen.

Eenmaal voorbij Osj werden we geconfronteerd met het ontstellende gehots en gebots van het reizen per postkar; onze botten werden vreselijk door elkaar gerammeld en onze spieren ongelofelijk gemarteld. En voor zover ik me herinner werden we misselijk van veel, zo niet al het voedsel dat verkrijgbaar was, en laten we die eindeloze ellende met vlooien ook niet vergeten.

Toch, misschien, heeft na weken trekken, de gedachte bij Lizzie en mij postgevat dat we tot het einde van de wereld zouden willen reizen en nog een keer helemaal rondom. Ik geloof dat we geen van beiden verwachtten ooit nog te stoppen. Ik was blij met die blik in haar ogen. De laatste tijd lijkt het of Millicent haar van me heeft afgepakt, haar bijna bij me heeft weggetoverd. Onze nabijheid vanwege de reis heeft ieder gevoel van intimiteit vernietigd, waardoor ik in mijn eentje sta, toekijk, en hen tweeën in de gaten houd; maar ik heb gezien dat Lizzie hier ook niet wil blijven. Dat hebben we in elk geval gemeen.

Londen, heden

Victoria Station

Tayeb zag Roberto verdwijnen in het gedrang van forenzen, als een vette vis, als een grazer op de bodem van de zee, en hij zag er precies zo uit als je je een korte, gedrongen, Portugese chef-kok voorstelt. Hij keek geen enkele keer achterom.

Dat was dan dat; nog een deel van zijn leven dat was verwijderd en weggegooid als een zuur partje mandarijn. Teruggaan naar de flat in Hackney kon nu niet meer.

Tayeb had twee uur op Roberto gewacht, zittend aan een tafeltje in een café in de hal van Victoria Station, de hele tijd op één kop thee terend. Terwijl hij wachtte, trok hij een raster van kaarsrechte lijnen over de met elkaar verweven veren van een valkenvleugel die hij op een servetje had getekend, met een vulpen gestolen in een winkel van een liefdadigheidsinstelling. Jatten was makkelijk in dit land, in tegenstelling tot Sana'a, waar oude opa's in hoekjes van winkels en stalletjes de zakkenrollers

en dieven in de gaten zaten te houden, hun grauwe staar op afstand gehouden door de qat. Toen Roberto uiteindelijk arriveerde,
leek hij in eerste instantie bezorgd:

'Jij oké, broeder?' Hij sprak glimlachend, waardoor zijn groene
tanden zichtbaar waren, niet bepaald reclame voor een leven in
de keuken.

'Ja, *yalla*. Alles is oké.'

'Eh, ik vind het vreselijk om dit te zeggen, Tay, maar ik denk
dat je terecht ontzettend achterdochtig bent.' Roberto spreidde
zijn handen op de plakkerige tafel uit, strekte zijn dikke vingers.

'O ja? Hoezo?'

'Ze zijn weer langs geweest.' Roberto gluurde naar Tayebs
krabbels op de servetjes, vleugels, klauwen, botjes.

'De politie?' Tayeb leunde achterover in zijn stoel.

'Ja. Met z'n tweeën, in gewone kleren. Geen politie-uniform en
zo, wat waarschijnlijk een slecht teken is, en ze wilden jou spreken.' Roberto krabde aan zijn gezicht, waardoor drie roze strepen op zijn vette wangen achterbleven.

'Anwar was er niet, godzijdank,' ging hij door, 'maar ze hadden een lijst met namen die ze oplazen, en Anwar stond daarop.
Ik ook, maar ze zochten jou en Anwar.'

'Hebben ze nog meer gezegd?'

'Ze vroegen of je een visum had. En of je... Al... Al... Al...
jazz of zoiets kent.'

'Al-Jahiz?' Tayeb ging rechtop zitten en trapte met zijn voet
per ongeluk tegen een duif die pikte aan een plastic roerlepeltje
op de grond onder zijn tafeltje.

'Ja, die.'

'Wat heb je gezegd?'

'Ik zei dat ik geen flauw idee had waarover ze het hadden.'

'Al-Jahiz... *Het boek der dieren.*'

Roberto had zijn schouders opgehaald en Tayeb aangekeken en nagedacht voordat hij vroeg: 'Waar heb je vannacht geslapen?'

'Voor een deur in een huizenblok in Pimlico.'

Er viel even een stilte.

'Luister, maat,' zei Roberto. 'Ik vind dat je even een tijdje niet terug moet komen als er met je visum, je weet wel... iets niet in orde is. Je zou ons allemaal in de problemen kunnen brengen, snap je? Ik denk dat Nidal erg bezorgd is.'

Tayeb dacht aan Nidal in hun keuken, 'ts, ts' zeggend bij elke kartonnen verpakking van KFC of een fles van Coca-Cola light. Tayebs huid reageerde altijd op Nidals kalmte. De manier waarop hij zijn eten op zijn bord legde, eerst bepaalde kleuren voedsel at, en zijn kritiek op de inhoud van de kasten en dat hij eindeloos controleerde of de deur naar de zolder wel stevig dichtzat; Tayeb kreeg al jeuk als hij Nidal zag leven.

'Luister eens, zeg maar tegen Nidal dat hij zich geen zorgen hoeft te maken. Ik blijf wel weg. Ik red me prima.'

'Mooi zo.' Roberto zag er niet uit alsof hij hem geloofde, en hoewel hij zijn gezicht in zoiets als een glimlach had getrokken, was het er geen. Roberto stond daarna op, rende bijna weg, en met een laatste 'tot ziens dan maar' werd hij al snel een van de mensen die schuifelend door het station voorsorteerden, de hemel mocht weten waarheen.

De duif bleef pikken bij Tayebs voeten alsof hij iets in het bijzonder zocht. Het leek bijna onbestaanbaar dat zoveel mensen een specifieke bestemming hadden. Om zichzelf te kalmeren tekende Tayeb ronde lijnen, in punten en in streepjes. Het had geen zin om boos op Roberto te zijn, of op Nidal of Anwar. Verraad was een veel te groot woord voor het wegspoelen door het afvoerputje van iets wat ongelegen kwam.

De inkt die in het servetje uitvloeide, kalmeerde hem terwijl hij in zijn hoofd tegen zichzelf zat te praten: als je van je stuk bent gebracht, is het het beste om een vast punt uit te zoeken en je ogen daarop te fixeren, om jezelf te kalmeren, om te zorgen dat je niet onderuitgaat.

Gisteravond, toen Tayeb wist dat hij niet terug naar huis kon, dat hij geen plek had om te slapen, had hij een vrouw uitgezocht – niet helemaal lukraak, ze was tenslotte een vrouw en zag er vrij jong uit – en was haar achternagelopen. Ze liep in de regen met een rode fiets aan de hand over de stoep in Buckingham Palace Road. Hij kon haar gezicht niet echt goed zien; ze keek naar de grond omdat de regen in een akelige hoek neerkletterde. Streekbussen knerpten over het natte, grove asfalt, stadsbussen en taxi's kampten met ruimte op de weg. Bij een stoplicht sloeg ze af, Ebury Bridge Road in, en onmiddellijk, als bij toverslag, verdween de hectische atmosfeer van mensen op doorreis in het Victoria Coach Station. De vrij steil oplopende weg voelde al veel meer aan als een rustige Londense achterafstraat. Eigenlijk was het een brug over het spoor, en door een gat in de muur zag Tayeb een grote hoeveelheid treinsporen naast elkaar, die als ijzeren wegen nergens heen leidden. En in de verte rezen de vier witte torens van het Battersea Power Station surrealistisch en doelloos op in de smerige stadslucht. Hij knipperde met zijn rechterooglid, als een sluiter van een camera, alsof hij ze fotografeerde.

Aan het eind van de brug maakte de vrouw een ijzeren poort open en betrad een besloten woningbouwproject. Hij keek naar haar terwijl ze haar fiets aan een rek tegen de muur op slot zette en in de eerste deur van een woonblok verdween. Er hing een bordje aan de muur: PEABODY ESTATE. Daaronder had iemand in de bakstenen een doodshoofd met gekruiste knekels gekrast. Toen hij het gebouw in liep, hoorde hij sleutels. Een deur. Daarna liep hij naar boven en zijn eigen voetstappen maakten nog minder geluid dan een echo. Toen hij boven was, zag hij een blauwe deur. Nummer 12. Hij ging daar een poosje zitten. Hij wist gewoon niet waar hij anders naartoe moest.

Een hele tijd daarna had ze hem een deken gegeven: een klein wonder.

Hij had nu ook een wonder nodig. Waar moest hij heen? Hij hoorde niet bij de gemeenschap van 'bannelingen'. Hij was geen vluchteling. Hij weigerde om te gaan met 'immigranten' uit Jemen. De Jemenitische verenigingen bezorgden hem een schuldgevoel, en schuld maakte hem kwaad. Hij miste zijn vaderland niet. Hij voelde zich hier net zo stuurloos als toen hij met tegenzin achter zijn vader aan moest lopen met een emmer water om de vogelpoep op de bodem van de kooien op te ruimen. Ooit had hij een identiteit gehad: in de tijd dat hij filmde, een filmer was. Hij legde vast en was getuige, maar sinds hij in Engeland was gearriveerd, had hij geen camera meer aangeraakt.

Een verse golf mensen kwam aan en overspoelde het Victoria Station, de meesten bijna rennend, iedereen belangrijk in zijn eigen universum.

Het was allemaal Tayebs eigen stomme schuld. Het was in een openbaar toilet aan de Strand begonnen, in die wc die vlak bij de Zimbabwaanse ambassade staat; op de muur boven een pisbak vol vlekken had Tayeb met mat-acryl een vogel met een lange nek geschilderd. Hij had direct herkenbaar als een struisvogel moeten zijn, maar hij wist niet of dat wel zo was. De vogel zat op vijf eieren. Links daarvan had Tayeb geprobeerd een lange, stakige bloem te schilderen, en rechts ronddwarrelende bladeren. De struisvogel had een domme uitdrukking moeten hebben, maar hij had ontdekt dat dat verbazingwekkend moeilijk was vast te leggen. Onder de struisvogel had hij geschreven:

De struisvogel is de domste van alle vogels, die ophoudt haar eieren uit te broeden als ze grote trek in eten krijgt; als ze tijdens haar voedseltocht eieren ziet die van een andere struisvogel zijn die ook is vertrokken op zoek naar eten, dan gaat ze op die eieren zitten broeden en vergeet haar eigen eieren.

Hij stond op het punt nog meer op te schrijven toen hij stampende voeten de trap af hoorde komen. Voordat Tayeb tijd had ook maar iets te doen, zelfs niet de dop op zijn viltstift te steken, kwamen twee mannen het toilet binnen. Ze keken naar Tayeb en Tayeb keek terug; ze zeiden alle drie niets. De ene man was lang en zijn gezicht was getekend door huidproblemen. Hij liep naar de muur en keek naar wat Tayeb had opgeschreven.

'Wat is dat?'

'Een citaat.' Tayeb sprak rustig. De kleinste van de twee mannen las het hardop voor, keek naar zijn vriend en knipoogde. Ze zagen er niet uit als politie, maar wie weet hoe politie er tegenwoordig uitzag? De lange man haalde een pakje Marlboro tevoorschijn en stak er een op.

'Heel artistiek. Mag ik vragen waar het citaat vandaan komt?'

Voordat Tayeb de kleinere man, die behoorlijk veel haar op zijn handen had, antwoord kon geven, begon deze onverklaarbaar te giechelen.

'Je ziet er wel lekker uit met je donkere ogen. Cruise je in deze buurt?'

'Pardon?' Schel gegiechel echode tussen de vochtige muren van het toilet. Tayeb negeerde de kleine man instinctief en keek naar de oudere man, misschien in de vijftig, zo'n tien jaar ouder dan Tayeb.

'Hij vraagt of je nog meer diensten aan Jan Publiek verleent dan alleen je artistieke. Negeer hem. Hij heeft een *dirty mind*.'

Tayeb keek naar de smerige vloertegels en hoopte dat ze niet zagen dat hij geschokt was. Hij vertrok de spieren in zijn gezicht zodanig dat hij er zelfverzekerd en ontspannen zou uitzien, en glimlachte naar de twee mannen. 'Ik cruise hier niet, nee.'

'Wat jammer,' zei de behaarde man met een hoge stem. 'Ik hou wel van exotica.' De lange man keek aandachtig naar de struisvogel.

'Het is een citaat, jongens.' Tayeb had besloten dat vriendelijkheid de beste benadering was. 'Uit het meesterwerk *Het boek der dieren* van Al-Jahiz. Hoewel mijn schilderij de struisvogels helaas weinig eer aandoet.'

De lange man gooide zijn sigaret op de grond, trapte hem uit met zijn halfhoge hak en ging voor een van de pisbakken staan. Hij trok zijn rits open. Het geluid van vloeistof die het urinoir raakte klonk, daarna werd de lucht langzaam gevuld met een metaalachtige geur. Terwijl de man plaste, keek hij naar Tayeb.

'Heb je zin om samen met ons wat te gaan drinken?'

Tayeb concentreerde zich op de gesp van zijn tas, klapte hem op en neer, zich bewust van het feit dat de man nog steeds zijn jongeheer vasthield en de tijd nam om hem weg te stoppen. Toen hij de rits hoorde, keek Tayeb op en knikte. Als het smerissen waren, kon hij maar het beste met hen meegaan.

Omdat het vrijdagavond was en nog niet zo laat krioelde het in The Coal Hole aan de Strand van zakenjongens met rode hoofden. Vrouwen met hoge stemmen gaven glazen wijn van de bar aan elkaar door, grote bolle glazen als viskommetjes op stelen. In de bar in de kelder was het minder warm, minder druk. Ze stelden zich aan elkaar voor – Graham, de behaarde; Matthew, de lange – en Graham werd naar de bar gestuurd.

'Ben je soms een soort graffitikunstenaar?'

'Nee.' Tayeb streek over zijn snor. Zijn vingers smachtten trillend naar een sigaret. De littekens op Matthews gezicht vormden een patroon, diepliggend en coherent, alsof ze een verhaal vertelden.

'Ik beschouw mezelf liever als een boodschapper.'

'O. En wat is je boodschap dan?'

'Ik herinner mensen er graag aan dat hun daden onaangename gevolgen kunnen hebben.' De 'r' van 'graag' werd lang uitgerekt.

'Ik mag het wel zoals je dat zegt.' Graham ging zitten met drie glazen rode wijn.

'Ja,' zei Matthew. 'Ik heb ooit bijna een tattoo op mijn kont laten zetten, met "daden" op de ene bil en "gevolgen" op de andere.'

Graham zei: 'Nou, dat had de boodschap wel verspreid.'

Tayeb glimlachte, wat edelmoedig was. Probeerden ze hem onder druk te zetten? Hij verschoof zijn voeten onder de tafel, vol vertrouwen, denkend dat het niet zo moeilijk zou zijn om van die homo's af te komen. Hij nam een slok wijn en huiverde. Een avondje gratis eten en drinken.

'Heb je een stukje papier?' vroeg Tayeb aan Matthew. Een velletje geel gelinieerd papier werd uit een intensief gebruikte yuppenagenda gescheurd.

Tayeb haalde zijn kalligrafeerpen tevoorschijn en begon te tekenen. 'Dit,' zei hij, terwijl hij een vogel met korte, lompe poten schetste, 'is de *qurb*. Zeelieden in mijn vaderland zeggen dat als de vogel *"qurb amad"* zegt, dat dat betekent dat het veilig is om een schip aan land te zetten.'

Graham scheurde zijn bierviltje in kleine stukjes. Matthew glimlachte naar Tayeb alsof hij een schattige pup was.

'En er is nog een vogel.' Hij tekende een rond lijf en lange, stakige poten. 'De *samaruk* laat van zich horen als een reiziger, die weg is geweest, op het punt staat terug te keren.' Tayeb keek naar Matthew, maar zijn gegroefde gezicht met littekens vertrok geen spier en er was moeilijk iets van af te lezen.

'Wat is je lievelingsvogel?' vroeg Tayeb aan Matthew.

'De duif,' zei Matthew. 'Een slechte reputatie, smerig, heel erg algemeen en nukkig. Net als ik.'

'Net als jij,' zei Graham traag.

'Dat dacht ik al. Samaruk betekent in het Perzisch 'duif' en duiven brengen boodschappen over. Ze zijn een aanwijzing voor een terugkeer.'

Matthew lachte. 'Je zegt dat het een teken is. Was het dan ook voorbestemd dat we elkaar zouden ontmoeten? Mafkees, ik denk dat we het best met elkaar zullen kunnen vinden. Wat een grappig, lekker ding hebben we in de pisbak opgedoken.' Hij leegde zijn glas in één teug en wierp Tayeb een steelse blik toe. Hij gaf Graham een stomp tegen zijn been.

'Laten we een hele fles bestellen.'

Domme, idiote Tayeb; hij had de tekenen niet doorgehad, nee toch? En moet je nou zien. Een medewerker van het café, die er Sudanees uitzag, bleef bij zijn tafeltje rondhangen, wachtte tot hij Tayebs kopje kon meenemen. Het had geen zin om boos op Roberto, Nidal of Anwar te worden, dacht hij weer – het was niet hun schuld.

Tayeb trapte naar de duif onder zijn tafeltje, maar miste hem. De vogel strompelde weg. Hij had iets aan een van zijn poten, zag Tayeb, maar hij leek er geen last van te hebben; hij trippelde weg, doorpikkend zonder zich druk te maken.

TE OVERWINNEN MOEILIJKHEDEN. *Opstappen is moeilijk, sturen is moeilijk en trappen is moeilijk; en het moeilijkst is al die dingen tegelijkertijd doen.*

Een dame op de fiets in Kashgar – aantekeningen

3 mei

Mohammeds eerste vrouw, Rami, bootste het gebaar van wiegen na, ons daarmee te kennen gevend dat we met haar mee moesten komen. Onder haar ogen ligt de huid in laagjes geplooid als de besuikerde baklava's die we in Osj kregen voorgeschoteld. Eindelijk, na twee hele dagen van theedrinken met Mohammed en een stroom bezoekers, mochten we de binnenkant van het vrouwenverblijf zien. Dat was zeer welkom na de eindeloze ontmoetingen met mannen die tulbanden op hun hoofd, bonte hemdjurken aan hun lijf en zachtlederen laarzen aan hun voeten droegen, en hun diensten aanboden als hoefsmid, voerman, kok of kleermaker. En ze stelden vragen:

'Waar zijn uw echtgenoten?'

'Waar zijn uw kinderen?'

'Waarom heeft uw vader u toestemming gegeven om hier zonder mannen heen te gaan?'

Het was donker in de kamer boven, slechts een paar schuin invallende lichtstralen drongen door de gebobbelde ramen die voor de helft met zonneblinden waren bedekt. Een flink aantal vrouwen van verschillende leeftijden zat her en der op lage kussens en peluws naar ons te kijken terwijl we onbeholpen midden in de kamer stonden, niet wetend of we nu moesten gaan zitten of blijven staan. De vloer lag bedekt met dikke vilten kleden, geverfd in rood, indigo en blauw; een brede, knalgele streep liep precies over het midden van de vloer, en het houtwerk in de kamer, de zonneblinden en de houten pilaren, waren allemaal geschilderd in een helder, opbeurend soort blauw. De lucht was echter slaapverwekkend en twee peuters dribbelden over de vloer. Een van de jongetjes liep met zijn zaakje open en bloot, en bovendien was een van zijn testikels zo opgezwollen dat die zo groot als mijn vuist was.

Rami wees naar een paar kussens om op te gaan zitten. Mijn ogen hadden zich aan het donker aangepast en toen zag ik haar, de baby, in een hoek van de kamer, aan de borst van een min die niet zo jong meer was. Het was de eerste keer dat ik de baby weer zag sinds we hier waren gearriveerd – dus was ze niet verbrand of in de vuilnisbak gegooid of ergens in het woestijnstof achtergelaten om te sterven. Het gezicht van de min was nors en ze leek veel te oud om melk te kunnen geven. Terwijl de baby zoog, keek de vrouw noch naar haar, noch naar de vrouwen en kinderen, maar staarde in de verte alsof ze dood was.

Millicent en Lizzie gingen naast elkaar op de kussens zitten, maar toen ik naar hen toe liep, pakte een vrouw me van achteren bij mijn arm vast. Ze wees naar mijn haar en wilde me niet loslaten. Ooit, in Southsea, had een man met een wrede glimlach sigarettenrook in mijn gezicht geblazen en gefluisterd: 'Je hebt het haar van de schoonheden die Burne-Jones schilderde, maar helaas niet het gezicht.' De hele nacht daarna was ik in tranen vanwege de waarheid van die woorden.

Een jonge vrouw kwam naar ons toe. 'Dit is Khadega,' zei Millicent. Ze begroetten elkaar in het Russisch. Het was de eerste keer dat Lizzie en ik haar ontmoetten. Ze is niet de mooiste van Mohammeds dochters (het verbaasde me niet dat ze een van de laatsten was die in onze aanwezigheid de sluier voor haar gezicht weghaalde). Haar mannelijk brede gezicht boezemt afkeer in; ze was wat moeder 'van het onfortuinlijke slag' zou noemen. Khadega knikte naar Lizzie, pakte toen een handvol van mijn haar, trok er nogal hard aan en hield het in haar handpalm alsof ze het wilde wegen. Ze wreef een strengetje tussen haar duim en wijsvinger en gaf toen kennelijk haar commentaar, omdat iedereen, inclusief Rami en Millicent, begon te lachen. Ze zag me naar de baby kijken.

'*Halimah!* Hmm?' zei ze naar de min wijzend. Beduusd vroeg ik met mijn ogen hulp aan Lizzie.

'Halimah, halimah!' Daarna volgde een discussie – of een ruzie, dat kon ik niet zeggen – en alle vrouwen schreeuwden en zwaaiden met hun armen. Khadega schreeuwde het hardst, leek met haar stem de lucht om me heen weg te nemen, totdat Rami hen tot stilte maande, Khadega's hand van me af sloeg en me nogmaals naar de vloer vol kussens verwees. Khadega ging naast Millicent zitten en onmiddellijk begonnen ze in het Russisch met elkaar te praten. Ik installeerde me naast Lizzie.

'Kennelijk had de profeet Mohammed een min die Halimah heette,' zei Lizzie. Terwijl er drankjes en noten met honing werden geserveerd, stelde Rami ons voor aan Lamara, Mohammeds jongste vrouw. Lizzie en ik konden elkaar niet aankijken, zo diep geschokt waren we toen het tot ons doordrong dat ze beiden echtgenotes van hem waren. Lamara glimlachte met vochtige ogen, zo mooi, en pakte het kleinste, rondkruipende kind op, niet het mismaakte, gooide het met een kreetje in de lucht, lachte en drukte het daarna tegen haar borst.

We nipten aan de thee. Door de onderzoekende blikken waaraan we werden onderworpen en de beslotenheid van de kamer voelde ik me erg opgelaten. Ik hield iedere slok thee zo lang mogelijk in mijn mond om mijn hysterie in bedwang te houden. Overal om ons heen hing de heftigheid van hun taal en zoals gewoonlijk verstond ik er niets van. Noch doorzag ik hun codes en signalen. Maar wat ik wel kon zien, was dat deze vrouwen niet vriendelijk waren. Een paar keken ons zelfs openlijk vijandig aan.

Uiteindelijk trok de nors kijkende min de baby bij haar borst weg, wikkelde haar hardhandig in een deken en stond op, haar lekkende, slappe borsten bloot. Rami wees naar mij. Voor het eerst hielden alle vrouwen op met praten en staarden me aan. Ik heb geen ervaring met baby's en terwijl ik haar in mijn armen probeerde te wiegen, verscheen er plotseling een verstoorde uitdrukking op het slaperige gezichtje van de baby. Ik stond op: groot, belachelijk en lelijk in die ruimte vol gracieuze vrouwen. Ik knikte naar Rami, probeerde haar duidelijk te maken dat ik haar bedankte en wilde vertrekken met dat slapende bundeltje uit die donkere, van parfum verzadigde kamer. Lizzie, die niets had gezegd, maar alleen met een schuin oog Khadega in de gaten had gehouden, stond op en kwam me achterna. Millicent deed er een eeuwigheid over om handen te schudden met alle vrouwen in de kamer en voegde zich daarna bij ons. Zodra we de deur uit waren, hoorden we dat de vrouwen losbarstten in levendige gesprekken en lachbuien.

De min lijkt wel altijd in de keuken te zitten wachten. Ik moet de baby bij haar brengen als ze moet worden gevoed. Het meisje slaapt nu en ik zit hier met dit dagboek, bang dat ze stopt met ademhalen. Meer dan deze niet-uitgewerkte, opgekrabbelde aantekeningen heb ik niet voor mijn gids voor Mr. Hatchett, hoewel ik grootse, schitterende plannen voor mijn boek heb. Het zal een nieuw soort boek worden. *Een dame op de fiets in Kashgar* is voorlopig de werktitel en als ondertitel gebruik ik: *Hoe ik mij stilletjes onder de missionarissen begaf.* Het zal mijn eigen persoonlijke observaties bevatten, aangevuld met inkijkjes in het leven van de moslims. Ik ben van plan de vrouwen te bespioneren, zo fascinerend in hun wapperende gewaden, en het landschap te beschrijven: die geweldige, monotone vlaktes; en ik zal op mijn twee wielen rijden en het zand van de woestijn voelen en me door de straten bewegen alsof ik vlieg. Om de moed erin te houden, denk ik terug aan het gesprek dat ik voor ons vertrek met Mr. Hatchett had:

'Een fietsgids voor de woestijn,' zei hij glimlachend. 'Wat curieus.'

Mijn zusje Lizzie, met fonkelende ogen en een tikkeltje niet-van-deze-wereld, verklaarde twee jaar geleden tijdens de avondmaaltijd in Southsea, waar moeder en tante Cicely en de stofvlokken op de walnotenhouten kast van de klok bij waren, dat ze had toegegeven aan wat zij een roeping noemde. Haar nieuwe vriendin van de St. Paul's-kerk in Portsmouth, miss Millicent Frost, had haar de weg gewezen naar deze roeping en haar geholpen bepaalde inzichten te verwerven. Ik viel echt zowat dood van schrik.

Ik herinner me dat het buiten regende, maar dat het in de salon van tante Cicely onaangenaam warm was terwijl Lizzie tot in details uitweidde over haar plannen om als missionaris te worden opgeleid teneinde later naar het Oosten af te reizen. Het stond buiten kijf, beweerde ze, dat ze de ongelukkige zielen van de verdoolden, zieken en behoeftigen ging redden. Het was haar plicht om de verworpenen te helpen, die op wrede wijze door geografie en onwetendheid verdoemd waren, en ik herinner me dat ik toen dacht hoe treurig het was dat het maar bleef regenen en dat vader nu weldra zou overlijden.

Voor hem waren we naar Engeland teruggekeerd. Hij voelde de behoefte, zo had hij uitgelegd, om terug te gaan voordat zijn krachten zouden afnemen en hij zo wit en droog als papier zou worden. Hij wilde zijn zus zien, naast een Engelse open haard zitten en aardappelen uit Dorset eten. Dus verhuisden we van Genève naar Southsea. Alleen was het voor Lizzie en mij geen terugkeer. Niettegenstaande onze Engelse afkomst, onze namen Evangeline en Elizabeth English, het gegeven dat we met de bijbel van King James waren opgegroeid en '*Ring-a-ring-of-roses-a-pocket-full-of-posies*' in de kinderkamer hadden gezongen, hadden we in werkelijkheid nooit in Engeland gewoond, hadden zelfs nog nooit een bezoek aan dat land gebracht. Als kinderen gingen we met vader mee naar Algiers, Saint-Omer, Calais en Genève, maar nooit naar dat druilerige, afschuwelijke Engeland.

Moeder, die in Genève een naam had op te houden met haar rode haar en haar comités en pamfletten, was net zo onvoorbereid geweest als Lizzie en ik bij onze eerste blik op de verlaten theehuizen in Southsea, gesloten voor de winter, en de pier die zijn nietige verzet volhield tegen de eindeloze vijandigheid van de grauwe, opspattende zee. En o, die klok die maar als een metronoom bleef tikken.

Moeder zei niets tegen de frêle en mooie Lizzie, die verbijsterd voor zich uit zat te kijken, alsof haar gezicht achter gaas zat verborgen. Mijn zusje is, en is altijd geweest, als het gevoel in een kamer waaruit net iemand is vertrokken. Ik zag dat ze haar zakdoek tot een vodje in elkaar had gedraaid en angstig weer losdraaide en gladstreek, en ik vroeg me af wie ze was, die miss Millicent Frost. Ik zag dat Lizzie het serieus meende. Onmiddellijk kwam de volgende gedachte bij me op: geen denken aan dat ik hier achterblijf in deze vochtige, flegmatische somberheid van een Engelse winter, terwijl de onavontuurlijke Elizabeth naar Babylon reist! Naar Mekka! Naar Peking!

Slechts drie of vier weken voor ons vertrek nodigde onze neef Alfred ons toevallig uit voor een lunch in Hampstead. Omdat Lizzie en ik enigszins excentriek zijn, kon hij met ons indruk maken en daardoor zelf wat interessanter lijken voor een uitgever die hij gunstig wilde stemmen. Hij hoopte zijn eigen gedichtenbundel bij deze man onder te kunnen brengen.

De uitgever, Mr. Hatchett, zo waarschuwde hij ons, was een stugge, oude vent. We zouden hem moeten vertellen over onze naderende reizen en uitstralen dat we ontzettend boeiende avonturiersters waren, of zoiets. Het was dan ook een verrassing dat Mr. Hatchett, toen hij naast me zat, helemaal geen stugge vent bleek te zijn, maar een echte heer met een bemoedigende glimlach. En ik was zelfs nog meer verrast toen ik hem spontaan begon te vertellen over mijn plannen om een gids over de regio te schrijven.

'Ik loop met dat idee rond, snapt u?' zei ik.

'Vertel verder,' nodigde hij uit, zachtjes in zijn handen klappend.

Dus praatte ik en was ervan onder de indruk dat hij onmiddellijk het boek herkende dat mijn inspiratiebron was: Egeria – die verbazingwekkende vrouw die in de vierde eeuw van Gaul naar Jeruzalem was gereisd – sterker nog, hij vertelde me het verhaal van de ontdekking van haar boek (in 1884 of 1885?), en ik gaf toe dat het lezen van haar beschrijvingen van de kaarsen en lampen en de mysterieuze betoverende interieurs, de tapirs, de zijde, de juwelen en de wandkleden, mijn verlangen om te reizen hadden gewekt.

'Ik begrijp het,' zei hij, weer met die gulle glimlach. Hij zag eruit alsof hij, ondertussen misschien zelf dromend over het maken van grote reizen, absoluut niet afwijzend stond tegenover mijn op handen zijnde avonturen; integendeel zelfs, hij bewonderde me erom.

'U moet me echt meer vertellen over die gids. U hebt mijn interesse gewekt om die eventueel uit te geven.'

Ik vertelde hem niet dat ik hunkerde naar een verafgelegen plek, naar een vreselijk on-Engelse omgeving, een omgeving die Southsea zou uitwissen.

O... Millicent roept me nu.

4 mei

'Ik ben bang voor Mohammed,' zei Lizzie, die me in de gaten hield terwijl ik de baby tegen mijn borst vasthield en kalmerend over haar ruggetje streek, zoals ik inmiddels had geleerd.

'Waarom?'

'Hij haat ons.' Voordat ik haar antwoord kon geven, was ze verdwenen.

De zandstormen zijn verstikkend. Ze nemen als een gepijnigd gejank uit het midden van de aarde alle lucht weg. Iedere middag komen ze opzetten en wervelen rond en werpen enorme hoeveelheden zand door de stad, begeleid door een weeklagend geluid.

Zo langzamerhand begin ik grip te krijgen op de ritmiek van deze herberg. Wij met z'n drieën, Millicent, Lizzie en ik – nou ja, met z'n vieren als ik de baby meetel – slapen samen op een kamer waarin de kangs als doodskisten in een rij staan opgesteld. Een kang is een eigenaardig bed dat bestaat uit een harde matras boven op een kleine, bakstenen, stoofachtige ruimte. Het vuur houdt onze lichamen 's nachts warm, maar berooft de lucht in de kamer van zuurstof. Ik heb een bedje gemaakt van een van Millicents grote koffers met bijbels, die ik voor de helft heb leeggehaald en met papier en dekens heb opgevuld.

In die koffer vond ik de geschenken die we onderweg hebben verzameld en die we als cadeaus of smeergeld kunnen gebruiken: zes pakken Russische suikerklontjes, vijf potten kaviaar en onderin verschillende pakjes gekonfijt jujubefruit – zoals dadels, maar roder – om aan kinderen uit te delen. Daaronder lag ook nog een koker met twee kaarten. Ik rolde ze uit en legde ze uitgespreid over de vele turkooizen en gouden satijnen kussens. De eerste is een topografische kaart van het Grote Noordwesten. Er staat een enorm gebied op dat zwart is gekleurd, en links daaronder vind ik het: Kashgar. Het zwarte gebied is de Takla-Makan-woestijn, berucht om zijn hevige sneeuwstormen waardoor mensen ter plekke doodvriezen en er ten slotte alleen maar botten overblijven waaraan insecten kunnen peuzelen. De woorden 'Takla-Makan' betekenen in het Oeigoers ook: 'Ga hier naar binnen en je komt er nooit meer uit'.

Deze kaart is een niet-kaart: of liever gezegd, het is een leegte in een kaart, een inktvlek tegen de achtergrond van het heldere turquoise van de gewatteerde deken daaronder. Ik moet denken aan de openingswoorden in het boek *Personal Narritive of a Pelgrimage* van de grote ontdekkingsreiziger Burton:

In de herfst van 1852, en met als tussenpersoon mijn voor-
treffelijke vriend, wijlen generaal Monteith, bood ik mijn
diensten aan de Royal Geographical Society of London *aan,*
met de bedoeling een eind te maken aan die smet op het bla-
zoen van het moderne avontuur, die enorme witte vlekken
die op onze kaarten van de oostelijke en centrale regio's zijn
te vinden...

Onze huidige locatie is de van zonde vergeven andere kant van
Richard Burtons witte leegte. Het is Millicents reisdoel, haar
pelgrimage. Vanaf Bakoe, en later Osj, dreef ze ons nog verder
voort, verder naar het oosten, ook al werden we voor bandieten
en islamitische struikrovers gewaarschuwd, en voor dieven en
soldaten smachtend naar buit en geweld. Millicents vastberadenheid om de grote zwarte zone te bereiken waar de christelijke
missie nog nooit een voet had gezet, waar geen geestelijke, noch
veel blanke mannen, op bezoek waren geweest, zegevierde over
haar angst. In haar ogen heerst daar waar de missie niet is geweest, een woeste, bandeloze en heidense leegte, een leegte die
Millicent wil vullen met haar onbegrensde goedheid.

De andere kaart is eigenlijk niet topografisch. Het is een missieprent die in dezelfde koker zat opgerold. De Rivier van Zonde
loopt als een bloedstroom door de Woestijn van Eeuwigdurende
Wanhoop. Onderop staat een citaat van Bunyan: 'Weet dat beleidvolle, behoedzame zelfbeheersing de basis van wijsheid is.'

Voor mijn geestesoog roep ik sir Richard Burtons spranke-
lende ogen op (ik heb ooit een foto van hem gezien in *The*
Times, gekleed als een Arabier, met een machete in zijn hand en
een saloeki met een spitse snuit aan zijn zijde). Geef me moed,
sir Richard! Ik heb Millicent overtuigd van mijn roeping als missionaris. Ik heb een uitgever overtuigd van de waarde van mijn

voorgestelde boek. Ik heb zelfs mijn lieve zus bedrogen, die gelooft dat ik in Zijn naam hier ben; om Zijn goede werken te verrichten. Ik zou me slim moeten voelen. Ik ben aan Engeland ontsnapt, maar waarom dan altijd die bezorgdheid? Tot mijn verbazing en ondanks mijn jeugd, waarin ik landkaarten bestudeerde en avonturenverhalen las, dringt het tot me door dat ik behoorlijk bang ben voor de woestijn; voor de insecten die in de schemering almaar meer lawaai maken; voor zijn meedogenloosheid; voor de kans dat er alleen maar botten van me zullen overblijven, achtergelaten in de woestijn om te verstenen.

Londen, heden

Pimlico

'Dat is nou precies wat ik graag zie,' zei een stem van achter een enorme bos lelies, die er in zijn weelderigheid als een toneelrekwisiet uitzag. 'Een half ontklede vrouw die me boven aan de trap opwacht.'

Frieda duwde haar bril op haar neus omhoog en keek naar de bloemen die een flinke hoek van het trappenhuis in beslag namen.

'Voordat je ook maar iets zegt,' ging de stem door, 'ik weet dat wilde grassen en zeldzame alpiene tulpen meer jouw ding zijn dan deze afzichtelijke lelies, maar meer kon ik er niet van maken en ik weet dat je het me nooit zult vergeven, maar...' Nathaniels hoofd kwam om het boeket tevoorschijn, zijn haar op zijn voorhoofd omhooggeduwd alsof het de gevolgen prijsgaf van het feit dat hij onlangs nog met zichzelf overhoop had gelegen. Hij was nu boven aan de trap aangekomen.

'Maar,' ging hij verder, 'ik heb een paar papavers van de Kirgizpas besteld. Tot die tijd...' Hij stak haar de bloemen toe en trok een gezicht alsof hij te diep in het glaasje had gekeken. Frieda keek zonder te glimlachen naar de crèmekleurige, bijna tegennatuurlijke bloembladeren.

'Ik ga het niet eens uitleggen,' zei hij. 'Zet nou maar gewoon een kop koffie voor me en dan zal ik ontzettend mijn best doen om die kille, bevroren uitdrukking op je gezicht te laten ontdooien.'

Frieda wendde zich af. 'Ach, kom dan maar binnen,' zei ze ten slotte, waardoor hij zelf de enorme bos met alle takken met bladeren die bij de lelies zaten, door de deuropening moest wurmen.

Zoals altijd als hij langskwam, zorgde Nathaniel ervoor dat Frieda's flat kleiner en benauwder leek en in alle opzichten tekortschoot. Zijn lengte van ruim een meter tachtig en zijn omvangrijke lichaam eisten binnen een paar seconden het alleenrecht op de beperkte ruimte op, terwijl hij bijna de staande kapstok omver stootte, zichzelf met zacht gegrom verplaatste, het allemaal de grappige aanblik gaf van een volwassene die een speelgoedhuisje bezichtigt: fantastisch, hoor, heel schattig.

'Wil je thee?'

'Koffie.' Hij pakte haar hand vast, trok haar naar zich toe. 'Kom hier, nukkige tante.'

Frieda liet toe dat hij haar naar zich toe trok.

'Het spijt me,' zei hij, oogcontact makend.

'Een tien voor serieus gedrag.'

'Ach, kom op, dat is niet eerlijk.' Hij drukte zijn hand even stevig tegen haar onderrug aan, maar liet haar al snel weer los, haalde zijn hand door zijn haar en zuchtte. 'Het ging echt niet.

Ik kon de deur niet uit komen. Huilende kinderen alom. Margaret huilend. Het was een ramp gisteravond. Een oorlogsgebied.'

Frieda had bijna gevraagd waarom Margaret had gehuild, maar ze hield zich in. Ze had zichzelf al een hele tijd geleden verboden om aan Margaret te denken, zichzelf gedwongen haar niet te analyseren, noch over zijn huwelijk na te denken. Als er in dat verband oncontroleerbare gedachten bovenkwamen, was het in de vorm van een leeg huis, of vaker, een leegstaande kerk: muf, oncomfortabel en vol nietszeggende geluiden die voortdurend op een onaangename manier veranderden en waardoor een bezoeker het liefst onzichtbaar zou willen worden – maar tegelijkertijd wist dat onzichtbaarheid onmogelijk was. Desondanks kwamen de beelden nu binnen, in weerwil van haarzelf, bijna als hallucinaties, als opgeblazen ballonnen: Margaret in een zomerjurkje in hun met rozen opgesierde tuin, glimlachend naar de kinderen. Nathaniel op een ligstoel, grote slokken nemend van zijn wijn. Hun vijfkamerwoning in Streatham met zijn antieke meubels en bergen curiosa (opgezette waadvogels, opgehangen geweien) en een verzameling antieke fietsen in de schuur. Margaret die de uitgebloeide rozen van hun stelen trekt en ongetwijfeld wenst dat ze Nathaniels kop van zijn romp kon trekken. Frieda probeerde er zich niet druk om te maken. Het was niet haar probleem. Ze was niet van plan een van die armzalige losers te worden die de vrouwen van hun minnaars in tearooms ontmoeten om zich te beklagen over zijn o zo beminnelijke zwakke kanten. Ze maakte een hoop lawaai terwijl ze de spullen tevoorschijn haalde om koffie te zetten.

Op haar keukentafel lag een gele folder. Tijdens haar laatste reis was die achtergelaten voor de deur van haar hotelkamer, maar degene die hem had achtergelaten, was 'm snel weer gesmeerd. Een van de obers misschien? Of een piccolo? Het was raar om die hier te zien liggen, in Londen. Hij was in het Engels geschreven en bevatte onder andere de regels betreffende het verwijderen van lichaamshaar bij vrouwen, zoals door de Profeet was voorgeschreven en door sjeik Abdul geïnterpreteerd:

1. *Het verwijderen van het haar uit de oksels en van de schaamdelen is soenna (deel van de traditie).*
2. *De schaamdelen kan men beter scheren.*
3. *Het verwijderen van het haar van de wenkbrauwen op verzoek van de echtgenoot (of zonder dat) is niet toegestaan, omdat de gezant van Allah zei: 'Vervloekt is een vrouw die de wenkbrauwen van andere vrouwen weghaalt (of afsnijdt) en een vrouw die het laat weghalen (of laat wegscheren).'*

In de hotelkamer had ze zich verbaasd over deze sjeik en zijn specifieke regels, de intense bezorgdheid om de persoonlijke haren van vrouwen. Op haar tafel hier leek de folder surrealistisch, of liever gezegd hyperrealistisch, en misplaatst, als kijken op een boodschappenlijstje op je trouwdag.

Ze hoorde Nathaniel in de woonkamer heen en weer lopen als een ijsbeer in een kooi, veinzend dat hij ontspannen was en op zijn gemak. Ze had nog steeds last van de jetlag en was wat snel geïrriteerd. Op de vloer lag haar reistas, met onderbroeken die ze had verwisseld voor schone in het krappe toilet in het vliegtuig, en met tijdschriften en een van de verfrommelde 'exotische' sjaals die ze altijd in islamitische steden droeg. Alsof een om je schouders geslagen sjaal in combinatie met ingewikkeld verstrengelde oorbellen haar sympathiek maakte en blijk gaf van haar gevoeligheid voor culturele en religieuze uitingen waar ze niets van af wist, echt waar, ondanks haar studiebeurs, haar doctorstitel, haar door de regering gesubsidieerde scriptie getiteld *De jeugd in de islamitische wereld*, et cetera. Haar huidige onderzoeksbaan was een ondankbare en zeer ruime opdracht: het interviewen van de 'jeugd' in de islamitische wereld, het netjes deduceren van hun zorgen en het presenteren van ideeën en 'oplossingen' aan een door Europese landen gefinancierde denktank (nee, pardon: 'denk-en-doe-tank') met een geheime naam. Daarom was ze maandenlang weg geweest, op reis, voortdurend in beweging en onbereikbaar.

Ze was zo'n huichelaar.

'Zo.' Nathaniel nam de hele deuropening in beslag. 'Hoe was het? Heb je achter die sluiers kunnen kijken? Heb je de moslimbroederschap uitgeschakeld?'

De lijnen in zijn gezicht vloeiden samen tot rimpels. Zijn leeftijd maakte haar niet uit, maar het maakte haar wel uit dat hij er ongezond uitzag, niet zozeer ziek maar gammel, alsof hij aan het eind van zijn Latijn was. Waar moest ze beginnen? Bij de soldaten? De bevreemde blikken? De vrouw in de moskee die haar met haar wandelstok tegen haar kuit had geslagen?

'Je hebt toch wel een uurtje?' Ze keek naar zijn gezicht, waarop een frons verscheen. 'Wat? Minder?'

'Nou ja, ik...'

'Wat?'

'Ik moet voor tienen in Brixton zijn om de winkel open te gooien.'

Ze zei niets.

Nathaniel kreunde. 'Ik weet niet wat je wilt, Frie. Het gaat allemaal niet zo goed. Het gaat slecht met de zaak en Margaret zit er maar op te hameren dat ik weer moet gaan lesgeven. Ik zou nog liever mijn eigen ruggengraat op de barbecue leggen.'

'Je weet niet wat ik wil?' Ze zei het rustig.

'Nee, Frieda, schat, ik weet niet wat je wilt, maar ik weet wel dat ik mezelf nog liever verzuip dan dat ik die ellendige kinderen hier in Londen ga lesgeven.'

'Ik ben niet degene die zegt dat je weer het onderwijs in moet.'

Dit was niet bepaald de hereniging die ze zich had voorgesteld. Er lag een stapel post van vijf weken op tafel. Reclame. Rekeningen. Een officiële brief. Ze was in zeven maanden in vijftien landen geweest en de meeste vrienden en vriendinnen hadden het opgegeven om haar te bellen. Terwijl ze in haar keuken stond, enigszins heen en weer zwaaiend, was het alsof ze nauwelijks nog contact met de vloer maakte. Ze had zo'n groot deel van dit jaar in transitzones doorgebracht, in een waas van boardingpassen, CNN en gratis drankjes. De hotels waren op den duur niet meer van elkaar te onderscheiden, televisies waarop Amerikaanse films in het Egyptisch-Arabisch werden nagesynchroniseerd en waterpartijen in identieke lobby's waar ze eeuwig bezig was in of uit te checken, of hummus voor het ontbijt at of shisha's rookte of bekeken werd door werknemers van Amerikaanse oliebedrijven in zwarte pakken. Of in haar eentje zittend, te lang, in een lauwe jacuzzi, proberend zich te herinneren waarom ze daar was.

Inderdaad, waarom? Meestal in opdracht. Een verslag makend over de *Biblioteca Alexandria* (fantastische bibliotheek, alleen jammer dat er geen boeken in staan) of interviews houdend met jonge vrouwen langs een steile kustweg. (Wel of geen hoofddoek? We zijn die vraag zo zat.) Een rapport schrijvend voor een door de regering gefinancierd project dat de briljante titel droegt: 'Geloof in de dialoog tussen West en Oost'. Frieda's rudimentaire kennis van het Arabisch en een bereidheid om op ieder moment, iedere dag op een vliegtuig te springen, had haar naar die plekken gebracht.

Nathaniel was begonnen aan een ingewikkelde anekdote over zijn buren, fietsendieven en bemiddelaars om de hoek. Ze mompelde wat alsof ze luisterde en keek de reclames door. Het aanbod aan leningen, pizza's en werksters (laat Agnieska voor u schoonmaken, slechts £9 per uur!) voelde geruststellend om de hoek. Frieda pakte de brief die er erg officieel uitzag en bestudeerde de envelop. Hij was gisteren in Londen afgestempeld.

Geachte Ms. Blakeman,
Bij dezen condoleren wij u met de onlangs overleden Ms. Irene Guy. Volgens onze gegevens bent u de meest naaste bloedverwant van Ms. Guy. Een van onze medewerkers heeft geprobeerd telefonisch contact met u op te nemen in verband met de begrafenis van Ms. Guy, die op 31 augustus plaatsvond, maar hij is daar niet in geslaagd. Dat spijt ons ten zeerste.

We verzoeken u zo snel mogelijk contact op te nemen met de afdeling Burgerzaken, om een afspraak te maken voor een bezoek aan haar woning op Chestnut Road 12A, zodat u haar bezittingen kunt afvoeren.

De vraag naar gemeentewoningen is bijzonder groot, daarom kunnen we u slechts een week de tijd geven om het huis volledig te ontruimen. Met ingang van 21 september zijn we gemachtigd om de woning binnen te gaan en alle resterende bezittingen te verwijderen. Neemt u alstublieft, zodra het schikt, contact met ons op om een afspraak te maken.

Hoogachtend,
R. Giffin
Chef afdeling Burgerzaken

'Je begrijpt niet,' zei Nathaniel, 'hoe het voor mij is.' Hij liep naar de deur terwijl hij met venijnige duimen over zijn voorhoofd wreef. Dat deed hij altijd als hij heel erg aan een borrel toe was.

Irene Guy? Die naam kende ze niet, dat wist ze zeker. Ze keek naar hem op, naar deze man met wie ze nu al vele jaren een relatie had. Hij keek haar ook aan, met een vreemde uitdrukking op zijn gezicht. Het duurde even voordat ze erachter was dat het de uitdrukking was van een vader die voor het eerst erkent dat zijn kind niet mooi of slim of grappig is.

'Ik snap het,' zei ze tegen de sluitende deur. 'Je moet weg.'

Ze raakte de meeldraden van een lelie aan en het knaloranje stuifmeel kleurde haar vingers. Waarschijnlijk was het niet toevallig wat hij deed, maar Joost mocht weten waar het mee te maken had. Nathaniel kon zonder een woord te zeggen of geluid te maken uit het niets met zijn houding een ruzie laten ontstaan. Ze zou nu aandacht aan hem kunnen schenken. Eigenlijk was het ook waar dat ze bijna nooit wist wat ze wilde. *Ik moet er meer... met mijn hoofd bij blijven.* Maar in plaats daarvan keek ze weer naar de brief in haar hand. Irene Guy? Buiten reed piepend een trein voorbij die de fundamenten van het gebouw deed schudden. Aan de andere kant van de sporen stond net zo'n huizenblok als waar Frieda in woonde – woningbouwvereniging, rode baksteen, victoriaans-gothisch met zijn schoorstenen en schuine daken. Het was buiten druilerig genoeg om haarzelf in laagjes weerspiegeld in het raam te kunnen zien. Ze keek naar haar spiegelbeeld. In die afschuwelijke hotelkamer had ze haar pony *knip-knip-knip* met een nagelschaartje bijgeknipt – wat geen goed idee was geweest, haar pony zag er daarna schots en scheef uit – en ineens kwam het in haar op dat ze op haar moeder leek, voor zover ze zich haar kon herinneren. Frieda knipperde met haar ogen om de herinnering af te breken voordat hij helemaal terugkwam, maar ze kon hem niet tegenhouden: het gekriebel van haar moeders lange haar op haar arm, een zachte stem die zegt: 'Je haar niet afknippen, schat, het is je kracht.' En de schaar in Frieda's hand die moeten in haar kleine vingers graaft.

Ze stond op en liep naar de deur. Nathaniel ging langzaam de trap af, duidelijk aarzelend, wachtend tot ze hem zou terugroepen. Hij keek naar haar op, maar ze drukte zichzelf tegen de muur en zei niets. Ze draaide zich om en keek naar de tekeningen op de muur, de zwevende zeemeeuwen, vleugels die elkaar raken. Zij vond ze mooi, maar de woningbouwvereniging waarschijnlijk niet.

DE KUNST VAN HET BESTUREN VAN EEN FIETS. *Sturen is een onderwerp dat serieuze aandacht verdient; noodzakelijk zijn: een waakzaam oog, snelle beslissingen, voortdurend opletten en een vaste hand.*

Een dame op de fiets in Kashgar – aantekeningen

6 mei

Ik schrijf dit bij het licht van een lijnzaadolielamp, begeleid door het getik van te veel insecten die zich tegen de papieren ramen werpen als geesten die zich uitsloven om binnengelaten te worden. Of buitengelaten. Millicents ademhaling terwijl ze slaapt is snel, die van Lizzie zachtjes en traag; ze zijn op het moment zo dik met elkaar, dat zelfs hun ademhalingen elkaar lijken te roepen. De hitte hangt als een dood gewicht over ons heen en we weten nog steeds niet wanneer de rechtzaak zal plaatsvinden, of zelfs wat die uiteindelijk zal betekenen. Beambten van de magistraat kwamen vanavond langs, en Millicent en Mohammed voerden een paar keer fluisterend een gesprek, maar ze heeft me niets uitgelegd.

Ik houd haar in de gaten, Millicent. Ik moet begrijpen waarom mijn zusje haar zo aanbidt. Ze is altijd geagiteerd. Bescheidenheid kent ze niet – wat interessant is: voor iemand die geacht wordt in de naam des Heren deemoedig te zijn, trapt ze op tenen, op de melodie van haar eigen eerzucht. Ze heeft zo'n lange nek dat het lijkt of ze die uitrekt in haar haast om een persoonlijke queeste te volbrengen. Ze heeft daar echt alles voor over. Haar handen zijn knokig, en onbetrouwbaar.

De avondmaaltijd stond op de grond in de ontvangstruimte. In kleermakerszit zaten we op het grote tapijt in deze centrale ruimte te eten en kregen bergen vlees met knoestige, grove botten, gekruide yoghurts en amandelbroden voorgeschoteld. Rami legde lange metalen pennen met kleine stukken schapenvlees op bladen voor ons. Ik doopte ze in een dikke bruine fruitige saus en de volgende hap in een pikante rode saus. Lizzie at bijna niets en dat deed me denken aan de dag dat moeder een babyzusje mee naar huis bracht, Nora. Ontzet omdat het duidelijk was dat moeders liefde nu geheel naar deze leugenachtige indringster uitging, sloten Lizzie en ik een pact dat we voor altijd bij elkaar zouden blijven. We geloofden dat zoals alleen kinderen dat kunnen: met heel ons hart, loyaal, en met onze ogen wijd open en een heldere blik. Zoals gebruikelijk hield ik Lizzie nu weer in de gaten: ze bracht de camera naar haar oog alsof ze een foto nam van het hele tafereel, hoewel ze het niet deed.

De magere slavinnetjes met hun donkere huid, met wie we niet mogen praten, brachten schotels met gebakken vijgen in een rode saus en nog een indrukwekkend plateau vol vlees. Ik at zoveel ik kon, terwijl de baby in doeken gewikkeld achter me lag te slapen. Millicent wendde zich plotseling van Mohammed en Khadega af en leunde mijn kant op, wijzend naar de baby.

'Ze moet een naam hebben.'

'Is het wel aan ons om haar een naam te geven?'

'De Heer heeft haar als een geschenk in onze armen gelegd,' verbeterde ze zichzelf. 'Ze is een symbool van de band van liefde van de Heer, dus stel ik voor om haar Ai-Lien te noemen.' Millicent legde de metalen pen met kebabvlees neer. 'Wat "liefdesband" betekent.'

Mohammed glimlachte naar het uitgebreide feestmaal dat voor hem en de vrouwen – zo oplettend als mussen – lag uitgestald. De oudere vrouwen droegen donkere abaja's en bruine, traditionele sluiers.

Millicent begon zachter te praten: 'Christenen zijn hier niet gewenst. Mohammed probeert wat te regelen.'

Ik schrok omdat ik dacht dat we zouden worden gearresteerd. 'Gaan we hier dan weer weg?'

Millicent knikte. 'Mohammed heeft me voorgesteld aan een handelaar uit Suzhou, Mr. Mah. Hij weet een huis buiten de stad dat we voor heel weinig geld kunnen huren. Een goed huis, als een paviljoen gebouwd. Het staat in een mooie, koele tuin.'

'Buiten de stad? Waar?'

'Net buiten de muren van de Oude Stad. We blijven onder huisarrest staan.'

Ik zei niets. Mijn zusje zat als een fulguriet aan de andere kant van de ruimte, haar ogen gefixeerd op een punt in de verte, voedsel weigerend, haar camera wiegend op haar knie alsof het haar eigen baby was. Ze zag er net zo misplaatst uit als ik me voelde. Ik wilde me naar haar toe buigen, zoals we als kinderen deden, 's nachts helemaal over de vloerzee van de kinderkamer heen, zodat we niet alleen waren en we elkaars vingers konden aanraken.

'Ongeacht het huisarrest denk ik dat er meerdere sterke aanwijzingen zijn dat het goed is om hier in Kashgar een missiepost op te zetten.' Millicent blies rook in mijn gezicht. 'Vind je ook niet?'

'Wat voor aanwijzingen bedoel je?'

'Nou ja, bijvoorbeeld dat het kind ons in de schoot is geworpen.' Ze blies weer rook uit, nu de andere kant op.

'Maar hier vastzitten in deze verschrikkelijke woestijn. Er bestaat toch wel een betere plek?'

'Heb je om je heen gekeken?' Haar stem klonk nu harder. 'De mogelijkheden om hier missiewerk te verrichten zijn onuitputtelijk.'

Ik hoestte, probeerde Lizzies aandacht te trekken, maar ze wilde me niet aankijken. Die verduvelde Leica! Ik zou hem het liefst kapot stampen, dat kijkkastje met zijn evenbeelden, zijn beduvelarij. Ik ben nog steeds ontzet dat ze de camera gebruikte om vader te fotograferen terwijl hij op sterven lag. Ik herinner me dat ik in de zitkamer tegen moeder tekeerging: waarom zou zij hem mogen fotograferen? Deden waardigheid en sereniteit er dan niets meer toe? Arme moeder zuchtte en aaide me over mijn hoofd, was het met me eens, maar zei dat het Lizzies manier was om met de dood in het reine te komen en dat mochten we niet van haar afpakken.

Terwijl vader steeds zwakker werd, sprak Lizzie over het vastleggen van de transformatie van zijn lichaam van vlees in geest, en moeder stemde er zelfs mee in om een handelaar in toestellen uit Londen langs te laten komen. De man, een oudere Duitse heer, kwam binnen met zijn koffers en stalde zijn verschillende fotografische modellen op de tafel in de eetkamer uit alsof het kostbare juwelen waren; iedere keer wanneer hij uitademde, bracht hij een langgerekt fluitend gepiep voort. Zijn assistent, herinner ik me, was een gedrongen, ongemanierde man, genaamd Jones (de naam van de handelaar herinner ik me niet meer). Hij knipoogde naar me terwijl hij lenzen oppoetste en naar de modellen van de opklapbare vestzakcamera's wees waarvan de oudere man de verschillende componenten opsomde. De Leica werd slechts in een kleine oplage gemaakt, het was een prototype en van de allernieuwste technische snufjes voorzien; onnodig te zeggen dat het ook de duurste was. Lizzie deed alsof ze in de mindere kwaliteit modellen was geïnteresseerd, maar ze had haar oog al op de Leica laten vallen en wilde alleen die. Tante Cicely voelde zich gekrenkt, en niet alleen omdat ze een Duitser in huis had, maar moeder was tegen die tijd ineengekrompen van vermoeidheid, te verzwakt om ertegenin te gaan. Met een zwaai van haar kleine bleke hand ging ze akkoord met de aankoop van het duurste model op tafel. Het voordeel van de Leica was ook dat hij met of zonder statief gebruikt kon worden – het perfecte apparaat voor een reiziger.

Ik herinner me dat ik naar die nieuwe enthousiaste Lizzie keek, die om vaders bed heen fladderde om de kwaliteit van het licht te bestuderen, ongevoelig voor zijn pijn.

'Van wie heeft ze dat toch?' vroeg moeder aan niemand in het bijzonder in Southsea. We zijn een familie van goede afkomst, anglicaans en met een sterke fabianistische inslag, dat wil zeggen voorstanders van hervormingen via opvoeding en onderwijs; moeder gelooft in stemrecht voor vrouwen en vooruitgang in het algemeen.

'Anglicaan zijn is één ding,' herinner ik me dat ze zei, 'maar evangeliste zijn is heel iets anders.'

Op de dag dat vader stierf, was het licht 's middags zwak, alsof het was verminderd in afwachting van zijn verscheiden. Of misschien flikte het licht een kunstje met Lizzies fotografie. Tante Cicely huilde niet bepaald flatteus in haar zakdoek, maar moeder had zichzelf beter in de hand: ze hield alleen vaders hand vast en wreef met haar vinger over zijn gouden trouwring. Ik stond zo stilletjes mogelijk bij de deur, met mijn hoofd tegen het eikenhouten deurpaneel geleund. Aan het voeteneinde van het bed wond Lizzie zich op over de instelling van de diafragmaopening van de camera, waarna de sluiter klikklakte terwijl haar vinger herhaaldelijk op de knop drukte. Vader was nog nauwelijks aanwezig. Hij had al veertien dagen niets meer gezegd en zeker een maand lang had hij ons niet meer herkend; wekenlang zong hij tegen de sterren en de verpleegster gaf hem laudanum. Wat me het meest kwaad maakte, was dat het echt iets voor Lizzie was om dat moment van hem af te pakken en het zichzelf toe te eigenen.

Millicent riep me terwijl ik met Ai-Lien wegliep. Kennelijk had ze me een vraag gesteld. Ze herhaalde hem.

'Hou je niet van de woestijn, Eva?'

Ze staarde me aan en ik bloosde. 'Ik weet dat ik niets nieuws zeg,' zei ik, 'maar de onmetelijkheid kan zo...'

'Ja,' zei Millicent, uit de hoogte en smalend nu, 'dat effect heeft het.'

'Ik geloof dat Lizzie er ook zo over denkt, ik geloof niet dat we hadden verwacht dat de woestijn zo erg...'

'O, volgens mij begrijpt Lizzie uitstekend de vruchtbare aard van het werk dat we hier in een missiepost zullen kunnen bereiken. Zij heeft me zelfs attent gemaakt op die aanwijzingen. Op die treurige moslimvrouwen die ergens in een achterafkamertje opeengepakt zitten bijvoorbeeld.' Ze zei het luid en duidelijk, niet bang door anderen gehoord te worden. Ai-Liens gehuil werd harder, een smeekbede tot een onbekende god; het geluid ging me door merg en been en ik kon het onmogelijk negeren. 'Weet je zeker dat we hier in Kashgar moeten blijven?'

'Ons pad door de woestijn naar God moet hierheen zijn geleid.' Millicent zat met een kaarsrechte rug, haar stem hoogdravend. 'Het is onze verantwoordelijkheid, Evangeline, om de verborgen bronnen van onwetendheid en bijgeloof te vinden en uit te roeien. Dat huis zal ons goed van pas komen, ik weet het zeker. Hier zetten we onze missiepost op. Er is echter één probleem.'

Millicent wierp een blik op Mohammed, die samen met zijn mannelijke gezelschap een pijp met een lange steel zat te roken. 'O?'

'Ze geloven dat er djinns rondwaren.' Millicent glimlachte de glimlach die ze reserveert voor het gewag maken van afgoden, afgoderij en hekserij.

'Djinns?' De baby – Ai-Lien – gaf zich nu geheel over aan haar verdriet en haar hoofdje werd warm. Ik legde haar tegen mijn borst aan; het was alsof ik een kat in de armen sloot die niets liever wilde dan doodgaan.

'Ja. Mr. Mah gelooft dat er een lastige geest rondwaart die iedereen die daar woont een verwrongen gezicht bezorgt. Maar hij zei dat we, omdat we christenen zijn, niet bang voor kwade geesten zijn, dus is het misschien het overwegen waard.'

'O, op die manier.'

'Blijkbaar hebben de verhuurder en zijn zus allebei misvormde gezichten. Ik herinnerde hem eraan dat God sterker is dan hun geesten, meer macht heeft dan hun vele afgoden.'

'Ik zou niet graag met een misvormd gezicht wakker worden.'

Millicent glimlachte naar me, alsof ze haar hand uitstak en iets aannam dat ik haar had aangeboden.

'Nou, ik denk dat die kans erg klein is.'

7 mei

Vanmorgen een merkwaardig voorval: Suheir, Mohammeds derde vrouw, een mokkende, tobbende vrouw van een jaar of dertig die ons geen van drieën ooit rechtstreeks had aangesproken, en die donkere, lichaamsbedekkende abaja's draagt, kwam plotseling op Ai-Lien af gerend, precies op het moment dat de min klaar was met voeden, en trachtte haar uit de armen van de oude vrouw te trekken. Rami droeg juist een azijnvat over de binnenplaats toen dit gebeurde. Ze zette het vat neer en begon tegen Suheir te schreeuwen, die toen snikkend op de grond neerzeeg en haar handen in wanhoop voor zich uit strekte. Ik rende naar de min en nam Ai-Lien over, die begon te huilen.

Rami bleef tegen Suheir schreeuwen en zij bleef jammeren. Ze kroop over de grond van de binnenplaats op me af, wijzend naar Ai-Lien, en begon zowaar met haar nagels over mijn voeten te krassen. En toen, waar we allemaal bij waren, gaf Rami Suheir met haar hand een klap in haar gezicht en trok haar samen met een van de dochters weg. Millicent kwam er later achter dat Suheir Mohammed nooit een kind heeft kunnen schenken. Sinds die tijd heb ik Suheir niet meer gezien, ik weet niet wat ze met haar hebben gedaan.

Ik houd Ai-Lien dicht tegen me aan. Vreemd, kwetsbaar schepsel. Ik wilde dat ik haar zelf melk kon geven. De eeuwige herhaling is wel vermoeiend: Rami helpt me haar in bad te doen – ze heeft me geleerd hoe ik verwarmde olie op haar kan gieten, hoe ik Ai-Liens huid ermee kan inwrijven en hoe ik in haar armen en beentjes kan knijpen tot ze in slaap is gesust; maar veel te snel wordt ze daarna al weer wakker. Ik voed haar, verschoon haar, veeg mondje en handjes af, dep-dep met water, smeer haar in en breng haar weer in slaap. Het is een kringloop, dag en nacht doorgaand, en de moeheid die ik voel is totaal anders dan de vermoeidheid van het reizen. Het is het wiegen van je lichaam tot in een slapeloze hypnose. Rami en ik spreken vooral door middel van gebaren met elkaar, als kinderen, en dat werkt redelijk goed.

Lizzie heeft het moeilijk: Millicent negeert haar. Voor het eerst sinds we vanaf Victoria Station zijn vertrokken, zijn Millicents ogen op iets anders gefocust. Ze gedraagt zich als een koningin zoals ze haar aandacht concentreert en weer intrekt. Millicent zit nu bij Khadega en praat Russisch met haar.

8 mei

Eindelijk – een uitstapje voor mijn fiets. De voorbereidingen voor onze verhuizing naar het Paviljoenhuis zijn in volle gang en ik kreeg toestemming om een bezoek aan de soek te brengen. We namen de Roadster mee om de inkopen te vervoeren en we vormden een heuse karavaan: twee Chinese bewakers, Millicent, Lizzie, een van Mohammeds mannen, die als onze gids optrad en ons moest beschermen, en ik. Khadega wilde ook mee, maar Mohammed verbood het haar. Ai-Lien lieten we veilig bij Rami achter.

De straten waren eerst breed en stoffig, maar werden al snel smaller. In veel deuropeningen hingen vogelkooitjes met rode en gele vinken die voor hun leven zongen. Er waren ook volledig geplukte vogels die aan pennen waren geregen om te worden geroosterd, en zwermen spreeuwen die in spleten in de daken wonen, en mannen met een leerachtige huid die op straat valken verkochten. Lizzie en ik wilden zo min mogelijk aandacht trekken en hadden ons haar met lichtbruine sluiers bedekt die Rami ons had gegeven, maar hoewel we speldjes gebruikten om ze vast te zetten, konden we allebei niet voorkomen dat de sluiers verschoven. Onze 'vermomming' werkte daardoor totaal niet.

'Moet je ruiken, die ranzige lucht van die spilzieke verloren zielen!' riep Millicent terwijl we mannen passeerden die op de karkassen van schapen inhakten. Voor Millicent wentelen de bewoners van deze smerige bazaarstegen zich in hun eigen drek, zijn ze zo goed als verloren. Het is aan ons om hen te redden en te reinigen. Ik wendde mijn blik af van de mannen die gehurkt voor donkere deuropeningen van koperwerkwinkeltjes zaten, tussen de geslagen schalen en met stukjes metaalafval onder hun voeten. Ze zeiden niets tegen ons, maar ze hielden wel allemaal op met werken om naar ons te kijken terwijl we passeerden, hun ogen op de wielen van de fiets gericht terwijl ik die voortduwde.

We hadden het zo uitgerekend dat we bij de soek zouden aankomen als de middaghitte zou zijn afgenomen en hoe dieper we het doolhof binnendrongen, des te meer kwam de bazaar tot leven. De Chinese bewakers maakten zich niet bepaald druk om onze bewaking en kwamen met Mohammeds mannetje overeen dat ze bij een theestalletje zouden blijven wachten tot we terugkwamen. Onze norse gids leidde ons door de zandkleurige stegen, hij liep zo snel dat het ons vreselijk veel moeite kostte om hem bij te houden. Karkassen van schapen hingen in rijen langs meer dan één straat. Ik zag een jongen flinke stukken vlees in een schaal met een gele brij dopen en de stukken daarna aan een kebabspies rijgen, net zoals Rami in de herberg had gedaan. Naast hem stond een grote kleioven, met een enorm deksel, die gretig een constante toevoer van hout en mest in zijn vlammen verslond.

Terwijl we ons zigzaggend een weg baanden door de straten gebaarde en wees Millicent naar mannen met donkere ogen die ons vanuit deuropeningen in de gaten hielden.

'Kijk,' zei ze, 'die zijn rijp om door ons getemd te worden!' Een troep kleine jongetjes had zich achter ons verzameld, rende om onze benen heen en trok aan onze kleren.

'Wat zeggen ze?'

Lizzie antwoordde: 'Ze noemen ons "rode apen, rode apensmoelen".'

Een smalle weg leidde ons langs de indrukwekkende Id Kahmoskee met zijn tuinen vol prachtige gele rozen. We staken het plein voor de moskee over, waar de fruitmarkt op volle toeren draaide, de stalletjes met hachelijk opgestapelde bergen gele suikermeloenen en piramides van uien en abrikozen. Karren met ezels ervoor waren volgeladen met glanzend groene watermeloenen. We liepen een wijk in met een zelfs nog ingewikkelder doolhof van smalle straatjes, en uiteindelijk kwamen we aan in de bakkersbuurt, waar antieke bakstenen broodovens ons dreigend vanuit de muren aangaapten, en overal hing de weeïge geur van zoet deeg in de lucht. Onze gids nam ons mee naar een kraam waar meel in zakken van verschillende formaten werd verkocht. De koopman was een grote vent, in tegenstelling tot de meeste inwoners hier, en zijn woeste snor zat onder het witte meelstof. Hij keek verbijsterd naar ons Europese vrouwen.

Terwijl Millicent begon te onderhandelen, voelde het heel onwerkelijk om daar tussen het gedrang in die bazaar te staan. Lizzie stootte me met haar elleboog aan en wees naar de menigte. Een Europese man, gekleed in een zwarte soutane met een brede, strakke band om zijn middel en met een vilten zwarte hoed op zijn hoofd, maaide zich een weg tussen de menigte door met onder zijn arm een pak papier. Hij was een buitengewoon vreemd figuur, vooral ook door zijn woest uitziende baard en zijn snor als van een dier. Toen hij ons zag, stopte hij en keek geschokt. Hij wist hoogstwaarschijnlijk niets van onze aanwezigheid in deze stad, omdat hij aarzelde voordat hij op ons af liep. Hij zwaaide daarna met zijn armen alsof het kippenvleugels waren, verloor wat papieren en riep begroetingen in het Italiaans. Millicent draaide zich om. Er werd in handen geklapt en op wangen gekust terwijl Lizzie en ik als kinderen bleven staan wachten, totdat Millicent er ten slotte aan dacht ons voor te stellen aan de enige andere Europese inwoner van de stad, een Italiaanse pater, de eerwaarde vader Don Carlo D'Antoni.

'De eerwaarde vader woont in het centrum van de oude mohammedaanse stad,' zei Millicent, 'waar hij werkt aan een belangrijke vertaling. Ik heb over u gehoord, vader, maar ik wist niet of u nog leefde, of u hier nog was of al weer vertrokken.'

'Zoals u kunt zien, leef ik nog steeds,' zei vader Don Carlo met een buiging en een glimlach voor Millicent, en daarna voor ons.

'Waarde vader, het is zo'n genoegen u te mogen ontmoeten,' zei Lizzie.

Ik knikte ook. De ogen in zijn smalle gezicht namen ons op zoals wij dat ook met hem deden, en als het je lukte om je niet te laten afleiden door zijn onrustbarende snor, dan kon je zien dat zijn wenkbrauwen dik waren en veel zwarter dan zijn baard, waarin hier en daar het grijs doorbrak. Onder al dat haar was het nog net mogelijk om een glimp op te vangen van echt het smerigste gezicht dat je je kon voorstellen, met rimpels waarin zich veel stof had genesteld.

'U moet nu meekomen naar mijn huis,' zei hij met een zwaar accent in het Engels. 'Het is een bescheiden onderkomen, maar u zult bevrijd zijn van al die handen en ogen hier.' Hij riep: 'Ksst, ksst' naar de kinderen die opsprongen om het haar van Lizzie en mij te pakken te krijgen. In vloeiend klinkend Oeigoers onderhandelde hij met Mohammeds mannetje, dat met tegenzin vertrok. We liepen tussen de mensenmassa achter de pater aan, uitgelaten omdat we een mede-Europeaan in deze zee van autochtonen hadden gevonden.

De woning van vader Don Carlo bestaat uit één kamer en bevindt zich boven een messensoek waarin de tafels vol lemmeten,

zwaarden en kleine scherpe messen met uit ivoor gesneden handvatten liggen. Het is een eenvoudige vrijgezellenkamer met een
oliestel om op te koken, een bed om in te slapen, een emmer als
toilet, een omgekeerd kratje als schrijftafel en een altaartje dat is
gemaakt van een kruk bedekt met een kleedje van een rode stof
en daarbovenop twee kandelaars, een rozenkrans en een ontzettend smerig ingelijst prentje van de Heilige Maagd. Hij had geen
water, geen thee, noch andere drankjes of hapjes, alleen een paar
flessen zelfgemaakte miswijn. Omdat Lizzie en ik behoefte aan
vocht in onze mond hadden, namen we maar genoegen met wat
wijn in een smerig kopje met barsten. We nipten eraan terwijl we
gedwongen waren op de grond te zitten. Millicent en Don Carlo
begonnen in bijna vloeiend Latijn met elkaar te praten en daarna in het Frans.

'Moet je ze nou zien, die door angst bevangen zielen,' zei Millicent die bij het papieren raam stond en plotseling was overgegaan
op Engels. De pater knikte, glimlachte.

'Vader Don Carlo heeft me zojuist geïnformeerd over de vele
bekeringen die hij tot stand heeft gebracht. Hij doet geweldig
werk voor de Italiaanse Kerk.' Millicents krullende haar had zich
voor het grootste deel bevrijd uit haar gebruikelijke strakke knot,
en het licht viel er op zo'n manier op dat het leek alsof haar gedachten aan de buitenkant aanschouwelijk werden gemaakt.

De wijn smaakte ranzig. Ik zette mijn kopje opzij, maar de
pater en Millicent dronken opgewekt door, en bleven dat doen.
Al snel werd hun gesprek voor ons een voorstelling, alsof ze
danspartners waren die elkaar al heel lang kenden en door de
kamer walsten terwijl ze spraken, zwaaiend met armen, heen
en weer schietend door talen als gestroomlijnde vissen in een
rivier.

'Het is niet makkelijk, we hebben vele vijanden,' zei de pater.

'Maarschalk Feng zorgt regelmatig voor problemen. In deze regio slaat de vlam makkelijk in de pan.'

'Wie is maarschalk Feng?' vroeg Lizzie terwijl ze de lege wijnkopjes verzamelde om ze op het altaar te zetten, maar ineens leek ze zich te bedenken en zette ze terug op de grond.

'Een christen hier uit de buurt, als kind door Amerikaanse protestanten bekeerd. Berucht,' zei Millicent, 'vanwege massale doopplechtigheden met een brandslang.'

'De pro-islamitische gevoelens worden tegenwoordig sterker, zoals de maarschalk uitstekend weet. Daarom heeft hij de publicatie van materiaal in het Oeigoers verboden,' zei de pater. Hij stond naast zijn krat dat vol lag met griezelig wankele stapels papieren en boeken. 'Kom mee.'

We liepen hem achterna de kamer uit en door een smalle, smerig stinkende gang naar een trappenhuis aan de andere kant van het oude gebouw, dat deels van roze adobeklei en deels van verrot hout leek te zijn gemaakt. We beklommen de jakobsladder en kwamen als door een wonder boven op het dak van het gebouw terecht, waarvandaan we over de vele daken van de Oude Stad heen konden kijken. Het was alsof je uit een winterslaap ontwaakte in een bombardement van fel zonlicht. Aan de zuidkant van het dakterras was een schuilgelegenheid gemaakt en daaronder stonden een paar kooien gemaakt van populierentakken. De pater liep ernaartoe, en wij achter hem aan, erop gebrand om uit het verblindende licht in de schaduw te kunnen komen. De kooien zaten vol duiven. Ze maakten ritselende geluiden en klokten, en toen de pater vlak bij hen stond, begonnen ze dieper en luider te koeren.

'De algehele sfeer is niet zoals de spanningen vlak voor de Bokseropstand,' zei Don Carlo, bijna meer tegen zijn duiven dan tegen ons.

'Wat een mooie vogels, vader.' Lizzie knielde neer en begon zachtjes in de kooien te fluisteren. Als kinderen hadden Lizzie en ik gretig vaders *Duivengids van den ganschen wereld* bestudeerd en hadden elkaar de verschillende geluiden geleerd: het zachte maar vérdragende *kor-woe-oe* van de tortelkoekoeksduif, het *roeoeoekkroeoeoeoe koe-koe-koe* van de treurtortel. Lizzie en ik keken elkaar aan en glimlachten.

'Kun jij je er nog eentje herinneren, Lizzie?'

'De parelhalstortel en zijn "droevige *roe kroe kroe*" is de enige die ik me herinner,' zei ze. Ze fluisterde: '*Koe koe kokoko*' in de kooien en werd beloond met rumoer en een gekoerd antwoord.

'De diamantduif doet *doedel-doe-doe*,' herinnerde ik me.

'Toen ik hier voor het eerst kwam, in de tijd van de Boksers,' zei de pater in het Engels terwijl hij een van de kooien opende en er voorzichtig een grijze duif met een teer nekje uit haalde – goed afgericht ging de duif op zijn arm zitten – 'hoorde ik voortdurend een geluid, een mooie toon, als van een harp.'

Hij streek over de vleugels en liet zijn vingers langs het zacht-glanzende grijze nekje glijden. Millicent stak een sigaret op. Onder ons spreidde de grote, in rozerode stof gehulde Oude Stad zich uit. Het leek net een mierenhoop of een door een kind ge-maakte stad van klei en aarde.

'Ik snapte niet wat dat melodieuze geluid was,' ging vader Don Carlo verder, 'maar nadat ik ongeveer een jaar in Kashgar had gewoond, drong het tot me door dat het geluid uit de lucht kwam en telkens weer wegstierf, als hemelse muziek.' Zijn han-den bleven de veren van de slaperige duif op zijn arm zachtjes aaien.

'Ik vroeg me af of ik een hemelse schare hoorde zingen. Maar toen ontmoette ik een man die me een opmerkelijke traditie van de duivenhouderij hier in Kashgar uitlegde. Ze binden lichte, kleine rietpijpjes aan de lange staarten van sommige van de grotere duiven, zodat ze, als ze in de vlucht plotseling omhoogschieten of omlaagduiken, je die van boven komende, vreemde fluittonen hoort.'

'Wat mooi.' Lizzie was naar de rand van het dak gelopen, waar geen muurtje langs was gebouwd en je zo naar beneden kon vallen. Ze hield de Leica voor haar oog om foto's te nemen van de speelgoedstad beneden ons. Ik had het dwingende gevoel dat ik de politieke situatie moest begrijpen, met het oog op mijn gids, maar ik verkeerde in tweestrijd. Ik had de fiets achter de soek neergezet en ik maakte me zorgen om dieven.

'Die maarschalk Feng, eh, waarom bezorgt die u problemen, vader?'

'Officieel heeft hij zijn goedkeuring aan de christelijke kerk in de grensstreken gegeven, maar er zitten veel haken en ogen aan die regeling.' Terwijl vader Don Carlo sprak, verschenen er paarsrode vlekken in zijn gezicht.

'Hoezo, vader?'

'De bevolking hier is verontwaardigd over zijn handelswijze en wantrouwt zijn motieven, wat het bekeringswerk zelfs nog moeilijker voor me maakt – en ongetwijfeld ook voor jullie wanneer jullie missiepost zal gaan draaien.'

'Wie wantrouwt hem, vader?'

'Iedereen. Hij benadert alles vanuit een politiek standpunt, snap je?' De pater sprak met een rustige, zachte stem, alsof hij de duif op zijn arm in slaap wilde sussen. 'Hij maakt zich minder druk om de menselijke ziel dan om het stopzetten van de opiumhandel, wat in deze regio verreweg de meest winstgevende exporthandel is.'

Millicent krabde haar wang; ze had wel wat meer interesse kunnen tonen in dit gesprek.

'Hij heeft plaatselijke boeren overgehaald, hen aangemoedigd, om tarwe in plaats van opiumpapavers op hun velden te zaaien,' ging de pater door.

'Maar dat is toch goed, vader?' zei ik. Op onze reis hierheen had ik al gezien wat die afschuwelijke opiumpijp met mannen kan doen. Ze waren niets meer waard, voortdurend slaperig, niet in staat om te werken.

'Nee. De christelijke boeren weigerden de opiumbelasting te betalen en toen werd die voor andere boeren verhoogd. De bevolking is daar boos over.'

Hij boog zich naar voren en zette de duif terug in zijn kooi.

'Ik bemoei me er niet mee,' zei hij. 'Ik maak mijn wijn voor de mis, die ik dagelijks voor mezelf lees zonder ook maar een dag over te slaan. Maar ik weet wel het een en ander! Ik dwaal door de stad en ik praat en ik ontdek. De maarschalk wordt gevreesd. Hij laat mensen zonder proces onthoofden. Hij veroordeelt mensen tot eenzame opsluiting. Ze verdwijnen. De kantoren van de post, radiotelefonie en telegrafie staan allemaal onder toezicht van zijn censoren. Hij doet alsof hij de islamitische religieuze en culturele identiteit van de Oeigoeren hier gedoogt, en daardoor kan hij nog net een opstand onderdrukken. En hij haat de Christelijke Wereldmissie uit het Westen.'

'Dat klinkt niet erg positief – voor ons, bedoel ik,' zei Lizzie.

Millicent stond op. 'Hij kan ons geen kwaad doen,' zei ze vol zelfvertrouwen. 'Het zou een te groot diplomatiek schandaal veroorzaken. Kom mee, ik wil even alleen met u praten.' Ze pakte de pater bij zijn arm vast en samen lieten ze ons achter op het terras.

Lizzie wees naar de smalle straat beneden. 'Kijk, Mohammeds mannetje.' Hij stond op ons te wachten, verscholen bij een muur. Ze fluisterde tegen me en knikte naar de pater terwijl hij de trap af klom. 'Denk je dat hij een beetje getikt is?'

'Misschien wel.'

Lizzie keek nog een keer achterom naar de vogels voordat we zelf ook de ladder af klommen om ons bij Millicent en de pater te voegen.

Ons vertrek werd nog even uitgesteld omdat onze nieuwe vriend ons herhaaldelijk feliciteerde met het huis dat ons stond te wachten en ook beloofde op bezoek te komen.

Terug in de herberg wachtte Mohammed ons op; met een grimmige uitdrukking op zijn gezicht vertelde hij ons dat ons nieuwe huis klaar is (voor hetzelfde geld had hij er 'opgeruimd staat netjes' aan toe kunnen voegen). Dus worden we verbannen naar de verkeerde kant van de stadsmuren.

Lizzie fluisterde in de kangkamer in mijn oor dat Millicent nu officieel van moord wordt beschuldigd. Over een maand zal het proces plaatsvinden, maar ik vraag me af waarom Lizzie dat wel weet en ik niet.

Londen, heden

Google

Een zoekopdracht naar Irene Guy leverde het volgende op. Guy + Irene: Huwelijk 6 oktober 2009, dr. Irene Guy, arts, praktijk op Railway Avenue 53, 6111 Kelmscott, en Irene M. Guy Overlijdensbericht Cleveland. Omdat Frieda daar helemaal niets wijzer van werd, pakte ze de telefoon en belde, met de brief in haar hand, het nummer. Haar handpalm tegen het raam vormde een zwarte zeester tegen het zonlicht toen een man opnam en zei: 'Burgerzaken, goedemiddag.'

Frieda aarzelde even en zei toen: 'Mag ik Mr. Griffin aan de lijn, alstublieft?'

'Daar spreekt u mee.'

'Hallo, ja, ik heb een brief over Irene Guy ontvangen die... die onlangs is overleden.'

'Ja?'

Ze zette haar bril af. Er moest een vergissing in het spel zijn:

ze wist niet wie Irene Guy was, noch waarom zij als naaste bloedverwant stond geregistreerd. Maar ze liet niets blijken. In plaats
daarvan zei ze dat ze een afspraak wilde maken om bij het huis
langs te gaan en het leeg te halen.

'Mag ik alstublieft het referentienummer?'

Frieda gaf het hem.

'Ik zoek u even in het systeem op... Ja. Oké. Het adres is
Chestnut Road 12A, SE 27. We zullen daar vanmiddag om half-
drie met de sleutel zijn. U hebt één week om uw bezittingen weg
te halen.'

'Uitstekend. Dank u wel.'

Waarom had ze dat in hemelsnaam gedaan? Ze trok aan haar
verknipte pony en zette haar bril weer op, omdat ze zonder zo
blind als een mol was. Ooit had Nathaniel gezegd: 'Je ziet eruit
alsof je stoned bent als we het doen, je kijkt wazig en verbaasd
uit je ogen, hoe is het mogelijk.' En ze had hem niet willen te-
leurstellen door hem te laten weten dat ze, als ze wijdbeens op
zijn borst zat, echt niet verder kon zien dan zijn gezicht.

Ze kon niet precies zeggen waarom ze het had gedaan. Een
kans om rond te neuzen in het huis van een vreemde was aantrekkelijk. Irene Guy. Ze was nieuwsgierig. Ze zou haar werk
bellen en zeggen dat ze last van een jetlag had en doodmoe was.

Ze was zich even bewust van de ontelbare vliegroutes boven
het plafond van haar flatje, boven het dak van het gebouw, hoog
in de lucht. Terwijl ze luisterde, kon ze nu de motoren (minstens
twee tegelijk) langs onzichtbare wegen in de lucht horen voorbij-
suizen. Het was de omgekeerde wereld dat zij hier beneden op
de grond stond. Doorgaans was Frieda daarboven, knieën opgevouwen onder een plastic plateautje, hoofd rustend tegen een
smerig raampje, naar beneden kijkend met een uitzicht dat half
verborgen lag achter een vleugel, naar de minilevens die in speel-

goedhuizen werden geleefd, zich afvragend hoe ze geacht werd daar deel van uit te maken.

Overblijvend raaigras. Kropaar. Kweekgras en zegge. Terwijl ze over de begraafplaats fietste, werd ze bang dat het geluid van de wielen op het gravel oneerbiedig klonk op de enorme dodenakker die om haar heen lag, dus liep ze verder met de fiets aan de hand over het gras. Op het hoogste gedeelte van de begraafplaats stonden oeroude eiken te knikkebollen als dorpsoudsten. Toen ze bij de uitgang was aangekomen, haalde ze de brief uit haar tas om nog een keer het adres na te kijken. Ze keek weer op haar stadsplan, haar ogen half dichtgeknepen vanwege de verwarrende rode, gele en blauwe vlekken.

Poort uit. Twintig meter. Dan meteen rechts.

Inderdaad gemeentewoningen, van rode baksteen; ze zocht een woning op de benedenverdieping. Ze zette haar fiets met een beugelslot vast aan een paal en keek links en rechts de straat in. Nergens was een ambtenaar met een sleutel te bekennen; er was alleen een onwelkome portiek met een stoepje dat je naar de voordeur bracht. Ze besloot op straat te blijven wachten, haalde haar telefoon tevoorschijn en keek hoe laat het was. Een oudere man fietste langs, zwaaiend van links naar rechts over de weg; bij iedere bocht piepten zijn wielen. Haar vader nam precies op het moment op dat een vuilniswagen als een tank de hele weg in beslag nam, met knipperende lichten, de achterklep wijd open als een vraatzuchtige bek.

'Wat? Wat zeg je?'

'Pap, ik ben het.' Frieda wendde zich af van de logge vrachtwagen terwijl deze optrok en keek nu met haar gezicht in de zon de straat af.

'O, jij. Moet je horen,' zei hij. Er klonk een klappend geluid.

Klap-klap-klap. 'Wat denk je dat dat is?' Zijn stem klonk nasaal, alsof zijn neus dichtzat. Ze wou dat hij zijn neus snoot, of ophaalde, of niet zo… verstopt klonk; ze had veel liever een vader die geen verstopte neus had.

'Wat is het?' Ze zette haar beide voeten zo neer dat haar hakken op de stoeprand stonden en haar tenen de gele streep raakten.

Klap-klap-klap.

'Wat denk je dat dat is?' herhaalde hij nasaal.

'Nou, het is wel lastig om dat door de telefoon te zeggen. Wat zou het moeten zijn?'

'Wat denk je?'

'Geen idee.'

'Heerlijk, hè? Bevredigend. Klinkt het niet fantastisch? Ik heb nog nooit honderd pond van mezelf zo goed besteed.'

'Waaraan? Wat is het?'

'Het is een wichelroede, gemaakt van beukenhout. Mooi, echt mooi.'

'Je hebt honderd pond betaald voor een beukenhouten wichelroede?'

Hij zuchtte. 'Hij wichelt niet alleen, hij kan ook als een toverstok worden gebruikt, een energieverlager, een jager op fallische energie.'

'Juist ja,' zei Frieda, die zich inhield om geen zucht te slaken. 'Luister eens, pap, heb jij ooit gehoord van iemand die Irene Guy heet?'

'Ik geloof het niet, hoezo?'

'Omdat ik nu voor haar huis sta en kennelijk haar naaste bloedverwante ben.'

'Wacht eens even,' zei hij, 'hoor jij niet in Egypte te zitten, of in Jordanië of in China of weet ik veel waar?'

'Ik ben net weer terug. In het gemeenteregister staat dat ik familie van haar ben.'

'Je had me toch wel even kunnen vertellen dat je weer thuis was! Het zou aardig zijn geweest als je me op zijn minst had laten weten in welk land je zat. En wanneer kom je langs?' Een onoprechte vraag, dat wist ze zeker, omdat hij in werkelijkheid niet wilde dat ze langskwam. Het zou zijn kosmische, op één lijn liggende constellaties verstoren, die nu nog veel kosmischer en nog meer op één lijn lagen met zijn nieuwe vriendin Phoebe, een aromatherapeute. Of een fysiotherapeute. Of een masseuse of zoiets.

'Pap! Irene Guy?'

'Oké. Ik weet het niet. Heb je misschien een onderwijzeres gehad die zo heette? Of is het soms een van onze buren geweest?'

'Denk je dat nou echt of zit je maar een eind weg te raden?'

'Ik raad maar wat.'

Ze zuchtte. Dezelfde zucht die ze vroeger op die droevige dag had geslaakt toen ze ineens besefte dat ze nergens in geloofde waar hij in geloofde.

'Je zit het dus uit je duim te zuigen?' Ze kon horen dat hij met zijn beukentak sloeg. 'Denk je dat het een vergissing is?'

'Ik weet het niet.' Hij klonk nu vermoeid. Frieda bukte zich en raapte een steenschilfer van de stoeprand op. 'Denk je dat het iets met mama te maken heeft? Ze lijken er erg zeker van te zijn, het staat in hun systeem. Ik ben familie van haar.'

'Zou kunnen.'

'O, ja? Heb je enig idee waar ze is?'

'Het laatste wat ik heb gehoord is dat ze in een commune zat, ergens ver weg op het platteland in Sussex... echt waar.'

'Kom nou toch. Dat klinkt me te bizar.'

'Ik meen het echt. Ze stuurde me een brief om me om geld te vragen. Communes zijn duur, schijnt het.'

'Weet je hoe ik haar kan bereiken?'

Een jonge vrouw met een zwaarbeladen buggy liep Frieda's kant op. Er bleken drie kinderen ongemakkelijk in opgepropt te zitten. Een heleboel supermarkttassen hingen aan de handgrepen; de vrouw had een norse blik in haar ogen toen ze haar passeerde. Frieda probeerde te glimlachen naar de jonge moeder, maar ze werd demonstratief genegeerd.

Ze stond er zelf van te kijken toen ze aan haar vader vroeg: 'Heb je het adres, pap?'

'Wil je dan contact met haar opnemen?'

'Misschien.'

Ze wachtte terwijl hij naar het adres zocht, luisterde naar de ritselende geluiden die hij maakte en liet haar tenen op de stoeprand rusten. Ze dacht terug aan een voorval uit haar jeugd waarbij ze een rups onder een glas had gevangen, zo'n harige, zwart-met-oranje rups, en had gekeken naar hoe hij als een harmonica heen en weer kroop. Ze herinnerde zich dat de caravans achter haar vol hadden gezeten met gezegende broeders en zusters, voor satsang. Satsang was een bijeenkomst, maar wat het voor haar inhield, was: 'Stil zijn, Frie, we zijn aan het mediteren.' Een gezegende broeder was naar haar toe gekomen in de tuin.

'Hallo, Frie, wat doe je?'

'Niets.'

Hij had een enorme baard, een enorm voorhoofd en een enorme bril. Hij zag eruit als God op die prent van *De zeven dagen der schepping*.

'Mooie rups,' had hij gezegd.

'Dank je.'

'Vertel eens...'

'Ja?'

'Met wat voor jongen denk je dat je zult trouwen, nou, hè?'

Frieda had naar de rups gestaard en geen antwoord gegeven. 'Heb je er soms ideologische bezwaren tegen?' Hij lachte om haar. Hij stak een sjekkie op. Als hij God was, zou hij dan roken? Het leek onwaarschijnlijk. Ze had naar hem opgekeken; zijn hoofd was reusachtig tegen de achtergrond van het felle blauw van de hemel.

'Met die mooie donkere oogjes van jou zul je ze voor het uitkiezen hebben, schat.' Om te zorgen dat hij wegging, begon Frieda te neuriën en daarna te zingen: '*Leg je hand in de hand van de man die wateren wist te doorgronden. Leg je hand in de hand van Hem die de zee tot kalmte dwong. Kijk eerst eens goed naar jezelf en je zult anderen leren waarderen. Als je hand in hand wilt gaan met de man van Galilea.*' Ze had haar vader een keer horen zeggen dat de broeders allergisch voor het christendom waren. Het werkte. Hij ging weg, lachend in zichzelf, rokend.

Klap-klap-klap.

'Ik kan het niet vinden, Frie. Ik zal verder moeten zoeken en dan bel ik je wel terug.'

'O, oké,' zei Frieda in de telefoon.

'Ik hou hem nou boven de vloer in de keuken,' zei hij, 'en hij trekt me echt naar links, naar de gootsteen. Hij weet dat het water daar is.'

Frieda luisterde terwijl hij met de wichelroede een klap op de vloer gaf, en tegelijkertijd probeerde ze een sullige man te negeren die vlak bij haar was komen staan hoewel de hele stoep leeg was. Het drong tot Frieda door dat hij iets tegen haar zei, zwaaiend met zijn hand naar haar, dicht bij haar gezicht wapperend alsof hij vliegen wilde wegjagen.

'Ik moet nu ophangen, oké?' Ze hing op.

'Hier voor nummer 12A?' vroeg de man knorrig met een piepstem. Zijn colbertjasje was veel te groot; hij leek geheel in tegenspraak met zijn kleren nogal jong. Frieda had de neiging hem een aai over zijn bol te geven.

'Ja. Ja.'

Hij knikte en reikte haar een paar sleutels en een bruine envelop aan. Zonder een glimlach. Zonder te vragen naar een identiteitskaart, naar wat dan ook.

'We willen de sleutels terug hebben en het huis moet op de eenentwintigste leeg zijn,' zei hij met zijn muizenpiepstem. 'U kunt ze in de kluisbus van het stadhuis gooien of u kunt ze op ons kantoor afgeven. Als u het huis op die dag niet heeft leeggehaald, zal er een opkoper langskomen om alles weg te halen.'

'Oké.'

Hij zette een stap alsof hij wilde vertrekken, dus vroeg Frieda: 'Nog even voor de zekerheid, sta ik als enige als Irene Guys bloedverwant in uw systeem? Is er niet nog iemand anders? Staat erin wie ik precies ben, in relatie tot haar?'

'Weet u dat dan niet?' Hij keek haar aan, zijn voorhoofd gefronst. Er viel een stilte, lang genoeg voor een auto met een Jack Russell – die zijn snuit uit het raampje had gestoken – om langs te rijden. De hond kefte naar haar. Een wolk verschoof en de zon kwam weer tevoorschijn.

'Natuurlijk wel,' zei Frieda en ze deed alsof ze moest lachen. 'Ik was alleen benieuwd wat er in uw systeem staat. Het is altijd interessant om te weten... wat voor informatie ergens ligt opgeslagen.'

Zijn vingers drukten op de toetsjes van zijn mobieltje. Voor Frieda zag hij eruit alsof hij altijd alleen maar zelfbelegde boterhammen at en misschien zo nu en dan wat soep. 'Ik weet het niet,' zei hij turend naar haar. 'Alleen uw naam verschijnt als belangrijkste contactpersoon.'

'Juist ja,' zei ze. 'Tot ziens dan maar.' Frieda keek hem na terwijl hij wegliep in de richting van de begraafplaats. De jonge moeder met de buggy stond even verderop en keek nog een keer achterom naar Frieda en de jongeman in zijn onooglijke jasje en schudde haar hoofd alsof ze zich ergerde aan al die vreemde mensen in haar buurtje. Met rode balpen stond op de envelop geschreven: GUY. STERFGEVALLEN. REF. 1268493.

MOGELIJKHEDEN. *In plaats van een paar straten en pleinen, kent u verschillende plaatsen; in plaats van een kennismaking met het platteland een paar mijl om u heen, kunt u verkondigen dat u met twee of drie provincies bekend bent; een expeditie van een dag wordt teruggebracht tot slechts een paar uur; en tenzij er iets kapotgaat, bent u de gehele tijd van niets en niemand afhankelijk.*

Een dame op de fiets in Kashgar – aantekeningen

7 juni

Ik moet proberen dit op te schrijven over ons nieuwe huis: Paviljoenhuis, wat in feite twee huizen zijn, gescheiden door een pad. Aan de oostkant slapen we, alle vier op één kamer, met elke kang in een nis gebouwd. Omdat glas hier zeldzaam is en duur, zijn de ramen afgedekt met papier. Het westelijk deel van het huis is wat Millicent 'de businesskant' noemt en bestaat uit een grote, aantrekkelijke binnenplaats waarop twee kamers uitkomen en een derde ruimte die verbonden is met een van die twee. De binnenplaats heeft iets mysterieus, alsof de muren binnenwaarts zijn gekeerd en bedoeld zijn om bewoners te beschermen tegen de woestijn daarbuiten. In het midden staat een eenvoudige fontein, niet zo'n opvallende als die van Mohammed, maar niettemin aangenaam omdat het geluid van water in dit land van stof welkom is. Er staan vijgenbomen in potten, ze zijn goed verzorgd door de vorige eigenaar, evenals de jasmijn die prachtig langs de muren groeit. Twee Chinese bewakers staan permanent op wacht bij de poort aan de voorkant om ons te 'beschermen'. Achter het huis ligt een grote tuin met daarachter een ommuurde, verwaarloosde boomgaard.

Lizzie en ik sjokten als kleine kinderen achter Millicent aan, in wie altijd ongeduld is te bespeuren, terwijl ze ons liet weten dat de grote divankamer voor de ontvangst van gasten is. De tweede kamer is voor Bijbelstudie en voor het herbergen van onze boeken en andere materialen. En de laatste, veel kleinere ruimte is de keuken. Millicent had in haar eentje een ontmoeting met de verhuurder. Lizzie en ik waren teleurgesteld – we waren erop gebrand zijn verwrongen gezicht te zien. Hij woont in Hami en heeft daarom in de stad iemand tot zijn vertegenwoordiger benoemd. Millicent heeft me – of het uit uitgekooktheid en kwade opzet is of puur toeval weet ik niet – een zeer uitdagende taak toebedeeld: ik ben geheel en al verantwoordelijk voor wat er in de keuken plaatsvindt, als je dat benauwde hok met een stel sudderbranders gemaakt van een paar oude paraffineblikken en geen noemenswaardige raampjes een keuken mag noemen. De taakverdeling in huis is als volgt: Lizzie, tuin; Millicent, alles wat met cerebrale, spirituele en communicatieve zaken te maken heeft; en ik, keuken en baby, en de gewichtige taak van het verzorgen van de maaltijden, drie keer per dag. Maar... bij de keuken hoort ook een kok!

De kok heet Lolo en is een Tibetaan. Hij ziet er uiterst exotisch uit met lange, witte wenkbrauwen die als gordijnen neerhangen, een bijpassende witte baard en tientallen levervlekken op zijn gezicht en handen. Zijn huid lijkt van leer. Hij glimlacht naar Ai-Lien zodra hij haar ziet en het maakt hem geen sikkepit uit om voor Lizzie te poseren opdat ze foto's van hem kan maken.

Ons huis, ik herhaal het in mijn hoofd. Twee mannen zijn gisteravond tot laat gebleven: Mr. Mah, de handelaar wiens ogen eruitzien als van iemand die heel lang geleden van iets dierbaars afstand heeft gedaan, en de pater, die ons een welkomstcadeau bracht: een mimeograaf uit Oost-China in een houten kist met scharnieren, compleet met drukraam, zeef, inktplaat, roller en een koker met waspapier. Met z'n drieën brachten de heren en Millicent de avond door in de divankamer, wijn drinkend en rokend. Lolo zette thee in een metalen samowar en maakte deegreepjes klaar door meel te zeven, boter erbij te doen en zout af te meten, en Lizzie en ik serveerden de thee, die ze tussen de wijnrondes door dronken, maar we werden niet uitgenodigd om erbij te komen zitten.

Mr. Mah heeft kennelijk de rol van belangrijkste bemiddelaar voor ons op zich genomen. Hij is mysterieus, hij is geen moslim, nomade, Chinees, Rus of Tibetaan, maar een soort kruising van dat alles. In tegenstelling tot de meeste inheemse handelaren schijnt hij zich niet druk te maken over roddel en achterklap vanwege het feit dat hij met ons, *twei-tsu*, buitenlandse duivels, omgaat. Hij keek toe terwijl Millicent en de pater in de Bijbel naar geschikte tekstgedeeltes zochten om in het Perzisch-Oeigoers te vertalen.

Ik bleef hen van drankjes voorzien en bij mijn laatste bezoek aan de kamer zag ik dat de pater zijn bamboe kalligrafeerpennen op een rij naast zich had neergelegd, en op een stuk papier zag ik voorbeelden van zijn prachtige Arabische schrift.

'Eva,' zei Millicent op het moment dat ik wilde vertrekken, 'we hebben een gedeelte uitgezocht om te vertalen.'

Mr. Mah rookte een zwarte pijp met een lange steel; hij keek niet naar me op, maar blies rookwolkjes uit en staarde in de verte terwijl Millicent me een stuk papier gaf. Met haar kriebelige handschrift had ze Ezechiël 37 overgeschreven:

De hand des HEREN kwam op mij, en de HERE voerde mij in de geest naar buiten en zette mij neer in een dal; dat was vol beenderen. Hij deed mij daar aan alle kanten omheen lopen en zie, zij lagen in grote menigte door het dal verspreid, en zie, zij waren zeer dor. En Hij zeide tot mij: Mensenkind, kunnen deze beenderen herleven? En ik zeide: Here HERE, Gij weet het... Ik nu profeteerde zoals mij bevolen was, en zodra ik profeteerde, ontstond er een geruis, en zie, een beweging, en de beenderen voegden zich aaneen zoals zij bij elkander behoorden.

'Wat vind je daarvan?' vroeg Millicent, terwijl ze de rook uit haar mond liet ontsnappen.

'Waar is het voor?'

'Om in de bazaar te verspreiden en onze aanwezigheid bekend te maken.'

De pater glimlachte naar me. 'Ik zal het in het Arabisch en Oeigoers vertalen,' zei hij.

Ik las het en wilde het volgende zeggen: ik heb bedenkingen of het wel zo verstandig is om het over beenderen te hebben die in de woestijn oprijzen en ronddansen op een plek waar beenderen met rust zouden moeten worden gelaten. Millicent had ons zelf geleerd dat er hier van je wordt verwacht dat je je handen drie keer afspoelt met het water dat een gastheer of gastvrouw over ze heen giet voordat je een huis betreedt; dat je geacht wordt te blijven staan, handen bij elkaar, palmen omhoog, alsof je de Koran vasthoudt, ze daarna naar je gezicht brengt in een religieus, zegenend gebaar; dat het salam aleikum hier zeer serieus wordt genomen en de oudere mannen over hun baard strijken als teken van voorkomendheid. Het leek mij dat dansende botten niet welkom waren, maar ik zei niets en keerde terug naar Lolo.

Millicent staat erop dat er Engelse maaltijden worden klaargemaakt, maar legt niet uit wat dat precies inhoudt. Lolo weet totaal niets van de Engelse keuken, maar ik ook niet, dus zijn we samen door de keuken gelopen en hebben etiketten geplakt en in een mengelmoes van talen, in het Engels, Russisch, Oeigoers en een beetje Hindoestaans, namen gegeven aan van alles. De flessen die we in de bazaar hebben weten te krijgen voor Ai-Liens melk noemen we de 'botties'. Lolo haalde uit een linnen zak een aantal enorme ronde, platte broden en een tiental broodjes in de vorm van bloemen, en we kwamen overeen dat brood 'bibi' was.

Heel plechtig gaf Lolo aan Lizzie en mij een rondleiding door de tuin, die op twee niveaus is aangelegd, het lage gedeelte is de verwilderde boomgaard. Het is er inderdaad heel bekoorlijk en alles tiert er welig; je zou niet geloven dat we in een woestijn zitten. En al met al is er te veel fruit; het is bijna schunnig zoveel fruit als daar groeit en ligt te gisten: minigranaatappeltjes en perziken, nog niet rijp, en er zijn nectarines, abrikozen, vijgen en appels. In het midden van de boomgaard staat een houten paviljoentje en daarnaast een zeer merkwaardige boom met bladeren die eruitzien als aan de takken hangende zakdoekjes. Lizzie houdt vol verbazing kersen in haar handpalm, vruchten van thuis op deze vreemde plek. Het is haar taak om Lolo met de tuin te helpen, maar tot nu toe heeft ze alleen de granaatappels doormidden gesneden om ze te fotograferen. Ook wil ze me niet met Ai-Lien helpen. Als ik de baby aan haar geef, houdt ze haar onhandig vast, van haar lichaam af alsof ze iets draagt dat moet worden weggegooid.

Voeding voor Ai-Lien organiseren is erg lastig. De min kon er niet van worden overtuigd om bij ons in ons nieuwe huis te komen wonen, maar Mah heeft een moeder gevonden die haar baby borstvoeding geeft, vier li van ons vandaan. Zij heeft ermee ingestemd om ons iedere dag van vier flessen van haar melk te voorzien. Het is een vervelende afspraak: 's morgens voordat het te heet wordt, moet ik met Ai-Lien in een draagdoek van een lap Kashgaarse zijde voor mijn borst en begeleid door een van beide bewakers de deur uit. (Inmiddels hebben we ontdekt dat ze Li en Hai heten.) Halverwege, op het pad langs de droge rivierbedding, ontmoeten we de zoon van de moeder om geld voor melk te ruilen.

Er wordt dus van me verwacht dat ik de baby in leven houd en de rest met Engels eten voed, terwijl ik alleen maar cake kan bakken. Sir Richard Burton vermomde zich als een Andalusiër en een Moor. Hij kleedde zich als een inwoner van Baluchistan en reisde met stamleden mee om de valkerij te bestuderen. Hij reisde vermomd als moslim naar Mekka. Hij vond het geen probleem om te doen alsof hij een vrome, religieuze roeping voelde om op die manier in de meest woeste en afgelegen uithoeken van de woestijn te kunnen komen met het doel zijn observaties op te tekenen. Ik twijfel er niet aan dat hij met plezier een schort had aangetrokken als zijn vermomming dat had vereist, en een Hindoestaanse kok had gespeeld of een tuinman uit Ladakh of een marktkoopman uit Kasjmir. Waarom vind ik het dan toch zo moeilijk om in mijn eigen vermomming onder te duiken?

14 juni

Kashgar geeft zijn geheimen prijs aan een Engelse dame op de fiets. De bewakers gaven me toestemming om het huis te verlaten.

Ik zie van alles. Ik zie ruimtes met meisjes die achter hun naaimachines zitten te slapen; een smerige bouwval die ze het ziekenhuis noemen, met twee ijzeren bedden en vuile lakens; straten waarin niets meer van de Chinese bouwstijl is te bekennen; straten vol Allah en ezelwagens, vol schapen en brood, als een verre echo van de steppes, een heel universum verwijderd van Peking. Ik zie handelaren en marktkoopmannen en ik hoor vele talen: Altaïsch, Oezbeeks, Kazachs, Kirgizisch, Oeigoers, Chinees, Russisch en Arabisch. Ik heb geleerd dat het schrift een aangepaste vorm van het Arabisch is, dat de religie soennitisch is ingebed in een mystieke soefitraditie en nou ja, mij lijkt het dat de mystieke kant een grotere rol speelt dan de islamitische. Er zijn vele moskeeën waarvan de trappen voortdurend worden schoongeveegd. Gezangen met passages uit de Koran kun je horen. De pater vertelde ons dat mensen die lijden met dode kippen worden geslagen om hen van kwade geesten te bevrijden (maar dat heb ik niet gezien). Wenkbrauwen die in het midden samenkomen worden als een teken van schoonheid bij vrouwen beschouwd. Ik heb de kruiden gezien die worden gebruikt om wenkbrauwen te laten groeien.

Mijn wielen hobbelen plotseling over de staart van iets doods en daardoor glibber ik weg en rijd bijna tegen een ezel op die een kar trekt volgeladen met lenteuitjes en kleine sinaasappelen. De voerman spuugt en de mannen bij de kebabkraampjes, die lange messen slijpen, lachen me uit. De weg die van het Apak Hojamausoleum langs de stalletjes op de zondagsmarkt loopt, is op doordeweekse dagen tamelijk saai en erg rustig. Kleine meisjes in gescheurde jurkjes spelen langs de kant van de weg. Waar verdringen ze zich omheen? Een geel vogeltje, trillend, een kwetsbaar balletje donzige gele veren; ze prikken erin met een stok.

Vogels, overal.

Zigzaggend door het labyrint achter de Id Kahmoskee, zie ik twee magere jonge geitjes zonder moeder staan, hun ruggen onder de zweren en met botten die door hun huid steken. Sneller nu, mijn fiets bijna zwevend, en het gevoel dat ik word achtervolgd, hoewel dat niet zo is; niemand is erin geïnteresseerd om achter me aan te komen. De geur van schapenvet en uitwerpselen. Een jongetje houdt zijn handpalm op terwijl ik passeer, daarin een doosschildpad die alsmaar rondjes loopt.

De wind wakkert aan alsof het een signaal is. Deze hitte dreigt alles en iedereen te verstikken, maar omdat ik zweef en vlieg, kan ik hem voor het lapje houden. Halverwege de ochtend begint het vreselijkste deel van de dag. Naar beneden ga ik, door de Oude Stad, de stadspoort uit waar de schildwachten wakker worden uit hun dutjes om naar mij te kijken. Verder naar het lange, kronkelige pad dat de droge rivierbedding volgt tot ik uiteindelijk het Paviljoenhuis zal bereiken. Te veel vreemdigheid. Nog sneller nu, terug naar de baby die ik bij Lolo heb achtergelaten. Vanmorgen heb ik hem een kleine som geld gegeven om de flessen melk te kunnen betalen. Het is dubieus dat Ai-Liens voedsel afhankelijk moet zijn van de smerige handen van die kleine, inheemse jongen en ik ben vastbesloten om een alternatieve melkbron te vinden. Tot nu toe hebben we alleen schapenmelk kunnen krijgen, maar Ai-Lien weigert die te drinken. En om het nog erger te maken, heb ik uit Lolo's gebaren kunnen opmaken dat die moeder opium schuift. Nu ben ik bang dat de melk ermee verontreinigd is. Millicent heeft het missiehoofdkwartier in Engeland getelegrafeerd dat we dringend verlegen zitten om een voorraad Allenbury's gedroogd voedsel, maar hoelang het zal duren voordat dat aankomt, weet ik niet.

15 juni

Mijn zusje kwam bij me, op de kang.

'Ik heb over de kraaien gedroomd,' zei ze.

Ik moest even nadenken, de kraaien, maar toen herinnerde ik het me weer. O, ja. Als kinderen noemden we de zusters de kraaien. Zuster Marguerite. Zuster Eunice. 'Waarom droomde je in hemelsnaam over hen?'

'Herinner je je dat ik op dat muurtje stond en een vogel was?'

'Ja.'

'Ik herinner me het groen, de bomen, en achter me het schoolgebouw, de bijgebouwen, de kapel. Wat wilde ik graag vliegen.'

Wij, de enige twee niet-katholieke meisjes op een rooms-katholieke school, hadden het erg moeilijk in de maand mei. Want dan vonden de eerste communies plaats en zaten opgewonden meisjes in groepjes papieren bloemen te maken en blaadjes van rozen te plukken. Door de toegenomen religieuze instructies om ons heen, voelden Lizzie en ik ons van het feestelijke gevoel buitengesloten en om onszelf wat op te vrolijken, namen we onze toevlucht tot het spreken met elkaar in de vogeltaal die we zelf hadden uitgevonden.

'Ik heb al heel lang niet meer aan zuster Eunice gedacht.'

'Die baby gaat vast van je houden als je haar op die manier in slaap wiegt.' Lizzie keek naar Ai-Lien. Ik zei niets, streelde alleen het fijne zwarte haar.

'Het lijkt of er door haar een soort rust over je is gekomen.'

'Ja, ik geloof het ook.' Ze sliep; ik stond op om de kleine baby in haar bedje te leggen. We waren alleen in de kangkamer; Millicent werkte samen met de pater aan hun pamfletten.

'Het is teruggekomen,' fluisterde Lizzie achter mijn rug.

Even wist ik niet wat ze bedoelde, maar toen drong het tot me door. 'Doet het erg zeer?'

Ze noemt het de honingbij binnen in haar hoofd, die 's nachts zoemt wanneer de stilte van de woestijn als de Dood zelve boven ons hangt. Als een bij dansend in haar hoofd. Ik had het aan de lijntjes rond haar mond en aan haar loensende oog moeten zien. Haar ogen kijken afwisselend naar binnen en naar buiten als het gezoem in haar hoofd harder klinkt dan het leven buiten. Allebei luisterden we een moment naar Ai-Liens zachte gesnurk.

'Als het erg is, kan ik zelfs niet door de zoeker van de camera kijken. Maar meestal, o arme ik, zeurt het alleen maar.'

'Heb je het aan Millicent verteld?' vroeg ik. 'Hoeveel medicijnen heb je nog over?'

'Niet aan haar vertellen.' Ze keek naar haar vieze voeten waarmee ze zachtjes op het zand tikte dat na de laatste zandstorm de vloer had bedekt, geribbeld als een strand bij eb. 'Beloof je me dat?'

Ik was verbaasd. Millicent en Lizzies vriendschap was de afgelopen twee jaar zo hecht geworden als oude wollen vestjes verklit in een dekenkist, en ze waren nog dikker bevriend geraakt met iedere mijl die we ons moeizaam hadden voortgesleept om hier te komen. Waarom wist Millicent er dan niets van af? Of van wat er onvermijdelijk volgt na de hoofdpijnen? Ik moet bekennen dat ik me bijna blij voelde dat Lizzie het moeilijk had, net zoals ik van eenzaamheid te lijden had wanneer zij en Millicent samen uit hun bijbel lazen, hun hoofden in botsing komend met elkaar in het kaarslicht. Maar ik schaamde me toen toch voor die gedachte. Ik wendde me tot Lizzie, wilde haar hand pakken en mezelf eraan herinneren dat ze hier en nu en levensecht was, maar ze was verdwenen.

Ik zou dit boekje moeten verstoppen. Millicent heeft me verschillende keren gewaarschuwd om niets op te schrijven. Ze citeerde Johannes: 'Indien Ik getuig van Mijzelf, is mijn getuigenis niet waar.' Maar ik schrijf dit niet omwille van de waarheid. (Wat is het nut van de waarheid voor mij?) Misschien schrijf ik dit wel omwille van het gevoel. Ik schrijf het omwille van de cohesie, denk ik, om de ontwikkeling te begrijpen die er moet ontstaan in de gelaagdheid van de verschillende zelven die een leven creëren. Ik ben me ervan bewust dat een betekenisvolle, rechtlijnige ontwikkeling gewoonweg niet op deze bladzijden zal zijn te lezen. Het wordt geen ontzettend rechtlijnige gids, en ik ben ook niet rechtlijnig. Het lijkt onontkoombaar dat ik dit boekje verborgen houd.

Londen, heden

Buckingham Palace Road

Tayeb had zonlicht nodig om een eind aan het gejeuk te maken. De dokter had tegen hem gezegd dat hij zijn huid aan uv-stralen moest blootstellen, die de huidschilfers en de droge stukjes, die afbreken en bloeden, zouden wegvreten. Nou ja, eigenlijk was het geen dokter geweest, maar een medisch student aan het University College London en een vriend van Nidal. Onder zijn hemd brandde Tayebs huid.

Hij liep en liep maar, en de drang om gewoon terug te gaan naar de flat in Hackney was sterk. Hij kon gewoon de sleutel in het slot omdraaien, naar binnen lopen, Anwar bij de Xbox wegschoppen, thee drinken en terugglippen in wat, tot gisteren, zijn leven was. Gisteren had hij in de spiegel in de hal de schade bekeken: een klein sneetje boven zijn lip en de kus van een blauwe plek op zijn wang. Eerlijk gezegd had hij gedacht dat het erger zou zijn. Toen ze hem schopten, was het hem gelukt zijn hoofd te beschermen, maar zijn ribben deden nu wel behoorlijk pijn. Die flikkers waren geen politieagenten geweest, maar aan het eind van de avond hadden ze beslist geen boodschap gehad aan 'nee, dank je'. Hij had honger gehad en iets in hem genoot van het spelletje, dat ze avondeten en drankjes voor hem betaalden, maar hij was een goede moslim, meestal, hij dronk niet – nou ja, niet veel – en na de wijn kwam er whisky, daarna cognac, en daarna nog meer wijn. Vervolgens gingen ze naar een bar in een zijstraat van Oxford Street, daarna naar een in Dean Street, daarna werd er voorgesteld om samen een wandeling over de Embankment te maken. Tayeb was beleefd geweest. *Ik moet nu echt gaan.* Mooiste glimlach.

'Kom met ons mee, kom met ons mee', een schertsende mantra, tot Tayeb probeerde ertussenuit te knijpen door een zijsteeg in de buurt van Charing Cross Station in te glippen. Graham kwam hem achterna en duwde hem met een verbazingwekkende kracht hardhandig tegen de muur, draaide zijn arm in een pijnlijke klem achter op zijn rug. Matthew stond dichtbij, zijn mond raakte bijna zijn gezicht aan, en hij zei: 'Ik weet dat je illegaal bent, dus naai me geen oor aan.'

'*Au contraire*, je moet hém naaien.' Grahams hand verdween als een fret in Tayebs zak en vond zijn portefeuille. Hij las zijn naam voor. *Tayeb Yafai.* Daarna dwong hij Tayeb hem aan te kijken en gaf hem twee gemene stompen in zijn maag.

De pijn zong een opera in Tayebs lijf terwijl Matthew met de stem van een geliefde zei: 'Laatste kans.'

'Nee.'

Nog een draai aan zijn oor. 'Ga dan maar naar huis, schat. We geven je aan.'

Tayeb was met een kater, veel pijn en een heel akelig gevoel van doodsangst wakker geworden. Maar pas om twee uur 's middags, terug in de flat in Hackney en alsof het rechtstreeks opgeroepen was door zijn zelfmedelijden, werd er op de deur gebonsd. Twee opdondertjes, een man en een vrouw, allebei met blond haar dat onder hun dienstpetten uitstak, keken naar hem op met ogen die kohl nodig hadden om ze tot leven te wekken. De ragfijne witte wimpers tegen de rode randjes deed Tayeb aan varkens denken, van kleur verschoten, gillend en klaar om gedood te worden. Het was een schok om zulke vrouwelijke vormen in een uniform te zien, de man incluis. Waren ze een tweeling? Het drong op dat moment volledig tot Tayeb door dat ze geüniformeerd waren en hij maakte zich gereed om een glimlach op zijn gezicht te toveren.

'We zouden graag enc Mr. Tayeb Yafai spreken, alstublieft,' zei de vrouw.

'Hij is op dit moment niet hier, maar misschien kan ik u helpen?'

'Woont hij hier?'

'Hij blijft hier op doorreis wel eens logeren. Maar nu is hij er niet en ik weet niet waar hij is.'

De witte wimpers wapperden op en neer. Een kleine frons verscheen tussen de witte wenkbrauwen. De tweeling keek elkaar ernstig aan.

'Woont hij hier dan niet permanent?'

'Hij gebruikt dit als zijn officiële adres, ja.'

'Oké. Eh, ik moet hem een dagvaarding verstrekken en daar moet voor worden getekend.'

'Dat kan ik wel doen, dan geef ik hem wel door.'

'Mooi zo.' De vrouw kuchte. Ze haalde een paar briefjes uit haar zak en begon er een hardop voor te lezen:

'Hierbij verklaren wij dat voor Mr. Yafai een kennisgeving is verstrekt om te verschijnen in verband met een aanklacht wegens vernielzucht van de toiletten op de Strand op de vijfde september. Hij dient op de eenendertigste oktober op de rechtbank aanwezig te zijn. Mocht hij in gebreke blijven dan zal hij onmiddellijk worden gearresteerd.'

Tayeb ondertekende het papier als Ali Cherabo en gaf net de pen terug aan de politieagente, toen Anwar zich de trap op hees, met een stapeltje studieboeken over ontwikkelingshulp onder zijn linkerarm en met over zijn schouder een gedeukte gitaarkoffer die hij met zijn rechterhand vasthield.

'Tayeb,' zei hij terwijl hij even een blik op de politieagente wierp. 'Wat is hier aan de hand?'

De agente keek naar Tayeb. 'Bent u Tayeb?'

Anwar staarde naar de grond. 'Shit.'

'U beseft toch wel dat liegen tegen een ambtenaar in functie een zeer ernstig vergrijp is?' Ze rimpelde haar gezicht alsof ze haar meisjesachtigheid compenseerde door opzettelijk boos te kijken. Tayeb zette grote ogen op, een en al onschuld uitstralend, maar hij zag onmiddellijk aan haar gezichtsuitdrukking dat dat de verkeerde benadering was. In plaats daarvan begon hij te flirten, een brutale blik, een brede glimlach.

'Hoor eens, het spijt me,' zei hij met die glimlach naar haar. 'Ik stond net op het punt om u te vertellen wie ik was, ik wilde alleen horen wat u had te zeggen.'

Haar boze gelaatstrekken trilden lichtjes van besluiteloosheid. Haar tweelingbroer zei niets en stond er roerloos bij alsof hij haar schaduw was. Ze keek snel even op naar Tayeb en deze keer wist hij zeker dat ze niet ongevoelig was voor zijn glimlach. Hij lachte even, een niets-aan-de-hand-lach.

'En wie bent u?' Ze draaide zich naar Anwar om, die met zijn vingers op zijn gitaarkoffer trommelde, zijn rechterbeen trillend.

'Dat hoef ik u niet te vertellen.' Zijn te harde stem weergalmde door de gang en de agente keek over Tayebs schouder de flat in.

'Wat dacht u nou te vinden?' vroeg Anwar. 'Een handboek voor het opblazen van mensen?'

Haar gezicht verstrakte nu. Tayeb pakte zijn onderlip zachtjes vast en trok eraan. De agente sprak in haar radio, haalde daarna een nieuw formulier tevoorschijn en gaf het aan Tayeb.

'Deze keer graag uw echte handtekening.'

Tayeb liep over Buckingham Palace Road. Een sirene begon plotseling te loeien, klonk even heftiger en stierf weer weg. Aan de overkant van de straat stond een billboard met: TIK UW TOEKOMST IN EN DRUK OP ENTER en daaronder een kleinere poster met de woorden: ZITTEN. BIERTJE. JOFEL UITZICHT, geschreven over het silhouet van een vrouwenlichaam. Het warme nest in de zevenkamerwoning in Norton waaruit Anwar kwam, had hem duidelijk niet voorbereid op de vragen van een politieagente, hoezeer hij nu ook genoot van zijn uitstapje in het immigrantenleven. Tayeb vond het eigenlijk niet zo erg om daar niet meer te wonen. Het stonk er. Het zou er geriefelijk zijn geweest als ze zich daar niet met vijf man – Nidal, Roberto, Nasser, Anwar en hijzelf – hadden schuilgehouden boven een wasserette genaamd *Stars and Spins* op Mare Street. Voor Anwar was het opwindend om een vettige kip met knoflook van Roberto voorgeschoteld te krijgen in plaats van het eten van zijn moeder, terwijl de andere jongens altijd bezig waren om geld bij elkaar te scharrelen en een of twee van hen altijd wel eindeloze pogingen moesten ondernemen om niet het land uit te worden gegooid.

Binnenkort zou dat varkensvrouwtje van een agente op haar dikke kont op een stoel zitten, haar thee drinken en Tayeb opzoeken in haar enorme database. Haar mollige vingers zouden de toetsen indrukken en jawel, daar zou hij zijn: vijftien jaar geleden binnengekomen op een studentenvisum voor drie maanden om een cursus Engels te volgen en met de bedoeling terug te keren naar zijn vaderland, wat hij nooit had gedaan. Hoe dacht hij voldoende zonlicht op zijn huid te krijgen met al die regen? Maar nog belangrijker, wat ging hij doen? *Dit land:* het had hem kwellingen bezorgd zoals hem in Sana'a nog nooit waren overkomen. Binnenkort zouden de droge, jeukende stukjes huid zich uitbreiden tot over zijn handruggen en zijn gezicht, en dat maakte het zoeken van een zwart baantje in een restaurant er niet eenvoudiger op.

Terwijl hij liep, herinnerde hij zich dat hij hier al eerder was geweest, toen hij de eerste keer uit Eastbourne was vertrokken, 'gedag' had gezegd tegen de school waar hij Engels had gestudeerd en die hem een kamer had bezorgd bij een gezin, en 'gedag' had gezegd tegen de vrouw die hem eten had moeten geven als onderdeel van de vergoeding die ze voor hem kreeg betaald, eten dat hij nooit had gehad. 'Vaarwel' had hij ook gezegd tegen VISRESTAURANT PRIMA KABELJAUW! waar de enige vraag bij het sollicitatiegesprek was geweest van welke voetbalclub hij supporter was. Een week later had hij een baantje als visbakker en in zijn hand zijn eerste loon: een paar vijfpondbiljetten in een patatzak. 'Vrede zij met je,' had hij geknikt naar de zeemeeuw waarnaar hij iedere morgen had gekeken terwijl die als een idioot hoelahoepte om de dreigende regen te bezweren. Dat alles had hij achter zich gelaten; hij was naar Londen vertrokken.

Tayeb was met de bus gegaan en had het grootste deel van de reis naar de ladderrechte nek gekeken van de vrouw die voor hem zat. De titel van haar boek – *Ketterijen. Tijdschrift voor feministische post-totalitaire kritiek. Een tweetalige Russische-Engelse editie* – had hem enorm geïntrigeerd. Daar zat een vrouw, dacht hij, die voor ongebruikelijke gebeurtenissen openstond, een soort ontmoeting in het openbaar vervoer Russisch-Franse stijl, wellicht, wat dat ook mocht zijn. Op dat moment hunkerde hij naar een vrouw. De bus was om acht uur 's avonds aangekomen en hij keek haar na terwijl ze wegliep, flink naar links overhellend vanwege haar rugzak. Hij had tegen die tijd genoeg geleerd van Engelsen om te weten dat de vrouw het niet op prijs zou stellen als hij zou aanbieden haar met haar rugzak te helpen. Tayeb had rondjes om zijn eigen as gedraaid om Buckingham Palace te ontdekken, maar hij zag niets wat daarop leek, en nu was hij hier weer, in precies dezelfde straat.

Vicieuze cirkels. Ze waren niet te verdragen. Hij begon naar Vauxhall Bridge te lopen en naar de rivier en toen gebeurde het weer: de grond onder zijn voeten knarste, het zand doemde op. Het is moeilijker dan je denkt om aan de woestijn te ontsnappen.

Hij ging aan een tafeltje op het terras van een Libanees koffiehuis zitten. Zijn benen deden zeer. Hij haalde een boek uit zijn tas: *Engelsman in Stockholm* van Graham Greene, niet om te lezen, maar als een rekwisiet, of als een hulpmiddel om zijn handen tot rust te laten komen. Toen hij de flat verliet, had hij al zijn kalligrafie- en tekenmateriaal ingepakt, en zijn aantekenboekjes, een paar boeken, een paar T-shirts, en was met zijn pukkel over zijn schouder in de woonkamer opgedoken. Hij was over Anwars gitaarkoffer gestruikeld die zomaar ergens op de grond was neergelegd, en hij had de koffer een schop gegeven.

'Hé,' zei Anwar, 'kijk uit!'

'Waarom loop je met een koffer rond waar geen gitaar in zit?' Tayeb had zin om nog een trap tegen de koffer te geven; eigenlijk had hij zelfs zin om hem op te pakken en Anwar ermee tegen zijn kop te slaan. Anwar lachte zonder zijn blik van het tv-scherm af te trekken.

'Trekt de meiden aan. Als een magneet. Werkt altijd. Ga je weg?'

Nidal zat naast hem, gebiologeerd door de verwrongen HD-beelden op het scherm. Hij liet niet blijken dat hij Tayeb had gehoord.

Tayeb gaf Anwar geen antwoord, die er, met een kop thee op de grond naast zijn enkel met rode sok en zijn gerolde sigaret brandend in zijn hand, jong en dom uitzag. Tayeb had geen hekel aan hem. Hij liep zonder wat te zeggen de deur uit.

Een kelner kwam naar buiten om zijn bestelling op te nemen, maar Tayeb stond op en vervolgde zijn weg, langzaam in de richting van de rivier. Het verkeer om hem heen voelde als een bedreiging. Hij had gewoon moeten doen wat ze wilden; dan zou het nu achter de rug zijn geweest en zou hij met zijn leven door hebben kunnen gaan, zijn tatoeages in de stad hebben kunnen blijven tekenen. Hij stak de weg over. Het pad langs de rivier was breed en winderig. Toeristen liepen in kleine groepjes, lange mannen lieten kleine hondjes aan dunne riempjes uit en vrouwen duwden kinderwagens. Tayebs gedachten draaiden in steeds kleinere kringetjes rond: Maurice en Audrey, was dat wat? Maar hij kon zich niet aan hen opdringen in hun rijtjeshuis in Noord-Londen en hun eeuwige pogingen om een kind te verwekken. Anatil in Dalston dan? Nee, die had zo zijn eigen problemen. Een van de mannen uit het gokpaleis? Nee.

Bij de entree van een watertaxi tegenover Tate Britain keek hij over de steiger naar de deinende boot. Hij betaalde voor een dagretour, ook al was dat duur, en liep naar een stoel voor in de boot zodat Westminster Palace helemaal in volle glorie voor hem lag. De bewegingen van de boot brachten hem letterlijk uit zijn evenwicht; het was alsof hij door de regen, die nu viel, naar een schilderij zat te kijken. Iemand kon in zo'n desolaat tafereel verdwijnen en nooit meer terugkeren. Tayeb stelde zich voor dat hij een camera in zijn hand had. Als hij zou filmen, zou hij niet voor het voor de hand liggende panoramische shot kiezen; in plaats daarvan zou hij inzoomen op de jongen opzij van hem, met haar zo oranje als een sinaasappel. De jongen hield zijn moeders hand vast en keek bang naar haar gezicht. Daarna zou een close-up volgen van de moeder: in de dertig en met een melancholie in haar houding veroorzaakt door moederzijnvermoeidheid. Ze keek niet naar haar zoon, maar dacht aan iets anders, en terwijl de boot op het water in beweging kwam, bleef de jongen naar haar opkijken, misschien om gerustgesteld te worden. Maar haar ogen bleven op het water gericht.

Tayeb was een kind van de woestijn: met de trossen los voelde hij zich niet op zijn gemak. Hij kon zich identificeren met de bezorgdheid van de jongen. Tijdens zijn eerste jaar in London had Tayeb op een avond over Lambeth Bridge gelopen, net op het moment dat een man zich zo'n twintig meter voor hem van de leuning afzette. Het was niet zozeer een sprong alswel een enigszins overhellen. Tayeb stoof naar de brugleuning en zag het lichaam in het grijs-zwarte kolkende water vallen. Het verdween onmiddellijk. Tayeb had vergeefs tegen de wind in 'hé, hé, hé!' geschreeuwd. Het lichaam kwam weer even tevoorschijn, plopte als een aalscholver boven het deinende water uit, maar het ging snel weer onder. Tayeb wist dat hij iemand moest bellen of iets moest doen. Het lichaam kwam niet meer boven en toen schoot het hem te binnen dat hij zijn naam niet kon opgeven aan een officiële instantie en dat hij in dit land nergens getuige van kon zijn.

De jongen met het bange gezicht en het oranje haar zat nu dichter bij zijn moeder, zijn vingers aaiden over haar hand en Tayeb was opgelucht toen ze eindelijk naar hem keek, niet met een glimlach maar met het zelfvertrouwen en de territoriale aanspraak van iemand die de leiding heeft. Wat machtig moest ze zich voelen dat ze in staat was hem gerust te stellen, ook al was het maar tijdelijk.

De boot meerde af in Greenwich en het nukkige, jonge, zwarte meisje met het kaartjesapparaat om haar nek vroeg hem of hij wilde uitstappen.

'Nee, ik ga mee terug.' Hij liet haar zijn retourtje zien.

Deze keer stapte niemand op. De boot keerde en de reis werd in omgekeerde richting herhaald, alsof hij door een spiegel werd gezogen. Tayeb rommelde in zijn pukkel, tussen de lege enveloppen met postzegels, maar zonder adressen, de gedichten van Darwish en een goedkoop aantekenboekje waarvan de voorkant was afgescheurd, en zag iets wat hij in het Engels had opgeschreven op de achterkant van een envelop waarmee je bij Oxfam geld kon aanvragen; *rood-warm bloed stroomt snel, als rivieren. Ik heb – voor één mens – te veel verwondingen gezien. Lichamen zijn fragiel, ze zijn stof zonder betekenis. Op Victoria Station: de toegangspoort, plaats waar* ~~het leven in Engeland begint en eindigt~~. *De duiven pikken aan de neuzen van mijn schoenen en ik kan hierbinnen niet roken. Dit land is opgehouden met het roken op stations, wat barbaars is, echt waar*, maar hij kon zijn vulpen nergens vinden. Die was verdwenen; en dat feit leek ondraaglijk, symbolisch: dat hij zichzelf weer was kwijtgeraakt. Dan maar weer terug naar de blauwe deur waarnaast hij vannacht had geslapen. Wat moest hij anders?

KLEDING. *De garderobe mag worden aangevuld met een aantal hoeden: een lichte strohoed voor de zomer, een zachte vilten voor tochtjes, en een kleine en flatterende hoed voor in het park.*

Een dame op de fiets in Kashgar – aantekeningen

19 juni

De baby ademt magische lucht in en uit, haar huid is mollenvelletjeszacht. Haar vingertoppen tikken tegen mijn arm, het is zo'n zacht gevoel, als van een trippelende vlinder. Wimpers als zwarte insectenpootjes kleven aan een wang. Huid hangt om haar knietjes, wachtend op botten die van binnenuit in omvang zullen toenemen. Ze vindt het fijn om in mijn armen tegen me aan te liggen. Haar teentjes zijn wijd gespreid, grote gaten ertussen. Haar oortjes zijn oesterparels, allerliefst. De huid is angstaanjagend doorschijnend. Ik heb nu 's nachts visioenen van haar, dat ze in een rivier valt en wordt meegesleurd. Nachtmerries vol wassend water, golven die haar overspoelen. Soms komt ze vast te zitten in een boom, verstrikt tussen de takken, en ik moet naar haar toe maar ik kan het niet. Of ze is een kat waarvan de vacht in lappen afvalt en die deerniswekkend jankt. Ze ontglipt me, valt weg, of ik heb niet goed opgelet en ben haar kwijtgeraakt. Ik word wakker in de overtuiging dat ze dood is; ik stel mezelf gerust door haar uitgestrekte, niet-gekromde vingertjes aan te raken, en stop ze in mijn mond en zuig erop. Ze schijnt dat fijn te vinden.

'Eva, kom mee kijken,' zei Lizzie.

Ik liep achter mijn zusje aan naar de achterkant van het huis. Daar stond Lolo met een witte koe, zijn hand op haar flank, en haar kalf. Het kalf stond trillend tussen de knokige knieën van zijn moeder. Lolo klopte zachtjes op de rug van de koe en zag er ingenomen met zichzelf uit.

'Millicent heeft ze op de veemarkt gekocht en het blijkt dat Lolo kan toveren met koeien,' zei Lizzie. Ze giechelde. 'Ben je niet blij?'

De koe keek wijsgerig uit haar ogen, zwiepte met haar staart naar de vliegen die vastbesloten waren haar lastig te vallen.

'Ze is mooi.'

'Ik heb haar de naam Rebekah gegeven,' zei Lizzie. Toen drong het tot me door: onze eigen melkvoorraad. Geen naar opium ruikende gele melk meer. Ik kan Ai-Lien nu terstond voeden.

Het is fascinerend om te zien hoe Lolo de koe melkt. Het kalf rukt aan de uiers en zuigt aan zijn moeder, en dan, zodra de melk stroomt, duwt Lolo het kalf zachtjes opzij zodat het nog steeds naast zijn moeder staat, zich tegen haar aan schurkt en wordt gelikt, en Lolo knijpt drieënhalf tot vier liter melk uit de spenen voordat hij het kalf terug laat komen om de rest op te drinken. Onder het melken zingt hij zachtjes en kalmerend voor de koe en haar kalf.

Ai-Lien geniet ervan – zowel van het zingen als van de melk. Haar oogjes gaan dicht en haar lipjes worden dikker. Het lijkt of ze bijna onmiddellijk in omvang is toegenomen, maar dat beeld ik me vast in. Ze slaapt tegen mijn borst, zachtjes ademhalend, en vaak houd ik haar de hele nacht tegen me aan. Met liefde doe ik afstand van mijn slaap als zij zich maar op haar gemak voelt. Ik heb een lange weg afgelegd sinds die dag waarop ik alleen met de tram op reis was naar het missiehoofdkwartier China in Stoke Newington, om te verschijnen voor een commissie van vier mannen en twee vrouwen om mijn roeping te verdedigen. Ik leerde mijn kleine speech zo goed uit mijn hoofd dat ik me die nog steeds herinner:

'Leden van het College, de richting die mijn leven neemt is nooit dermate in een helder licht geplaatst dat ik volledig vat heb gekregen op de aard van het pad dat ik bewandelde, ja zelfs op wat ik langs dat pad zou vinden; maar door het kleine flakkerende kaarslicht van het geloof, dat net genoeg licht geeft voor het volgende, op handen zijnde deel van mijn reis...' Een korte pauze zoals ingestudeerd. '... zal ik met iedere stap sterker worden. Ik sta met beide benen op de grond.'

Ik hoor de neerkletterende regen, kijk naar de bleke gezichten van de collegeleden die beraadslagen, terwijl de kapothoed – die ik op Millicents aanraden heb opgezet – langzaam van mijn hoofd glijdt. Ik had besloten geen beschrijving van een mystieke vervoering te gaan geven, of te gaan wedijveren met Lizzies stichtelijke gezicht en tranende ogen, omdat ik dacht dat een rationeel betoog overtuigender zou zijn. Lizzie was al uitgekozen om Millicent te begeleiden op haar buitenlandse missiewerk. Ik mocht niet achterblijven, en tot mijn grote opluchting werd mijn doel met rationaliteit bereikt. Gezegend, getuigenis afgelegd en verwelkomd als missionaris. Ik had niet verwacht dat ik een baby zou leren kennen.

20 juni

Het was een verrassing om Khadega om twaalf uur 's middags op de binnenplaats te zien, zittend tussen de vijgenbomen in potten, samen met een chaperonne, een zeer kleine oudere vrouw gehuld, als gemummificeerd, in bruine lappen stof. Ik kwam met mijn fiets binnen en zette die tegen de muur.

'Daar is Eva,' zei Millicent, met haar kleine zwartleren bijbeltje wijzend naar mij. De chaperonne maakte een klakkend geluid in haar mond terwijl ze ging zitten, gehurkt met haar achterwerk op haar hakken en met haar rug tegen de muur, wat er als een vreselijk ongemakkelijke houding uitzag. Ik keek om me heen of ik Lolo zag. Ik had Ai-Lien aan zijn zorgen toevertrouwd.

'Eva, mooi, je bent er weer. Mohammed heeft Khadega toestemming gegeven om hier iedere dag te komen om Engels te leren, omdat hij geen zoons heeft. We hebben hem ervan overtuigd dat Engels nuttig voor hem kan zijn als hij onderhandelingen moet voeren in verband met zijn zaken.'

'Dat verbaast me.' Khadega's gezicht was op haar ogen na helemaal bedekt. Het leek overdreven in de beslotenheid van de binnenplaats. Een hagedis flitste langs mijn voeten.

'Ik heb hem gisteravond gesproken. Hij kon er uiteindelijk niets meer tegen inbrengen.'

Ze glimlachte naar Khadega en wierp me toen even een blik toe. 'Jij gaat haar lesgeven.'

'Ik? Maar Millicent, ik moet al voor de keuken en het eten zorgen, en natuurlijk ook voor Ai-Lien.'

Ze keek me aandachtig aan. 'Het is me niet ontgaan dat je tijd over hebt om fietstochtjes te maken en om een beetje te schrijven in het paviljoentje. Ik weet zeker dat je wel ergens een uurtje kunt vinden om Khadega wat woordjes te leren.'

'Te schrijven in het paviljoentje?' zei Lizzie, terwijl ze de thee-pot neerzette en me aankeek.

'Ja, gedurende het warmste deel van de dag ben ik... maak ik aantekeningen.'

'Maar dan zou je moeten slapen,' zei Lizzie.

'Dat kan ik niet in die hitte.'

Schrijven kalmeert me, het voelt voor me alsof ik op ontdek-kingsreis ben. Echt bewegen in die hitte, overdag, is te zwaar. Ik moet op de een of andere manier – ik aarzel om de woorden 'doen alsof' te gebruiken – ik moet geloven dat ik deze aanteke-ningen om een reden bijhoud.

'Ja,' zei ik toen tegen Lizzie als antwoord op een vraag die niet was gesteld. Ze keek me eigenaardig aan. Lizzies heldere blauwe ogen zien eruit als glassplinters die uit de oogbal steken, als knik-kers op de bodem van een glas water.

'Khadega zal een consciëntieuze leerlinge zijn,' zei Millicent.

Mijn zusje draaide haar haar in een streng op haar schouder en liep achteruit weg, een lichte vorm van eliminatie van zichzelf. Ze keek niet naar Khadega.

24 juni

Mijn leerlinge en ik zijn er tot nu toe niet in geslaagd een rede-lijke verstandhouding op te bouwen. Dat is vooral een communi-catieprobleem. Ik rommelde in mijn grote koffer en vond het boek dat ik vol optimisme voor ons vertrek in Londen had aan-geschaft: *Beknopt overzicht van de Oeigoerse taal* van Shaw, maar zodra ik ga zitten om het te lezen, keert het gebruikelijke gevoel terug: dat enorme gevecht met taal, het eindeloze karwei van het leren van de namen van van alles: kom, lepel, wiel, boom, weg en rivier. Ik wil onmiddellijk in details treden, ik wil de namen weten van alle kromme gedroogde wortels op het marktstalletje, alle soorten thee, alle soorten dierenpoten die zijn opgehangen om te drogen. Ik wil zo snel mogelijk de basiswoorden, huis, deur, paard, afhandelen en het woord ontdekken dat wordt gegeven aan het moment vlak voordat een zandstorm begint. Maar in mijn haast gooi ik alles door elkaar. Terwijl Lizzie rondzwerft in de buitenwereld, verzamelt ze woorden als pitten en rijgt ze snel aaneen tot bruikbare zinnen, voor mij is het alsof ik zand in mijn handpalm probeer vast te houden, en mijn tekortkomingen maken me woedend. Wat zei Burton ook al weer? Het kostte hem tweeëntwintig dagen om een taal onder de knie te krijgen? Zonder taal is binnendringen in een andere cultuur onmogelijk.

Khadega spreekt uiteraard Oeigoers, maar ook redelijk Russisch, wat Mantsjoerijs en wat Chinees, maar ik heb met allemaal heel veel moeite. Met het lesboek Oeigoers in de hand probeerde ik het weer, denkend aan Millicents woorden: 'Oeigoers is met zijn complexe structuur regelrecht verwant aan het Turks dat in het verre Constantinopel werd gesproken, hoewel het minder aan veranderingen onderhevig is geweest, misschien zelfs zuiverder is, doordat het in een van de meest afgelegen streken van de wereld wordt gesproken.'

'Turks is als een enorme, oude boom,' leerde Millicent ons in het acclimatisatiecentrum, 'met duizend takken die uit één stam zijn gegroeid. Stel je dat voor, dat helpt.'

De wortels van mijn boom spreiden zich uit over de grond; ze groeien omhoog, steken door mijn voeten, groeien door mijn ruggengraat, vormen scheuten die nog hoger uitbotten. Ik probeer het leven in nieuwe woorden op te roepen en ze te laten groeien. Ik teken vormen, Oeigoers is een alfabetische taal in Arabisch schrift, en het is leuk om de gebogen lijnen te tekenen, maar dan is de grammatica aan de beurt, en ik verdrink. Wat is in 's hemelsnaam de van-horen-zeggen-tegenwoordige-tijd of de potentiële-toekomende-tijd? De woordenschat ligt even in mijn mond. Het is alsof ieder woord wordt bijgeschaafd, afgerond tot een bijna perfecte bol, en daarna wordt uitgeworpen en de weg kwijt is. Alles heeft een naam: de voerman, de schemering, het vogelgezang. Maar de namen willen niet in mijn mond blijven zitten.

'Hoe kan ik haar nu lesgeven als ik niet met haar kan praten?' klaag ik.

Millicent geeft me iedere keer hetzelfde antwoord: 'Vraag en het zal u worden gegeven.'

Ik blijf op Khadega's deur bonzen, maar ik lijk niet binnen te kunnen komen. We zitten tegenover elkaar, allebei met gekruiste benen op het soezanitapijt. Het lukt me maar niet om haar te begrijpen, of begrepen te worden. De uitdrukking op haar lelijk gevormde gezicht wordt steeds somberder terwijl ik moeizaam probeer de woorden uit haar te trekken, totdat ik draden uit de soezani wil rukken, de voorstellingen van granaatappels en bladeren wil uitrafelen en de draden gebruiken om ze om Khadega's nek te wikkelen en haar bijna te wurgen; ze is zo brutaal. Het lucht me enorm op als Lolo wat te eten en te drinken brengt en ik van mijn taak word ontheven, zodat Millicent het resterende uur met haar kan doorbrengen.

Na de lunch vandaag hield Millicent een geïmproviseerde kerkdienst op de binnenplaats. Ze had Khadega verteld dat dat een normale gang van zaken bij ons was en had haar uitgenodigd mee te doen. Ze knielden samen neer en bogen hun hoofden. *Lieve Heer.* Ik zag dat Khadega's mond met de geluiden meebewoog terwijl Millicent de teksten opdreunde.

Toen de dienst was afgelopen, pakte Millicent Khadega's hand en wreef over de rug, drukte op de aderen die aan de oppervlakte liggen alsof het vioolsnaren waren.

Naderhand kwamen ze naar de kleine keuken en gaf Millicent Lolo opdracht om 'iets huishoudelijks met Khadega te doen'. Ze gingen achter de tafel staan en zij 'hielp' Lolo. Ze sneden de wilde knoflook en de kruidige grassen die Lolo gebruikt om ons eten op smaak te brengen, en terwijl ze sneden, stelde Millicent allerlei vragen aan Khadega, waarvan ik alleen de eenvoudige begreep.

'Heeft je vader respect voor je?'

'Begrijpt je moeder je?'

'Behandelen je zussen je vriendelijk of wreed?'

Khadega was niet erg toeschietelijk, vooral niet over haar familie, maar uiteindelijk antwoordde ze: 'Mijn moeder haat me, Rami ook, en mijn vader houdt alleen van Lamara, de mooie.'

Terwijl Millicent bleef doorvragen, drong het ineens tot me door dat Lizzie niet meer op de binnenplaats was. Ik liep naar de tuin om te kijken of ze daar was. Ondanks de enorme hitte van halverwege de middag liep Lizzie in de richting van het inlandse bijgebouwtje helemaal achter in de tuin. Ik rende haar achterna.

'De campagne is van start gegaan, nietwaar, lieverd?' zei Lizzie. Ze droeg een lang, blauw, Chinees jak zonder de satijnen broek, en haar haar zat slordig samengebonden in haar nek. Een blauwe windebloem had ze achter haar oor gestoken; hij was verwelkt. Ze brak een takje van een jujube af en sloeg er zachtjes mee tegen de bladeren van de kleine struikachtige bomen die een heg vormen. Ze keek niet naar mij.

'Waar ga je heen?'

'Een ommetje maken.'

'Ze eist al haar tijd voor zichzelf op, hè?' zei ik.

Lizzie ging rechtop staan alsof ze een ongewenste gedachte van zich afschudde en gaf geïrriteerd een tik tegen een blad. 'Wat is er nou?'

'Millicent. Al haar aandacht is op Khadega gericht. In zekere zin sluit ze ons buiten.'

'O. Dat. Allemaal in naam van de evangelisatie.' Ze kneep haar ogen half dicht tegen het pure licht.

'Ja.'

Lizzie wendde zich van me af. Ik liep struikelend achter haar aan; de hitte was meedogenloos en de stof van mijn satijnen broek was binnen de kortste keren drijfnat van het zweet.

'Zal ik meegaan? Laat me Ai-Lien even halen, dan gaan we met je mee.'

'Nee. Het is hierbuiten te heet voor de baby.'

'Ach, daar heeft ze helemaal geen last van. Ze zal gaan slapen.'

'Nee.'

'Tenslotte komt ze hier vandaan.'

Lizzie liep achteruit bij me weg alsof ze zich ergerde aan mijn aanwezigheid, draaide zich om, en toen ik haar naam riep, keek ze niet meer achterom. Ze opende de poort achter in de tuin.

'Neem dan ten minste een hoed mee,' schreeuwde ik zinloos, 'of een sjaal.' Ze liep ondanks de zon de tuin uit. Ieder strengetje haar zag eruit alsof het elk moment in brand kon vliegen, haar lange katoenen jurk fladderde om haar benen, de camera hing aan zijn leren riempje om haar nek.

Ik keek haar even na, overpeinzend waarom Millicent Khadega zoveel vragen had gesteld en waarom ze zoveel tijd in de keuken doorbrachten, maar nu ik dit opschrijf, komt het in me op dat ze probeert binnen te dringen in Khadega's thuissituatie om haar ervan te overtuigen dat er betere alternatieven zijn. Je thuis is tenslotte het middelpunt van je wereld, de machtsbasis. Als Khadega's bekering slaagt, dan zal ze door haar familie verstoten worden en dan zal ze waarschijnlijk alleen komen te staan, verketterd, veracht en afgewezen. De enige manier om een jonge vrouw zover te krijgen dat ze zich bekeert, is haar ervan te overtuigen dat ze onderdrukt wordt waar ze nu woont en haar een alternatief en beter toevluchtsoord te bieden. Toegang tot de thuissituatie staat voor Millicent gelijk aan het ultieme doel van het missiewerk, namelijk toegang tot het hart, toegangspoort tot de ziel.

Dat zijn haar technieken, nu zie ik dat, en op die manier heeft ze, neem ik aan, Lizzie ook ingepalmd.

Londen, heden

Chestnut Road, Norwood

Wie Irene Guy ook was, ze was beslist een verzamelaar. Op de vloer in de kamer lag een behoorlijk versleten, hoogpolig, beige tapijt en in het hele huis hing ook heel vaag een oudedamesluchtje. Een zweem van huid, stukjes mens overal, haar, schilfers, hoofdhuid en nagels, allemaal tot stof vergaan en neergedaald, nu opgewoeld door Frieda. Ooit, herinnerde Frieda zich ineens, had ze opgezocht waar stof uit was samengesteld en ze begreep toen dat het dode huidcellen waren en opgedroogde uitwerpselen, en gedehydreerde lijkjes van stofmijten. Enig.

De kamer was een opeenhoping van niet te onderscheiden zaken, zo erg dat Frieda het gevoel had dat ze erin verdronk. Een lichtbruine bank vormde het middelpunt van de woonkamer. Hij lag bijna helemaal vol met tijdschriften, kranten, boeken, breinaalden en oneindig veel rommeltjes. Boven de schoorsteenmantel van nepmarmer, die boven een nis was aangebracht waarin misschien ooit een open haard had gezeten, hing een grote prent van een soort landkaart. Door het midden liep een rivier die in de verte uitkwam op een prachtige hemelse horizon. Bij alle zij-rivieren stonden namen: 'de Rivier van de Dood' stroomde naar 'de Woestijn der Eeuwigdurende Wanhoop'. Onderop stond een citaat: 'Weet dat beleidvolle, bedachtzame zelfbeheersing de basis van wijsheid is.'

Frieda liep langzaam door de kamer. Ze wilde alles aanraken en tegelijkertijd ook niet. Ze had aan een vriendin, Emma, gevraagd om met haar mee te gaan, maar die had het te druk gehad, en dus ging ze nu, als een absurd soort inbreker, in haar eentje op zoek naar aanwijzingen over wie Irene Guy was geweest.

Het drong tot haar door dat voor het raam een grote koperen vogelkooi stond en ze was verbijsterd dat er een uil in zat. Frieda keek ernaar, nam aan dat hij was opgezet, en keek toen nog eens goed. Nee. Het was best mogelijk dat hij ademhaalde. Zijn ogen waren gesloten. Plukjes veren rondom zijn oren – waren dat oren? Dat het een niet-gedomesticeerd beest was, was een schok. Geelbruine veren. Het was al gek genoeg om in een vreemd huis, het huis van een vreemde, te worden toegelaten, en Frieda voelde zich raar, een indringer, maar wat ze met een levende vogel moest beginnen, wist ze al helemaal niet.

De uil bewoog niet en dus liep ze achteruit bij hem weg naar een bureautje. Ze opende een smal laatje. Dat zat propvol oude kerstkaarten. *Voor Irene, Vrolijk Kerstfeest, liefs George en Rini, Kerstmis 1981.*

In de slaapkamer kwam een oceaan van niet bij elkaar passende kleuren op haar af: lappen, kleden, kussens en intens paarsrode gordijnen. Sommige kleden lagen over elkaar heen op de grond, met patronen in vilt en zich regelmatig herhalende vormen in appliqué met aan de randen schulpsteken. Frieda ging op het bed zitten, enigszins bezwaard omdat ze zich in zo'n intieme ruimte van een onbekende bevond.

In de hoek van de kamer zag Frieda een soort grote, glazen stolp staan, die onder het stof zat. Ze boog zich voorover en veegde het stof van het glas af. Binnenin was een hele straat in miniatuur nagebouwd, met in het midden een tempeltje, compleet met een aapje op het dak. Er was een winkel met een uithangbord waarop stond: GELDWISSELAAR, daarboven een rij rode vlaggen met Chinese karakters in goud. Daarnaast was een deur waarop OPIUMKIT stond, en daarvoor bevond zich een marktkraam waarin drie kippen aan hun poten hingen, als pekingeenden. Aan het einde van de straat stonden twee figuurtjes in Chinese kleding naast een ezel. Er zat een sleutel in de dikke houten onderkant en toen ze die voorzichtig omdraaide, ratelend, en daarna nog een keer, klonk er een mechanische versie van een oosters melodietje en begonnen de figuurtjes te bewegen, krakkemikkig. De kop van de ezel ging op en neer, in en uit een miniatuurwaterdrinkbak. Alleraardigst, dacht ze.

Ze veegde met de mouw van haar zwarte wollen vest nog meer stof weg en terwijl ze dat deed, klonk er ineens een gebrom uit de kast in de hal. Daar zou de boiler wel hangen. Ze liep terug de woonkamer in. Het was al laat in de middag en een streep zacht licht viel op het tapijt, dwars over objecten die her en der op de vloer stonden en lagen, en klom ten slotte in een rechte hoek omhoog tegen de muur.

De ogen van de uil waren nog steeds gesloten. Slechts één keer eerder had ze een uil van zo dichtbij gezien, in de lounge van een hotel in Moskou. Dat was een geelbruin beest geweest, betoverend mooi, maar vooral ook omdat hij zo Russisch was. Voordat ze haar bed in was gedoken in de kleine, koude kamer had ze in de ogen van die Russische uil gekeken en de hele nacht over spinnen en boombladeren gedroomd. Deze uil was groter, had meer witte veren tussen de laagjes bruine. Hij bewoog nog steeds niet, ook al leek hij te leven. Frieda begon te rekenen. Als de begrafenis op 31 augustus had plaatsgevonden, dan moest Irene Guy minstens een paar dagen of zelfs een week daarvoor zijn overleden. De uil moest meer dan, eh... een week geen eten hebben gehad. Zou dat kunnen? En wat aten uilen trouwens?

Frieda wikkelde de hele vogelkooi, compleet met uil erin, in twee vuilniszakken die ze uit een van de lades in Irene Guys keuken had opgediept. Ze zette hem in haar fietsmand – gelukkig een ouderwets grote – en maakte hem vast met een stuk touw dat ze in dezelfde lade had gevonden. Ze had oneindig veel boeken, kaarten en prenten doorgespit, maar wist nog steeds niet wie Irene Guy was. Zwoegend binnendringen in een heel leven vol vluchtige verschijnselen bleek vermoeiend te zijn, en uiteindelijk besloot Frieda om de volgende dag terug te komen om foto's te zoeken. Maar een levende uil kon ze toch niet achterlaten?

Als mesjes sloeg de regen in haar gezicht. Ze fietste voorzichtig over de weg die langs een van Nathaniels favoriete pubs in Brixton kwam. Het Londense verkeer trok zich niets aan van en had geen enkele compassie met een fietsende vrouw, en echt onbarmhartig waren de gierend remmende zwarte taxi's, die haar zowat van de sokken reden. In volle glorie lag de pub voor haar, macht uitstralend als een kasteel op een heuvel in een sprookje. Frieda wist dat de kans groot was dat Nathaniel daar zou zijn. De ongelukkige uil had geen geluidje gemaakt en ze moest wel aannemen dat een omweggetje in deze fase hem geen kwaad zou doen.

Druipend van de regen stak ze haar hoofd om de hoek van de deur van de pub. 'Is het oké als ik mijn fiets binnenzet?'

De barkeeper knikte. Voorzichtig balancerend zette ze de fiets tegen de muur, maar ze liet de kooi met de vuilniszakken eroverheen in de mand staan. Ze ging bij de bar staan en bestudeerde de wijnkaart. Binnen een minuut werd er een vlakke hand stevig op haar onderrug gelegd.

'Frie,' zei Nathaniel, 'gewaagd van je maar fantastisch.' Hij had al verscheidene glazen op en was zich minder bewust van de mensen om hen heen dan anders. Hij graaide naar haar hand en trok die naar zich toe.

'Ik ben volstrekt uitgeput, geen hulp in de winkel, alleen ik,' zei hij terwijl hij zijn handen liet zien die onder de smeerolie zaten. 'Wat wil je, een pinot grigio?'

Frieda glimlachte naar hem. 'Ja, lekker.'

'Brave meid.'

Ze stond op het punt om tegen hem te zeggen dat hij moest ophouden met dat ge-brave-meid alsof ze een gids bij de padvinderij was, maar ze vond het niet de moeite waard. Hij had wat problemen om goed op de barkruk naast haar te gaan zitten, maar zodra dat was gelukt, legde hij zijn hand op haar knie en kneep erin. De poriën op zijn neus stonden open en waren zichtbaarder dan anders.

'Je ziet er verrukkelijk uit,' zei hij. 'Verwaaid.'

'Hmmm. Jij niet.'

Hij bracht zijn hand omhoog alsof hij zijn vinger tegen haar mond wilde leggen, maar slingerde plotseling naar voren en prikte in plaats daarvan per ongeluk in haar wang. Ze duwde zijn hand weg.

'Wat heeft je hier naar mijn nederige kantoortje gebracht?' Hij zwaaide met zijn hand van links naar rechts als een makelaar die aanschouwelijk maakt hoe ruim de keuken is. Hij legde zijn hand weer op haar been, deze keer hoger op haar dij.

'Weet jij iets van uilen af?'

'Alleen van opgezette. Taxidermie. Heb het ooit een keer geprobeerd, behoorlijk bloederig.'

Frieda wilde heel graag met hem over de brief praten, het huis, de uil, het hotel en de vervreemding die ze voelde nu ze weer thuis was. Ze had een heel lijstje in haar hoofd: de politie- en legerbusjes, om maar eens wat te noemen; de voorschriften van de sjeik; het knippen van haar pony, nu al weer een eeuwigheid geleden; en ook de groeiende frustratie over haar werk en het gevoel dat ze iets anders wilde gaan doen. Alleen al de gedachte aan de tl-verlichte vergaderkamers vol ijverige, opgewonden stagiaires bezorgde Frieda migraine. Het kantoorleven in hartje Londen – met zijn kleffe sandwiches, die je opeet onder een paraplu terwijl je over de Strand loopt, de verloren uren vanwege een slecht werkend telefoonsysteem en de tijd die voortdurend tussen je vingers door glipt – was enigszins onmenselijk. En die onmenselijkheid werd nog eens versterkt door het surrealistische contrast met de opdrachten in het buitenland: ze kwam zonneblind terug vanwege de vele exotische kleuren om in het Engelse grijs weg te zinken.

Ze keek naar het grijs in Nathaniels zwarte haar en het drong tot haar door dat haar dat niet eerder was opgevallen. Wanneer was dat gebeurd? Alles wat ze te zeggen had, over waar ze nu in het leven stond, gleed van haar af op de grond onder de barkruk. Ze nipte aan haar wijntje.

Ze had hem, Nathaniel, vijf jaar geleden op een volksmuziekfestival ontmoet terwijl ze allebei moedeloos in een grote tent stonden waar het water vanaf droop. Een jonge vrouw zong afschuwelijk terwijl ze op vioolsnaren inhakte. Hij had zich naar Frieda omgedraaid en gezegd: 'Dit is zo ongeveer het verschrikkelijkste wat ik ooit heb meegemaakt. Kom, dan gaan we samen iets drinken in de biertent, nu.'

Cider en patat kwamen daarna en de avond eindigde in zijn

tent, waarin ze zich samen in één slaapzak wurmden en hij haar op wonderbaarlijke wijze van haar kleren ontdeed terwijl ze zich de slaapzak in wriemelde. De hele nacht regen op de tent, en 's morgens werd Frieda wakker, naakt op een stel wollen sokken na, terwijl hij met een vinger rondjes om haar navel trok en zei: 'Het lijkt wel alsof je regelrecht uit een film komt.'

Het ontbijt bestond uit een veel te duur geprijsde omelet en een baguette met bacon, en toen Frieda een suikerstick openscheurde en de inhoud in haar thee tikte, had hij gezegd: 'Dit is het soort ontbijt waar mijn oudste dol op is.'

Natuurlijk. Kinderen. Vrouwen. De hele bups.

Nathaniel hoestte nu hard, sloeg bij iedere blaf met zijn vuist op de bar, in de maat, alsof de kracht van zijn slagen bijdroeg aan het losmaken van wat ook de blokkade in zijn inwendige veroorzaken mocht. Frieda draaide zich van hem af tot hij was uitgehoest. Ze wilde hem zo graag uitleggen hoe ze zich had gevoeld – ontwricht, ontworteld – maar hij zat daar naast haar, dronken, dus had het geen zin. Ze bleef naar haar fiets kijken en zat in over de uil, maar het beest maakte geen enkel geluid.

'Margaret is bezig al haar loonstrookjes in plastic opbergmappen te stoppen en koopt om een of andere volstrekt onbekende reden scheepsladingen bikini's op internet – ongeveer vijftig verschillende uitvoeringen van dezelfde bikini, voor twintig pond per stuk – en ons huis zit voortdurend vol met afzichtelijke vrouwen die met biologisch-dynamische bleekselderijstengels naar me staan te zwaaien.'

Frieda staarde naar de flessen aan de muur achter de bar. Nathaniel keek naar haar, pakte haar hand in de zijne.

'Wat is er?' vroeg hij.

'Ik heb eerlijk gezegd geen behoefte aan bijzonderheden over je gezin, raar maar waar.'

'Ik weet het. Sorry. Je hebt gelijk.'

Vroeger werd ze door gedachten aan zijn vrouw opgehitst. De bezoekjes aan zijn fietsenwinkel op Broadway Market. Frieda die even aanwipte, deed alsof ze een klant was, en soms was zij, Margaret, er dan ook, aan de telefoon. Ze zag er altijd buitensporig goed verzorgd uit op een soort aardse, functionele manier, met kort haar en in zelfgesponnen en -geweven kleren, nonchalant, artistiekerig en smaakvol. Frieda liet haar vinger over het stuur van een Pashley-fiets glijden en glimlachte nauwelijks zichtbaar; ze hoorde zijn bloed gewoon jagen en rook zijn huid vanaf de andere kant van de winkel. De deurbel van de winkel die weer rinkelt. Dan van buiten naar binnen kijken, een knikje. En terugkomen als Margaret was vertrokken. Het was verachtelijk. Ze waren walgelijk. Handen omhoog langs haar rok in het achterkamertje, duim die ronddraait, dij duwend tussen haar benen. Zijn vrouw kon ieder moment terugkomen; een draai en een rukje aan een tepel en Frieda, die langzaam voor hem neerknielt, hem opwindt, kijkt nog niet op, mond dicht.

Frieda had geleerd dat alle liefdesgenoegens waren toegestaan en grenzen alleen golden voor knorrepotten, bijna dode mensen en halvegaren. Het huwelijk was een anachronisme, uit de tijd, dood. Het was haar plicht om er geen spaan van heel te laten, eraan te tornen en de werkelijkheid boven tafel te halen. Ze was tenslotte ooit de caravan van haar moeder in gelopen toen zij, Frieda, hoe oud was... zes? Het was een jaar voordat haar moeder was weggelopen. Ze lag in bed met de Amerikaanse Arthurspecialist die in een van de andere caravans woonde: de benen van Frieda's moeder staken uit het bed en Amerikaanse Jim had zijn benen eromheen geslagen. Later had haar moeder gezegd: 'De liefde is vrij, Frieda, schat. Op die manier is het beter. Ik hou ook van papa.'

Dat was de eerste keer geweest dat Frieda had ontdekt dat ze op een fiets kon wegvluchten. Fietsen, wielen snel, snel bewegen, blijven bewegen, ga ga ga tot je ver weg bent. Het was haar geleerd dat ze boven de strenge regels moest staan van degenen die in de pas liepen, trouwden, deden alsof ze monogaam waren, uit elkaar groeiden, scheidden, opnieuw begonnen. Haar moeder en de Amerikaanse Jim en haar vaders latere ineenstorting hadden de schijnwerpers volledig op een belangrijke levensles gezet: dat het huwelijk een farce was. Frieda herinnerde zich dat ze een keer de telefoon had opgenomen, 's morgens vroeg blootsvoets op het koude linoleum in de keuken en verder iedereen nog in slaap, en toen had een vrouwenstem gezegd: 'Met wie ligt je moeder in bed?' Maar het idee van de vrije liefde had een element dat niet helemaal overtuigend was en Frieda hield er een gevoel aan over dat ze met z'n allen verdwaald waren, en dat het belangrijk leek – haar overleving hing er zelfs van af – dat ze daar weg moest zien te komen, een schuilplaats moest zoeken.

Blijf rijden, rijd weg. Als je hard genoeg fietst, vlieg je.

Frieda maakte haar fiets vast aan het hek naast de ingang van het Peabody-woonblok en maakte het touw los. Het was een uur of zeven 's avonds. Voorzichtig trok ze de vogelkooi uit de mand en hield hem voor zich vast, armen eromheen geslagen, en liep naar het gebouw waarin ze woonde. Warm door de wijn en blozend, had ze Nathaniel toegestaan haar buiten voor de deur van de pub te kussen, ook al was de afstand tussen hen kilometers toegenomen.

Nu, boven aan de trap, vroeg ze zich af wat ze in hemelsnaam met deze uil deed. Ze had het druk genoeg met andere zaken: haar carrière, verslagen, declaraties indienen. Toen ze op haar achttiende aan haar vader vertelde dat ze internationale be-

trekkingen en politicologie ging studeren, had hij haar vol af-
grijzen aangekeken.

'Maar je wilt toch veel liever dichteres worden, in Parijs?'

Ze had iets in zijn ogen gezien wat er bijna als schaamte uitzag. Uiteindelijk voelde ze zich er zelf ook niet lekker bij dat ze
zo fatsoenlijk was geworden, haar eigen treurige rebellie. Maar
ze was koppig en had eraan vastgehouden. Met de enorme energie en het enthousiasme eigen aan jongeren werkte ze jarenlang
aan dingen die echt en concreet en betekenisvol waren, probeerde problemen te begrijpen die belangrijk en relevant waren,
omarmde verschillende kwesties (de Koerden, de Palestijnen, de
Tibetanen, de Sahrawi-volken enzovoort), en liet de kosmische
stralingen van haar ouders achter zich. Ze had er geen behoefte
aan om in de aandenkens van een oude vrouw te snuffelen. Ze
zou de uil aan iemand anders moeten afstaan, aan de Dieren-
bescherming.

De kolkende krullen en de zeemeeuwen waren er nog, uiteraard. Ze maakte de deur open, liet haar tas op de drempel staan
en zette de kooi op de keukentafel. Ze trok de vuilniszakken er-
vanaf en twee enorme, in verlegenheid brengende ogen keken
haar aan. Heldere ogen. Ze tuurde naar de kooi.

'Hallo, uiltje. Wat eet je?'

Uit de koelkast haalde ze een ongebakken saucijs, sneed hem
in stukken en probeerde die tussen de spijlen door te duwen, maar
ze waren te groot en daarom deed ze het deurtje van de kooi
open. Een luchtstroom spiraalde rond haar enkel, en toen drong
het tot haar door dat haar tas nog steeds in de deuropening
stond. Ze liep erheen om de deur dicht te trappen, maar die werd
ergens door tegengehouden. Een stekende pijn schoot door haar
teen. Ze hinkte terug naar de keuken, trok haar hoge schoen uit
om de schade te onderzoeken. Terwijl ze dat deed, voelde ze een

geklapper en een zacht ruisen vlak bij haar hoofd; een wolk bruine veren, geklapwiek tegen de betonnen muur. De uil was door de voordeur gevlogen voordat het tot haar was doorgedrongen dat de kooi openstond. Ze rende hem achterna naar de overloop, en ontdekte dat hij dicht tegen het plafond op een vrijhangende pijp was neergestreken. Hij leek volstrekt rustig, knipperde één, twee keer met zijn ogen, en daarna nog een keer.

WAT DE FIETS DOET. *Eenmaal op de fiets gezeten, voelt u onmid-dellijk het intense gevoel van verantwoordelijkheid. U zit daar en kunt binnen redelijke grenzen doen wat u wilt; er wordt voortdu-rend een beroep op uw beoordelingsvermogen gedaan en u moet besluiten nemen over kwesties die daarvoor nooit uw aandacht vroegen. Ten gevolge daarvan wordt u alert, actief; u krijgt scherpe ogen en wordt gevoelig voor zowel de rechten van anderen als voor wat uzelf toekomt.*

Een dame op de fiets in Kashgar – aantekeningen

26 juni

Enorme opwinding vanmorgen: twee Kashgari's te paard kwa-men langs met drie zakken post. De eerste post sinds Bakoe. Zelfs Millicent zat zo blij als een kind de pakjes open te scheu-ren. Ze verkeerden in een erbarmelijke staat, opengereten of ge-leegd en sommige zelfs bijna vernield. De meeste dateerden van minstens drie à vier maanden geleden en ik verwonderde me over de reis die ze hadden afgelegd. De problemen die ze onder-weg moesten zijn tegenkomen waren immens, beperkingen ten aanzien van het gewicht, bijkomende kosten, om nog maar niet te spreken over de censuur her en der. Bijbels kwamen tevoor-schijn, samen met affiches, boeken, kranten, verslagen van het hoofdkwartier, artikelen. Lizzie hield een aantal nummers van *The Times* omhoog, volledig verouderd uiteraard, maar n50ctte-min een genot om te lezen. Ik hield de krant bij mijn neus en ver-beeldde me dat ik Engeland rook.

Een flink aantal pakjes bevatte niets, de inhoud was al lang geleden gepikt. Een brief van Millicents vriendin in Moskou was zo beestachtig met de schaar gecensureerd dat hij in een onleesbare papieren slinger was veranderd. Lizzie sorteerde alles in stapels en ik was blij te zien dat er ook een stapel voor mij bij was.

Het eerste pakket bevatte gedroogde melk en gedroogd voedsel van Allenbury voor Ai-Lien, voor ongeveer acht maanden, hoewel een handjevol pakjes kapot leek te zijn gegaan, waardoor de rest onder de melkpoeder zat. Net zo belangrijk was dat Lizzie haar voorraad medicijnen had ontvangen. Ik keek toe terwijl ze de medicijnenbusjes angstvallig opzijschoof zodat Millicent, die geheel verdiept was in een lange brief, ze niet zag. Ik hoop dat er daardoor een einde komt aan haar verstrooide gedrag van de laatste tijd.

Blijdschap: twee brieven voor mij, een van moeder. Ik stond op, liet het aan Lizzie en Millicent over om de enorme stapel voor Millicent te sorteren, liep naar de binnenplaats en ging in de schaduw van een van de knoestige vijgenbomen zitten. Het papier is dun, op sommige plekken gescheurd, maar voor het grootste deel nog intact. Ze schrijft over vader en hoe zwaar het is om hem te missen; over Elizabeth, haar gezondheid, haar medicijnen, haar sterke en zwakke punten. *In tegenstelling tot jou, Eva, schat, denk ik niet dat Lizzies toestand het toelaat om te reizen.* Tussen de regels door zie ik moeder voor me terwijl ze bij tante Cicely zit, die al dertien jaar weduwe is – twee vrouwen die niets anders gemeen hebben dan dat ze samen in een huis vlak bij een vijandige zee wonen.

Arme moeder. Zelfs na de vrije opvoeding die we buiten Engeland hadden genoten – de kunstenaars die kwamen logeren, de anarchisten, de voorstandsters van stemrecht voor vrouwen, schilders, muzikanten – hebben twee van haar drie dochters gekozen voor de kerk en een leven in dienstbaarheid. Ze had iets anders verwacht: dat een van ons de wereld met poëzie, kunst of muziek zou verrijken. Ze hunkerde naar schoonheid, altijd maar naar meer schoonheid. Stemde ze er daarom misschien mee in om de duurste camera voor Lizzie te kopen? Of dat kleine Nora, ons jongste zusje, die de liefde van onze moeder had gestolen, in Dublin mocht gaan wonen, waar ze, zoals we hebben vernomen, een leugenaar is geworden die zich met kunstenaars vermaakt en gin drinkt?

Vlak voordat we vertrokken, heb ik op het punt gestaan moeder in vertrouwen te nemen over mijn valse voorwendselen, de ware aard van mijn zogenaamde geloof, maar uiteindelijk besloot ik dat niet te doen. Ze wilde zó graag dat we niet weggingen, dat ik zeker weet dat ze, als ze mijn geheim had gekend, me zou hebben overgehaald in Engeland te blijven. Mijn zogenaamde roeping was mijn enige wapen. Terwijl we ons voorbereidden op de reis, keek ze me vol vragen aan. Van Lizzie begreep ze het wel, die had altijd al mystieke trekjes gehad, maar ik? Ze was wantrouwig, maar ik zette door, om weg te kunnen komen, om mijn heil weer ergens anders te zoeken. De mannen die bij haar op bezoek kwamen en wedijverden om haar aandacht, die cadeaus voor haar meenamen, die luisterden naar haar causerieën op de universiteit in Genève, zouden nu geen van allen bij haar zijn.

'Kun je niet,' herinner ik me dat ze zei, 'domweg naar Umbrië gaan?'

'Nee, moeder. Umbrië zou volstrekt niet volstaan.'

Ik vouwde de brief op en legde hem op het lage muurtje dat om de fontein op de binnenplaats staat. Toen we uit Genève naar Engeland vertrokken, zei ze vaak tegen me: 'Toch is het mijn tijd, Eva.' Een eigenaardige uitspraak.

De tweede brief was van Mr. Hatchett:

Beste Ms. English,
Ik hoop dat deze brief u bereikt wanneer u zich naar wens
hebt geïnstalleerd in uw oriëntaalse buitenpost. Ik heb nog
vaak gedacht aan onze ontmoeting en ons gesprek. Ik hoop
dat u begrip kunt opbrengen voor het volgende, daar ik u
niet kon bereiken om u te laten weten dat deze actie in uw
voordeel is, maar ik heb officieel een voorstel bij het bestuur
hier bij Hatchett & White ingediend voor de publicatie van
uw gids: Een dame op de fiets in de woestijn. *Ik ben zeer*
verheugd u te kunnen mededelen dat we bijzonder graag
uw voorgestelde gids met indrukken van deze onbekende
regio willen publiceren. Met genoegen bieden we u een voor-
schot van £150 voor de gids, en ook al is de datum van uw
terugkeer onzeker, we zien het manuscript gaarne te zijner
tijd tegemoet.

Mag ik daar nog aan toevoegen dat het mij een zeer groot
persoonlijk genoegen was om kennis met u te maken? Ik
hoop dat we goede vrienden zullen worden. Ik bid dat u
niets zal overkomen op de door u gekozen locatie.
Met vriendelijke groet,
Francis Hatchett

Wat herinner ik me nog van hem, die Mr. Hatchett? Zijn baard
was rossig, enigszins bijgeknipt. Neef Alfred omschreef hem als
een echte man van Oxford, die zich niet op zijn gemak zou voelen
in gezelschap van Cambridge-mannen. Dat is uiteraard hoe Alfred
de wereld beoordeelt: de ene universiteit versus de andere en de
rest van de mensheid mag in de modder zakken. Mr. Hatchett leek
zich op de een of andere manier niet op zijn gemak te voelen ter-

wijl we zaten te praten, zijn handen een beetje trillerig, maar tegelijkertijd was hij toch ook vol zelfvertrouwen – van het soort dat je met een goede opvoeding en rijkdom in de familie meekrijgt. Wat ik bedoel, denk ik, is dat die onuitstaanbare sfeer van de Engelse middenklasse niet om hem heen hing: dat slonzige, dat hebzuchtige, die eindeloze bezorgdheid om wat anderen zullen denken, die akelige bekrompenheid. Ja, dat heeft hij allang achter zich gelaten, hoewel ik me niet kan voorstellen dat hij zich op zijn gemak zou voelen in de bars in Genève. En het was al april, maar het was koud en tochtig in dat huis in Hampstead. Ik kroop bij de open haard in de groene kamer vol boeken en keek naar hem op, glimlachend. Waar was Lizzie? Aan de andere kant van de ruimte met Alfred en een vriend van hem; die vriend stond aan één stuk door tegen een vrouw aan te praten die rondom met kanten ruches was behangen, maar haar naam ben ik vergeten. Ik geloof dat ik wel durf te zeggen dat Mr. Hatchett hoffelijk was. Wat hij precies zei is niet blijven hangen, maar ik herinner me wel dat hij me aanspoorde, wat alleraardigst was, en ik weet nog dat hij mijn handschoen opraapte en dat hij helemaal niet oud was.

Ik keek naar een paar kleine hagedissen die in de muur van de binnenplaats verdwenen, achter witte, fragiele bloemen die zo alomtegenwoordig zijn dat het lijkt alsof zij verantwoordelijk zijn voor de lelijke droge barsten in de aarde. Deze bloemen ruiken veel te sterk en te zoet voor hun kleur. Ik keerde naar Millicent terug. Pakjes en enveloppen lagen rommelig verspreid door de hele kamer en toen zag ik dat Millicent een verbeten gezicht trok.

'Wat is er?'

Lizzie had een brief van moeder zitten lezen. Ze keek op.

'Het hoofdkwartier in Engeland,' zei ze. 'Ze weigeren om ons geld te geven voor onze vrijlating. We moeten "onszelf er maar uitpraten".'

Millicent keek de kamer rond. Ik raapte op wat ze zocht, haar Hatamens, en gaf ze aan haar. Ze stopte er een in haar mond, pakte een lucifer om hem aan te steken, en keek naar Lizzie, in wier gezicht vlekken waren verschenen.

'Ze willen ons het smeergeld niet geven?' vroeg Lizzie.

Millicent leunde achterover tegen de muur.

Lizzie legde de brief neer, duwde met haar voet wat papieren op de grond opzij en liep naar Millicent. Ik was verbaasd dat ze Millicents hand pakte en hem vasthield.

'Ik moet onmiddellijk een telegram naar Mr. Steyning in Urumqi sturen. Hij zal ons wel willen helpen. Hij is de belangrijkste vertegenwoordiger in onze branche hier, meer op de hoogte van de realiteit hier dan degenen in de missiehuizen.'

Millicent keek naar Lizzies hand die de hare vasthield, maar wendde toen haar hoofd af en keek in de verte. Lizzie keek naar haar gezicht, maar Millicent ontweek haar blik. Ze hoestte, alsof er helemaal niets aan de hand was, en aldus pakten we de draad weer op, maar wel als een schip dat hopeloos op drift was.

Vanavond heb ik Mr. Hatchett een brief teruggeschreven. Dit is het afschrift:

Beste Mr. Hatchett,
Ik schrijf u in de schaduw van een paviljoentje midden in een tuin die er als een jungle uitziet. De hitte hier is absoluut onvoorstelbaar, en ik hoop voor u dat u zoiets nooit zult hoeven meemaken. Als ik het me goed herinner, geloof ik dat u een bleke huid hebt (bent u soms van Ierse afkomst?) en

ik ben er bijna van overtuigd dat de zon u geen goed zou doen. Ik was bijzonder blij met het bericht van uw bestuur in verband met mijn boek en ik zal u eeuwig dankbaar blijven. Dank u voor uw steun. Ik kijk er erg naar uit om u na onze thuiskomst weer te ontmoeten. Ik kan u niet genoeg bedanken.

27 juni

Millicent is in de keuken en leest uit de Bijbel voor terwijl Khadega fruit in stukjes snijdt en in een aardewerken schaal legt. Abrikozen, appels, vijgen. Ze staan naast elkaar met hun rug naar me toe. *Het vertrouwde gezelschap van God is een zegen in mijn huis.* Millicents hand ligt op Khadega's schouder, haar duim wrijft over een plekje terwijl de vragen doorgaan: *Houden ze van je, bij jou thuis? Hebben ze je nodig? Hoeveel ben je voor je familie waard?* Millicent pakt brokstukjes van Khadega's leven op en legt ze bloot, alsof ze een schelp openwrikt. Ze zet haar vingers ertussen en rukt hem open.

Ik schrijf dit nu snel op in het paviljoentje. De hitte lijkt vandaag vastberaden me te vermorzelen, zeurt eindeloos door, is verstikkend als een deken die over de aarde is uitgespreid. De binnenplaats, meestal een toevluchtsoord, is te vol, te weelderig. Rozen groeien uit muren en hangen zwaar neer als decoraties van crêpepapier. De jasmijn verspreidt zich alsof ze je wil smoren.

Terwijl ik naar Millicent en Khadega kijk, komt het weer bij me op dat dit de manier moet zijn waarop Millicent Lizzie heeft betoverd, met deze continue vrouwelijke intimiteit. Al het gevlei en het bidden en het praten en de thee en de aandacht. Ik vermoed dat Khadega zich nog nooit zo in het middelpunt van de belangstelling heeft voelen staan, zo belangrijk en zo verleid, haar hele leven lang niet, omdat ze thuis, waar zoveel vrouwen wonen, vanwege haar lelijkheid wordt genegeerd.

Millicent rookt en stelt vragen, rookt en stelt vragen, en ik begrijp nu dat er alleen een begin met echte bekering kan worden gemaakt als geheimen zijn blootgelegd. Ze probeert een geheim te vinden, een parel: dat ene dat Khadega kwetsbaar zal maken. Khadega's onaangename, hoekige gezicht knikt en glimlacht, en kanten van haar komen naar boven als gestolen waar, die eigenlijk in een broekzak verstopt hadden moeten blijven zitten. Terwijl ik daar getuige van ben, vraag ik me ineens af wat Lizzies geheim is. Wat is de zachte parel binnen in Lizzie die Millicent toegang heeft verschaft tot haar ziel, en haar uiteindelijk de controle over Lizzie heeft gegeven? Arme Lizzie.

Daarna was ik getuige van het volgende: een ruzie tussen mijn zusje en Millicent, in de tuin, onder die merkwaardige zakdoekenboom. Ik zag hen vanaf het hoge gedeelte van de tuin, maar kon niet horen wat ze zeiden. Millicent die Lizzies polsen vasthoudt, Lizzie schreeuwend, en daarna liet ze haar hoofd zakken, haar haren loshangend naar beneden, Millicent liet Lizzies armen los en liep weg, en ik bleef daar staan en zei tegen de lucht: 'Kom bij me terug, Lizzie.'

29 juni

Ik kwam door de poort de binnenplaats op met Ai-Lien in de draagdoek voor mijn borst zoals de vrouwen het hier ook doen, en werd met een ongebruikelijk tafereel geconfronteerd. Het altaartje stond op zijn kop, kaarsen op de grond, en Khadega zat ineengehurkt voor de fontein, Millicent zat geknield naast haar en streelde haar rug. Ze spraken snel met elkaar in een onduidelijke mengelmoes van Oeigoers en Russisch.

Khadega's lichaam schokte. Millicent pakte even haar hand vast en begon te bidden, trok daarna met haar handen cirkels over Khadega's gebogen ruggengraat. Irritatie overspoelde me als water, alsof ik erin werd ondergedompeld. Waarom moet Millicent dit jonge meisje zo nodig weghalen uit haar vertrouwde omgeving? Waar neemt ze haar mee naartoe? Naar volledige verlating door haar familie. Naar het breken met alle heilige wetten en regels die in haar gemeenschap gelden. Als Millicent dat lukt, dan moet ze haar niet alleen een fysieke veilige haven bieden (komt ze dan hier bij ons wonen?), maar ook een morele. Bij het realiseren van haar evangelistische ambities schept Millicent het toppunt van de afhankelijke volgeling. Misschien is dat haar manier; ze beschouwt zichzelf als een verzamelaar van zieltjes.

Khadega zag er ellendig uit met haar zwarte haar dat nat van het zweet was en loshing, en ik moest denken aan de fundamenten van haar leven: de heilige Koran met zijn wetten, de woorden van haar profeet en van haar vader, en nu Millicent, die haar verleidt dat alles op te geven.

Millicent ging door met haar gebeden. Ze zingzegde ze in een bepaald ritme, maar ik kon de woorden niet verstaan.

Ik drukte mezelf tegen de muur van de binnenplaats en voelde dat een rozendoorn in mijn dij prikte. Hoewel het pijnlijk was, deed ik niets en hield mijn mond, ook al wilde ik graag – heel erg graag zelfs – Khadega's hand vastpakken en haar weer bij haar vader afleveren, zorgen dat ze weer volledig zijn bezit werd. Ik wilde naar Mohammed vliegen en hem over de gevaren hier vertellen, dat hij zijn lelijke dochter bij ons weg moest halen, maar het lukte me niet om in beweging te komen. Het was alsof de rozen me met hun doorns vasthielden, alsof Millicent hen had betoverd om dat te doen.

Toen ik weer naar hen keek, had Millicent een stuk papier in haar hand. Ze legde het in Khadega's trillende handen. Ik vermoedde dat het een of andere plechtige gelofte bevatte, maar Khadega was niet onmiddellijk bereid die te ondertekenen. Het bidden ging door, zachtjes en zich herhalend, als een slaapliedje. Khadega begon te jammeren. Het bidden en het huilen verweefden zich ritmisch met elkaar en Millicent liet haar hand over Khadega's nek glijden, trok haar haren opzij om een kwetsbare plek op de huid achter het oor bloot te leggen. Ze gaf Khadega het papier met de gelofte weer aan, en haar pen, en deze keer boog Khadega haar hoofd nog dieper, trillend, en terwijl ze zich naar de grond van de binnenplaats boog, zette Khadega haar handtekening. Daarna liet ze de pen vallen en haar hele lichaam zakte ineen in het stof. Millicent hield op met het slaapliedjesgebed en boog zich naast haar naar voren en kuste haar nek, en toen, alsof ze ineens voelde dat ik daar stond, draaide ze zich om en keek me aan. Ze kneep haar ogen tot spleetjes en toen keek ze langs me heen. Lizzie, die in de deuropening verscheen, keek ook toe, met één hand tegen haar wang en haar camera in de andere.

Londen, heden

Pimlico

Nu ze plat op de betonnen vloer lag en opkeek naar de klauwen, kon ze hem met haar ogen half dicht in de gaten houden. Een regel van Dr. Seuss schoot haar te binnen: *een heleboel neuzen ruiken uilenpoten.* Zou de uil blij zijn dat hij los was? Frieda had geen idee. In haar hand had ze een theedoek, hoewel het haar nog niet duidelijk was hoe een theedoek haar kon helpen de uil te vangen. Het raampje op de overloop stond een stukje open. Als de uil vastberaden genoeg was, zou hij zich erdoorheen kunnen wurmen naar een nieuw leven in de ongetemde bossen van Pimlico, voor zichzelf een aangename plek om te wonen creëren in de gouden toppen van de bomen in Battersea Park. Boven op de Peace Pagoda had Frieda regelmatig gevluchte papagaaien en kaketoes gezien die droefgeestig naar de inheemse kraaien keken.

Hij had nu al meer dan een uur niet bewogen. Ze was maar

één keer bij hem weggelopen om naar de wc te gaan, maar ze was meteen teruggerend en toen bleek dat hij niet van zijn plaats was gekomen. Ze was bang hem kwijt te raken. Wie Irene Guy ook was, deze uil was van haar geweest, ze had misschien wel van hem gehouden, en nu was Frieda zo onvoorzichtig geweest om hem uit de kooi te laten vliegen. Het was zo'n actie die nooit meer ongedaan kon worden gemaakt en nu zat ze met de vraag of ze de vogel hier moest laten of niet. De verantwoordelijkheid voor deze uil die niet van haar was, maakte haar moe.

Ooit had ze van klei een uil gemaakt in een periode die haar vader het 'boetseerkleitijdperk' had genoemd. Het begon met de ark van Noach, met twee koeien, twee schapen en twee blauwe vinvissen, die zich daarna snel tot een hele dierentuin uitbreidde. Het werd een obsessie, die caravan propvol figuurtjes en hoeven en vleugels in rode, blauwe en groene kleuren gekneed, en ze her-innerde zich haar moeder – altijd op haar hoede voor Frieda's neiging om binnen te blijven zitten om schepsels met Play-Doh-spullen te maken – die haar hoofd door de deur van Frieda's caravan stak en zei: 'Kom op, naar buiten, de zon in.'

'Ik wil niet, mam.'

Haar moeder die naar binnen kwam, Frieda's hand vastpakte, haar wegtrok bij haar bende van boetseerklei en zei: 'Noem me geen mam. Kom op!'

'Waarom niet?' Alle andere kinderen zeiden mam. Mam. Pap. Mij. Broer. Zus. Hond. Vis.

'Noem me Ananda, Frieda, schat, dat weet je. Doe je spijker-broek aan, schiet op...'

Haar mam wiegend in de deuropening en een stom liedje zingend, iets van *loop de loop* of zo. Ze liep op blote voeten met roodgelakte teennagels en droeg een lange, blauwe rok, haar zwarte haar glanzend, en ze lachte terwijl ze haar tong naar Frieda uitstak. Ze deed ontzettend haar best aanstekelijk te zijn.

'Waar gaan we heen?'

'Schiet op!'

Sprong. Van de onderste trede op het strand, daarna naar de zee. Het water zo laag dat het voorbij de getijdenpoeltjes stond, zo ver zelfs dat een laagje zand was blootgelegd, als een stukje buik of een streepje rug.

'Kom op, naar de zee.'

Frieda rende over de glibberige rotsen en liet uiteindelijk de zolen van haar voeten weer bijkomen op het lekkere, platte, natte zand.

Noem me geen mam. Noem me geen Grace. Ik ben Ananda Amrita. Goddelijke zuster.

Ananda Amrita trok haar zwarte hemdje uit waar Frieda bij stond, gooide het in zee en spartelde rond. De zon kroop omhoog langs de hemel. Ananda's lange rok plakte tegen haar benen, haar kleine borsten waren bloot, tepels zeiden de hemel gedag, haar armen fladderden als meeuwenvleugels.

'Kom op... moet je dat licht zien!'

Frieda waadde door het ondiepe water totdat het diep genoeg was om haar knieën te buigen, haar borstkas te laten zakken en te peddelen in de kou van het zeewater. Ananda ging dieper de zee in, keek niet achterom. Een grijze massa visseneitjes dobberde langs, samen met een sigarettenpeuk, en Frieda's voeten konden niet meer bij de grond.

'Mam!' schreeuwde ze, terwijl ze als een schildpad haar kin optilde en zout water inslikte, en toen klonk er een plons achter haar. Het was haar vader, met al zijn kleren nog aan, die snel op haar af kwam, haar optilde en uit het water trok, en haar vasthield. En hij schreeuwde: 'Wat denk je wel?'

Ananda Amrita kwam naar haar toe door de golven, half lopend, half zwemmend, en zei iets, maar Frieda kon de woorden niet verstaan.

Haar vader zei: 'Je verdient haar niet, dit kind.'

Frieda hing ondersteboven over haar vaders schouder, als een van haar vleermuizen van boetseerklei, en keek naar Ananda die halfnaakt en nat in zee stil was blijven staan. Het was haar moeders schuld dat Frieda ogen had die zwart en donker en anders waren dan die van haar vader. Dat ze niet goed genoeg was.

Neusvleugels: breed en diep, en ze kon er helemaal inkijken. Daarboven zaten ogen die naar haar keken, daaronder een snor. Frieda bewoog even niet, en vloog toen overeind, duwde haar bril over haar neus omhoog en hoestte.

'Ik ben mijn pen vergeten.' De man sprak met een accent. Frieda bloosde omdat iemand had ontdekt dat ze daar op de vloer lag, zo raar, en stond op, had het gevoel dat ze zich moest verontschuldigen, ook al had hij háár gestoord, maar ze zei niets.

'Aha, daar ligt hij.' Hij wees naar een groen met zilveren vulpen die onder de deurmat uitstak. Frieda boog zich voorover en raapte hem op. Toen ze zich naar hem omdraaide, zag ze de tekeningen op de muur.

'Je moet daar de hele avond aan hebben gewerkt.'

'Ja.' Hij keek niet schaapachtig of verontschuldigend. Nee, ze zag zelfs dat hij vol waardering naar zijn eigen werk keek en glimlachte. Frieda stond op het punt te vragen wat het Arabisch betekende, maar ze deed het niet.

'Ik vind hem mooi,' zei ze, ook met een glimlach, 'hoewel hij me wel in de problemen zou kunnen brengen.' Er viel een stilte. Wat deed hij hier eigenlijk, waarom hing hij in het trappenhuis rond? Achtervolgde hij haar? Ze stond op het punt het hem te vragen, maar hij was haar voor en zei:

'Waarom lag je op de grond?'

'Ik probeerde uit te vissen hoe ik de uil terug in zijn kooi zou kunnen krijgen, maar ik moet in slaap zijn gevallen.'

Hij keek op in de richting van Frieda's blik, naar de uil. 'Aha.'

Frieda keek toe terwijl de man naar voren bewoog tot hij recht onder de uil stond, die geheel onaangedaan op de pijp bleef zitten. De man hield zijn hand omhoog naar de uil en maakte een zacht koerend geluid. De uil reageerde niet.

'Hij is ontsnapt,' zei Frieda overbodig. Met zijn pen nog steeds in haar hand keek ze naar de kleine pezige man terwijl hij door bleef koeren.

'Hij is erg koppig,' zei ze. 'Hij zit daar al uren. Ik weet niet wat ik moet doen.'

De man lachte. 'Zo zijn uilen nu eenmaal.'

'*Salam aleikum,*' zei ze verlegen.

Hij draaide zich om en om zijn ogen verschenen rimpeltjes terwijl verbazing en vreugde zijn glimlach breder lieten worden. '*Aleikum salam...* Spreek je Arabisch?'

'Een klein beetje. Heel, heel slecht.'

Hij stak zijn hand uit, kwam dichter naar Frieda toe, en ze nam hem aan, een formele handdruk, bijna als een kind in een spel. Zijn hand was klein en zacht en hij was korter dan zij, zo'n centimeter of drie. Nadat hij haar hand had geschud, wreef hij met zijn handpalm over zijn zwarte, springerige haar, alsof hij het tot bedaren wilde brengen en zich even snel voor haar wilde opknappen.

'Het is heel fijn je te ontmoeten,' zei hij, alsof hij het voorlas in de Engelse les, en hij stelde zichzelf voor.

Frieda stelde zich ook voor en hield zich daarna vast aan de deurpost. Ze had hem zijn pen nog steeds niet teruggegeven.

'Het probleem is dat ik niet weet of ik hem, door hem uit zijn kooi los te laten, aan zijn einde help of hem de vrijheid geef.'

Ze keek naar het gezicht van de Arabische man terwijl hij naar de uil opkeek. Ze betrapte zich erop dat ze dacht 'Arabische man', alsof hij de enige vertegenwoordiger van een heel ras was. Zij moest met haar opleiding toch beter weten. Hij leek niet verbaasd op te kijken van vreemde situaties: dat zij op de grond lag of dat er een uil boven op een pijp zat. Eigenlijk zag hij er zelfs uit alsof hij zich amuseerde. Hij tilde zijn kin op, dacht na over de vogel, en draaide zich toen naar Frieda om.

'Wil je hem terug of heb je hem expres losgelaten?'

De vraag bleef tussen hen in hangen en leek verbazingwekkend belangrijk. Frieda, die zich ineens behoorlijk op haar hoede voelde tegenover de man, was verbaasd dat ze het gevoel had dat ze wel zou kunnen huilen nu ze erover nadacht. Om haar verwarring te verbergen zei ze: 'Hij is ontsnapt,' en daarna: 'Dat was niet mijn bedoeling.'

'Dus je wilt hem terug?'

Frieda keek naar de uil. 'Ja. Ik wil hem terug. Weet je hoe ik hem kan vangen? Is het wel een "hij"?'

De man legde zijn hand op de balustrade en leunde achterover alsof hij zich volkomen op zijn gemak voelde en alle tijd van de wereld had om over deze kwestie na te denken. Zijn gepeins kreeg trekjes van een meditatie en Frieda, die niet wist of ze wat kon zeggen of niet, bewoog haar voet heen en weer over de mat.

Ten slotte zei hij: 'Ja. Het lijkt wel een mannetje. De vrouwtjes zijn groter, denk ik. Voedsel is de enige manier. Je zult hem' – hij zweeg even – 'moeten teruglókken.'

'Denk je dat dat zal werken?'

'Nou ja, het zou kunnen, maar het zou wel eens wat tijd kunnen kosten.'

'Hoeveel tijd?'

'Ze hebben geen haast, uilen. Mijn vader had er een die was ontsnapt en die zat drie dagen in een boom voordat we hem terug hadden. Het hangt af van hoeveel honger hij heeft.'

'O, deze heeft vast en zeker honger.'

Ze keken samen omhoog naar de uil. Zijn ogen waren gesloten.

Zes plakken bacon van uitstekende kwaliteit lagen in reepjes over de vloer. De man, die zichzelf als Tayeb had voorgesteld, zat rustig op zijn hurken tegen de balustrade. Hij nipte aan een kop thee en in zijn andere hand hield hij een geel kussensloop. Frieda herhaalde in haar hoofd het woord dat bij hem hoorde: Jemen. Wat wist ze van Jemen af? Niets. Bijna niets. Ooit een Britse kolonie. Woestijn. Islamitisch. Thuishaven van terroristen. Iedereen bezat wapens. Jemen was een van de weinige landen waar ze ondanks al haar reizen nog nooit was geweest. Ze had hem graag van alles over zijn vaderland gevraagd, maar iets in de manier waarop hij zat, weinig mededeelzaam en enigszins gespannen, moedigde haar niet aan om verder te vragen. In plaats daarvan zei ze: 'Heb je enige... ervaring met uilen?'

'Een beetje. Maar ik weet meer af van de grotere, de Siberische soorten. Dit is een Britse, een kleinere.'

Frieda die in de deuropening haar thee stond op te drinken, knikte alsof ze heel wat afwist van Siberische uilen. Ze liet haar vinger langs de contouren van een van de veren glijden die hij gisteravond had getekend.

'Dit is goede thee,' zei hij glimlachend. 'We zitten hier misschien nog wel een tijdje.'

Hij had een spectaculaire glimlach. Hij zag er eigenlijk behoorlijk knap uit.

'Ik hoop dat je het niet erg vindt dat ik dit vraag,' zei Frieda, haar hand nog steeds op de tekening, 'maar ben je dakloos? Je ziet er eigenlijk helemaal niet als een... dakloze uit.'

'Ik mag dat wel, die Engelse manier om toestemming te vragen om een vraag te stellen. Ik zit in de problemen,' zei hij. 'Nog even en ik was gearresteerd, en dat zou hoogstwaarschijnlijk betekenen dat ik het land zou worden uitgezet. Dus moest ik mijn huis verlaten om mijn vrienden geen moeilijkheden te bezorgen.'

'Gearresteerd voor wat?'

'Vernielzucht.'

Ze keek naar de vogeltekening op de muur.

'Heb je er bezwaar tegen als ik rook?' Tayeb trok een sigaret half uit een pakje en keek haar vragend aan. Frieda schudde haar hoofd. Hij bood haar er een aan, maar ze bedankte ervoor.

'Ik was bezig een tekening te maken op de muur van een wc en toen werd ik door een stel kerels betrapt. Ik wist niet of ze van de politie waren of niet. Ik dacht dat het het beste was om vriendelijk tegen ze te zijn. Ze wilden dat ik iets deed wat ik niet wilde en toen stond de politie bij me voor de deur.'

'O.'

'Het was een onaangename avond, en nu probeer ik uit te zoeken wat ik moet doen.' Hij nam op een bedachtzame manier een trek van zijn sigaret en raakte een litteken op zijn kin aan. Frieda bracht haar theekopje naar haar lippen om haar gezicht te verbergen. Hij hield zijn hurkzit al heel lang vol. Het was een oosterse houding, nam ze aan. Het deed haar denken aan de lepralijders aan de rand van de straat in Delhi of aan Chinese koks. Ze schrok van de oriëntalist in zichzelf, maar ze kon het niet laten. Ze herinnerde zich meisjes bij haar op school die haar niet konden plaatsen en haar vroegen: 'Ben je Turks? Ben je Spaans?' Ze renden rondjes om haar heen en riepen dat ze een smerige spaghettivreetster was, een smerige olijfkakster. Nathaniel had haar ooit een keer verteld: 'Je ogen zijn te zwart. Ze zijn onnatuurlijk en schrikken af.'

Tayeb deed haar denken aan een man naar wie ze op de boulevard in Alexandrië had gekeken, op een reisje nog niet zo lang geleden. Of in Alex, zoals ze het graag noemde, net zoals de lokale bevolking. Overal zaten mannen, in groepjes, die achterovergeleund naar haar keken terwijl ze zo onzeker als een toerist langs hen liep. Ze schreeuwden: 'Hallo, hallo,' of: 'Psssst. Hé, hoe is het met je? Zeg wat tegen me.' Frieda liet haar hoofd zakken, haar ogen afgewend van de leren jacks en het glad achterovergekamde, zwarte haar, de lachende bruine ogen. Die mannen – eigenlijk nog jongens, de meesten, tieners – gedragen zich gewoon als de meeste mediterrane mannen, zei ze tegen zichzelf. Maar toch overdonderde het haar en de tranen sprongen in haar ogen terwijl het gefluit en het geroep haar flip-floppende voetstappen langs het strand achtervolgden.

Jarenlang had ze gedroomd van een bezoek aan die beroemde stad, verwachtte iets decadents, verwachtte dat het er vol mooie mensen zou zijn die een luxueus leventje leidden in de zon, koffiedronken. Ze lachte om haar eigen dwaasheid, haar eigen westerse aanstellerigheid, toen ze bij aankomst ontdekte dat Alexandrië nog het meest weg had van die meer aftandse, verwaarloosde badplaatsen in Engeland. Een bizar ratjetoe van sjofele hotels in Europese stijl en tramrails, en een geur die voor Frieda tegelijkertijd Afrikaans en Arabisch rook (wat dat ook mocht zijn, wat voor geuren het ook zouden kunnen zijn die als in een fuik waren gevangen en tot een in wezen niet-Europese oorsprong waren teruggebracht, deels verleidelijk, deels afstotend, deels slaapverwekkend).

Haar vlucht was om veiligheidsredenen en vanwege problemen op het vliegveld vertraagd, en in plaats van naar Cairo te vliegen had ze in Alexandrië rondgewandeld en was toevallig op een Joodse begraafplaats uitgekomen, herinnerde ze zich nu. Bij de poorten werd die door gevaarlijk uitziende, zwarte honden bewaakt. Ze zaten met kettingen vast aan de rotsblokken op het pad. Ze kon niet op de begraafplaats komen; de poorten waren gesloten. En vanwege de honden kon ze er ook niet dichtbij komen. Maar tussen de ijzeren spijlen van de poorten door kon ze een afgebrokkeld marmeren mausoleum zien en een paar verwaarloosde grafstenen. Een tijdje was ze daar blijven staan en had naar de honden gekeken die of tegen haar blaften of hun aandacht richtten op het verscheuren van een klein karkas, een dood konijn of een knaagdier, voor zover ze kon zien. Ze was weggewandeld, overmand door het bekende hopeloze gevoel een ongewenste vreemdeling te zijn, maar niettemin was ze tevreden met zichzelf: omdat ze ze alle vijf op een rijtje wist te houden, een salaris had weten te verwerven waar haar vader de rillingen van kreeg, de kleine zorgen van alledag aankon. Al met al een uit ongelijke delen samengestelde maar goed functionerende eenheid; dat wil zeggen, tot de mannen op de boulevard dat met hun geroep op losse schroeven hadden gezet. Uiteindelijk had een man, die wel wat op Tayeb leek, hen met een 'sssst' tot zwijgen gebracht. Wat hij verder had gezegd had ze niet kunnen verstaan, maar het had wel geholpen. Ze lieten haar met rust, keken naar iets anders, iets interessanters. Ze was snel doorgelopen, terug naar haar hotel, en was de deur niet meer uit gekomen tot het tijd was om het vliegtuig te pakken.

'Wat doe je voor werk?' Frieda dronk de laatste, koud geworden slok thee uit haar kopje op.

'Ik had een baan in een Turks restaurant in Dalston, maar daar moest ik weg. Door een ongelukkige samenloop van omstandigheden heb ik nu geen werk en geen huis meer.'

Tayeb keek niet meer naar Frieda maar naar de uil, sprak hem met zijn muzikale, zwierige accent toe. De wolken in de lucht moesten bewegen, omdat de kwaliteit van het licht veranderde dat door het raam op de overloop viel. Als Frieda zich ver genoeg kon strekken, zou ze het raam dicht kunnen doen zodat de uil niet kon ontsnappen. Maar dat zou niets oplossen; hij zou dan nog steeds los zijn, en nu had ze ook nog het probleem van een dakloze Arabische man die bij haar in het trappenhuis zat. Met een zachte stem fluisterde hij: 'Niet bewegen.'

Frieda keek omhoog. De uil had zich een behoorlijk eindje over de pijp verplaatst, en zijn ogen waren wijd open en keken recht naar de bacon op de grond. Hij hopte een, twee, drie keer over de pijp. Toen plotseling een windvlaag en hij vloog op de bacon af, sloeg moeiteloos een klauw in een van de reepjes spek. Er klonk een suizend geluid en toen lag het kussensloop over hem heen. Tayeb pakte de vogel razendsnel op, draaide het sloop op zo'n manier dat de uil niet kon ontsnappen. Het sloop bolde even op een paar plaatsen op, maar daarna gebeurde er niets meer. Het was netjes gegaan. Frieda zwaaide de voordeur open en wees naar de kooi in de woonkamer. Tayeb liep naar binnen en boog zich naar de kooi toe. Frieda kon niet zien hoe hij de vogel in de kooi kreeg, maar een seconde later zat hij daar, veren opgezet, en hij zag er tamelijk ontstemd uit.

Frieda liep terug naar de gang en raapte de plakjes bacon op. Ze nam ze mee naar binnen en duwde ze voor de uil tussen de spijlen door.

'Arm uiltje,' zei ze terwijl ze Tayeb aankeek, die nu midden in de kamer stond, glimlachend en knikkend alsof hij het ermee eens was, hoewel ze niet wist met wat precies. Het was inderdaad een beetje raar dat hij gisteravond voor haar voordeur had gezeten. Nu was hij hier weer – waarom was dat? Niets is toevallig.

Hij krabde, krabde zo erg aan zijn polsen dat ze zijn handen uit elkaar wilde trekken, en iets in deze beweging spoorde haar aan om te zeggen: 'Het lijkt me niet meer dan beleefd om je nog iets te drinken aan te bieden omdat je zo vriendelijk bent geweest om mijn uil voor me te vangen.' Ondanks haar omzichtige formulering – hij was tenslotte een vreemde – voelde ze een sterke drang om hem uit te nodigen.

Mijn uil: wat belachelijk. Ze trok haar haar enigszins voor haar gezicht, verlegen met zichzelf.

OEFENING. *Het enige levende aan een fiets is de persoon die hem voortbeweegt; en ook als de levenslust van diegene op een laag pitje staat voordat hij een poging waagt om erop te stappen, dan nog zal hij zeer alert worden en buitengewoon veel waardering kunnen opbrengen voor alles wat ermee te maken heeft, lang voordat het nieuwtje eraf is.*

Een dame op de fiets in Kashgar – aantekeningen

2 juli

Een bezoeker kwam als een orkaan bij ons binnenwaaien en bleef niet al te lang. Het was Mr. Steyning van het missiehoofdkwartier in China. Hij kwam gistermiddag geheel onaangekondigd te paard aan, vertrok na het vallen van de avond, en zijn bezoek is nu al als een droom. Het is alsof hij op zijn paard uit de lucht kwam vallen en zo ook weer vertrok richting wolken.

Hij reed alleen op onze poort af, hoewel we later ontdekten dat hij een jongen bij zich had die zijn voorraden droeg, maar om de een of andere reden was de jongen een eind verderop langs het pad achtergebleven. Het nieuws van zijn komst kwam ons op de gebruikelijke manier ter ore. Lolo's sluwe, magere jongetjes bewegen zich sneller voort dan slangen, het zijn net postduiven. Ze fluisterden hem in het oor dat er bezoek aankwam. Elizabeth en ik vlogen daarna rond en haastten ons om zowel onszelf op te knappen als de gastenkamer op te ruimen, hoewel we eigenlijk geen tijd genoeg hadden om allebei te doen.

Ik keek voor het eerst sinds lange tijd in de spiegel naar mezelf om te zien hoe ik er in de ogen van een vreemde zou uitzien. Mijn rode haar was blonder geworden in de zon, met als gevolg dat het er als droog stro uitzag. Mijn ogen waren roodomrand. De zon geeft me een verweerd uiterlijk, de rimpels blijven. Ik weet niet waarom ik me zorgen maakte om mijn uiterlijk, maar ik maakte mijn haar platter en trok in plaats van het Chinese katoenen jak een Europese rok en blouse van zeegroene zijde aan. Die speciale Engelse groene tint, die aan mos en hagen doet denken, leek misplaatst hier in dit land van knalgele en stoffige rozerode tinten. Ik voelde me kakelbont en te veel in het oog lopend, maar het was te laat om iets anders aan te trekken. Lizzie, die nog was gekleed in haar Chinese jak, keek verbaasd toen ze me in Europese kledij zag.

'Wat heb je nou aan? Je ziet er bespottelijk uit.'

Lizzie stond me op te nemen, haar frêle botten zichtbaar onder haar blauwe katoenen jak, haar ogen uitpuilend, haar haren in een wrong opgestoken; verontrustend doodstil stond ze daar. Ik wilde haar tegelijkertijd bijten en slaan, die kleine Lizzie. Zoals altijd vormden we elkaars tegenpolen: zij was nu de perfecte, prachtig voor de dag komende, gemanierde dochter van stand, terwijl mijn zweet al vlekken in mijn zijden blouse maakte.

Mr. Steyning stond in de tuin, gekleed in een zwart pak, ondanks de hitte, en in schoenen die in het oneindige stof van de weg blonken als spectaculaire juwelen. Het is een grote man, breed en fors, en met een zeer zwarte, enigszins bijgeknipte baard. Ik kon mijn ogen niet van die schoenen afhouden, verbaasd als ik was over hoe ze in hemelsnaam zo schoon konden zijn. De enige conclusie die ik kon trekken, was dat hij niet ver voor het

Paviljoenhuis was gestopt en zijn rijkostuum had omgewisseld voor nettere kleren. Het was een genoegen om een landgenoot te ontmoeten, vooral iemand die zo thuis is in deze onevenwichtige, ongeciviliseerde samenleving, en Lizzie en ik hadden het geluk dat we de kans kregen om hem hier zonder Millicent te ontmoeten. Ze was op bezoek bij de pater, of bij Khadega.

'Bent u in reactie op ons telegram hierheen gekomen?' vroeg Lizzie.

In feite niet, was zijn antwoord. Hij was op reis. Het telegram was naar Urumqi gestuurd en daar was hij al wekenlang niet meer geweest. Het was puur toeval dat hij langskwam en ons hier aantrof.

'We moeten u vertellen,' zei Lizzie, 'dat we onder huisarrest zijn geplaatst.'

'Ik ben zo opgelucht u hier te zien,' zei ik.

Mr. Steyning is een echte heer, en fascinerend. Hij woont al zeventien jaar in Turkestan en arriveerde hier met de missie in 1906. Elizabeth zat bij hem terwijl ik thee en brooddeegstengels serveerde. Regelmatig wierp hij een blik op Ai-Lien, maar hij was te beleefd om een vraag over haar te stellen, en dus kwam ik bij hen zitten en vertelde hem snel ons verhaal. Hij nam mijn woorden rustig op, stelde zo nu en dan een vraag over het proces en over het grote gevaar dat Millicent loopt als ze van moord zou worden beschuldigd. Hij haalde een aantekenboekje tevoorschijn, schreef een paar regels op en knikte. 'Juist ja,' zei hij. 'Daar moet ik met Millicent over praten.'

Daarna, aangemoedigd door zijn geglimlach, stelden we hem de ene vraag na de andere, arme man. Hij leek het niet erg te vinden en beantwoordde ze allemaal grootmoedig. Geografie, afstand, religie, sociale problemen en de vrouwen in de regio, het moslimvraagstuk, de Chinese kwestie, de Russische kwestie, en de stand van zaken in het keizerrijk, allemaal opgewekt en energiek besproken. Hij sprak over zijn kennis, Mr. Greeves, met wie hij in Urumqi in hetzelfde huis woont, een wereldvermaarde specialist op het gebied van Oeigoerse folklore en taal en van het Mantsjoerijs, en die bij hen thuis aan een groot woordenboek werkt en aan verschillende belangrijke vertalingen.

'O,' zei Lizzie, 'wij kennen een pater, Don Carlo, die ook aan een woordenboek werkt.'

'Althans... ik denk dat het een woordenboek is,' voegde ik eraan toe.

Bij het noemen van de naam van pater Don Carlo verscheen er een lichte frons op Mr. Steynings voorhoofd.

'U moet ons een bezoek brengen, miss English,' zei hij. 'Wij hebben ook een kleine mimeograaf en hebben een van Mr. Greeves' vertalingen van de evangeliën in het Oeigoers, Mantsjoerijs en Kazachs afgedrukt. We werken op het moment aan *De christenreis* van Bunyan.'

We brachten een aangename middag door. Elizabeth leidde hem rond door de tuin, terwijl ik achter hen aan hobbelde, en Mr. Steyning was onmiddellijk in vervoering. Het bleek dat hij verbazingwekkend veel weet van de botanie in deze regio. Hij gaf ons de namen en ik schreef ze op voor in mijn gids: *Acer griseum*, met een kaneelrode, papierachtige schors. *Dipterionia sinensis. Lonicera tragophylla* in volle bloei, en *Schizophragma integrifolium* is de naam van de massa's witte pluimen die overal overheen en onderdoor kruipen. Bloemen: *Lilium giganteum*; *Ilex pernyi*; een soort sleutelbloem genaamd *Primula sikkimensis*; en hij wees ons een donkerrood Tibetaans vrouwenschoentje aan, een orchidee *(Cypripedium tibeticum)*, die in overvloed in onze tuin groeit.

Lizzie nodigde hem uit om met haar mee te gaan naar het kleine

Suzanne Joinson

bijgebouwtje van adobeklei waarin ze veel tijd doorbrengt. Ik was er zelf nog nooit binnen geweest. Het was duidelijk dat ze aarzelde om me binnen te laten, maar ik liep gewoon achter hen aan. Het is een soort schuur die in de grond is gebouwd, en waarschijnlijk vroeger werd gebruikt als een kelder of zoiets. Lizzie stak een lijnzaadolielamp aan. Vastgeklemd aan een stuk touw, dat op zijn beurt was vastgemaakt langs een houten paal, hing een serie fotografische afdrukken. Ik snoof de lucht van chemicaliën op, blij om te merken dat ze na de lange reis toch in gebruik waren genomen. Afgezien van een foto van een groepje autochtone kinderen met staarten, waren de meeste afdrukken zelfportretten – één naast de zakdoekenboom en andere bij bloemen in de tuin – en die leken uit verschillende beelden over elkaar te bestaan, wat wazig en schimmig, spookachtig. Ik had ze nog nooit gezien en bekeek ze met belangstelling.

Mr. Steyning bekeek ze ook van dichtbij. 'Deze zijn bijzonder indrukwekkend,' zei hij.

'Ach, eigenlijk zijn de meeste daarvan per ongeluk ontstaan. Ik heb problemen met de chemicaliën en met het licht. Ik heb de omstandigheden hier niet voldoende in de hand, en om geen licht binnen te laten komen, kan ik alleen een paar dekens over de deur hangen. Ik zou erg graag een echte donkere kamer hebben.'

'U lijkt...' Mr. Steyning zei even niets, krabde zijn kin. 'Op deze, eh... lijkt uzelf licht, alsof u zichzelf hebt verlicht, lichter gemaakt, en verlost heeft van de zwaartekracht van deze aarde.'

'Dat hebt u goed gezien,' zei Lizzie. 'Ik ben erg geïnteresseerd in het lichter maken van zware zaken.'

We liepen de tuin weer in en ik bleef wat achter terwijl hij en Elizabeth keuvelden over schorsen, de kleuren van hout en andere bijzonderheden in de tuin. Ik wist niet dat ze zulke foto's had genomen. Mr. Steyning straalt beslist iets uit wat je ertoe noopt hem privézaken toe te vertrouwen. Later vertelde ik hem over mijn streven om als een van de eerste Engelse vrouwen die de regio bezoeken (op de vrouw van de Britse consul na), een gids te schrijven en tot mijn opluchting stond hij sympathiek tegenover het idee. Hij bood mij zijn studeerkamer en hulpbronnen in Urumqi aan als ik die ooit nodig mocht hebben. Ik kreeg zijn visitekaartje, waarop zijn adres in zilverreliëf in het Engels, Chinees en Oeigoers stond gedrukt. In een hoek stond ook nog een plaatje van een kolibrie.

Millicent was nog steeds niet teruggekeerd, ook al hadden we een jongetje op pad gestuurd om haar van het bezoek op de hoogte te brengen, en dus nam ik de organisatie van de avond op mijn schouders. Ik gaf Lolo opdracht om een Tibetaanse *thenthuk*-stoofpot te maken (als Millicent er niet is, doen we niet meer aan de Engelse keuken, Lolo's brouwsels uit de regio zijn veel beter). Mr. Steyning stond erop ons gezelschap te houden in de keuken terwijl we bezig waren het avondeten voor hem klaar te maken.

'Neemt u me dan niet kwalijk, Mr. Steyning, dat ik ook voor de baby moet zorgen.'

'O, miss English, ik zit veel liever hier te kwebbelen. Ik ben een onverbeterlijke kwebbelaar, dat hebt u inmiddels wel begrepen.'

Elizabeth bood aan om een kamer voor hem gereed te maken, maar hij wilde per se die avond weer vertrekken. Lolo maakte het eten klaar, neuriënd terwijl hij kookte. Ik zorgde voor Ai-Lien terwijl Mr. Steyning converseerde met Lolo in wat hij 'een gebrekkig soort Tibetaans' noemde. Mr. Steyning klopte Lolo op zijn rug terwijl deze meel met water mengde, het deeg met zijn brede handen kneedde en de groentes in sliertjes hakte.

'O, nee, dek de tafel niet op z'n Engels,' gaf hij te kennen toen hij zag dat Lizzie het tafelgerei tevoorschijn begon te halen. 'Mr.

Greeves en ik eten meestal op de regionale manier, dat is veel handiger, veel eenvoudiger.'

Dus gingen we op de divan zitten, het eten was over schotels verdeeld, en we gebruikten het brood om het op te pakken. Terwijl we aten, stelde hij voor het eerst vragen over onze missiepost.

'Hebben jullie al bekeerlingen?'

'Staan jullie erg in de belangstelling?'

'Hebben jullie iets van wantrouwen gemerkt?'

Wat dit onderwerp betreft liet ik Elizabeth uit naam van Millicent vertellen en haar betoog klonk beslist overtuigend. Haar dunne blonde haar viel voor haar gezicht toen ze sprak over grootse plannen voor een kindermis – dit was geheel nieuw voor mij – en over de verspreiding van de vertaalde pamfletten.

'Maar hebben jullie nu al bekeerlingen?' herhaalde Mr. Steyning hardnekkig.

'Mr. Steyning, misschien keurt u het af, maar wij benaderen de verspreiding van het evangelie op een wat meer vrouwelijke manier,' zei Lizzie.

'O, verklaar u nader, miss English.'

'Wij praten, Mr. Steyning. Wij noemen dat – nou ja, Millicent noemt dat "keuvelen over het Woord". We infiltreren het vrouwelijke deel van de samenleving, de harems, het inwendige van de verblijven van de moslimvrouwen en hun families, dat vormt de basis van het bekeringsproces. Langzaam, maar wel zeker.'

Mr. Steyning knikte, glimlachte.

'De dochter uit één zo'n gezin is naar ons toe gekomen, en hoewel ze slechts de enige is, zal ze beslist als kanaal voor anderen gaan fungeren.' Lizzie zag er tevreden uit terwijl ze sprak.

'En u, miss English, keuvelt u ook over het Woord?'

Ik bloosde in mijn gezicht en nek en Mr. Steyning, die niet onaardig wilde zijn, veranderde van onderwerp.

We aten de laatste restjes van de stoofpot op, waarna we Lolo's zoete rijstpudding kregen opgediend: een eenvoudige maar heerlijke schotel met heel kleine stukjes appel en een delicate honing waarvan de rijst is doordrenkt. Na het eten praatten we over de situatie van de moslims in deze streken. Het was niet tot me doorgedrongen dat die zo verschrikkelijk was. Volgens Mr. Steyning waren alle plaatsen in het Noordwesten in de greep van de angst nu moslimbandieten de woestijn onveilig maakten, naar willekeur steden en dorpen plunderden en oorlog voerden tegen de Chinezen.

'Goeie genade.' Lizzie strekte haar tenen voor zich uit terwijl ze sprak. 'Maar ze zijn toch niet boos op ons?'

'Buitenlanders worden altijd gewantrouwd,' zei hij. 'We zijn hier niet welkom, vooral onze missie niet, die de mensen doet herinneren aan het geweld in die verschrikkelijke jaren van de Boksers.'

'Bedoelt u dat het heel gevaarlijk voor ons is?' vroeg Lizzie.

'Het is altijd gevaarlijk. Maar op dit moment nog meer. De spanningen zijn heel hoog opgelopen, wantrouwen heerst alom. Daarom ben ik hier, om met Millicent te praten. Om voor te stellen dat ze...'

'Wilt u dat we weggaan?' Elizabeth ging rechtop zitten en stopte haar haren achter haar oren. 'Ik denk niet dat dat kan, ons huisarrest is nog steeds van kracht.'

Mr. Steyning vervolgde zijn verhaal. 'Die moslimbendes zijn angstaanjagend. Het zijn niet zomaar bendes dieven en bedelaars. De regio is behoorlijk gemilitariseerd. Stadspoorten worden 's nachts gesloten. Soldaten zijn permanent gemobiliseerd. Er hangt een oorlogssfeer.'

'Mr. Steyning,' zei ik, 'we voelen ons hier behoorlijk ver verwijderd van dat alles.'

Op Mr. Steynings gezicht verscheen een intelligente glimlach, ook al was die wat geslepen. Met een bezorgde gezichtsuitdrukking keek hij naar ons.

'Evangeline, jullie bevinden je aan de buitenzijde van de stadsmuren, in het geheel niet onder protectoraat. Zelfs in het gunstigste geval worden christenen gewantrouwd. Wij ontstemmen de voorouderlijke geesten. De moslims stonden over het algemeen altijd onverschilliger tegenover ons dan de Chinezen, maar nu is ook hun wantrouwen ernstig toegenomen. Ik moet jullie ook waarschuwen dat alle correspondentie door de censuur gaat.'

We zeiden even alle drie niets.

'Ik wil jullie niet bang maken,' zei hij, terwijl hij met zijn lange vingers over zijn pols streek, 'maar in deze tijden van hoog opgelopen spanningen zullen we onze methoden enigszins moeten aanpassen en wat minder op de voorgrond moeten treden.'

Ik wist niet wat dat precies betekende. Er viel weer even een stilte en toen hoorde we het metalige gekletter van de poort en Millicents stem die een van Lolo's jonge bediendes opdracht gaf haar pakjes mee naar binnen te nemen. Er klonk geschuifel en het geluid van rennen, en daarna liep Millicent de kamer in, keek eerst even naar Elizabeth, daarna naar mij, en tenslotte uitgebreid naar Mr. Steyning. Ik weet niet waarom, maar ik voelde me nogal schuldig, en ik zag aan Lizzies gezicht dat zij zich ook zo voelde. Millicents haar zag er nogal wanordelijk uit en ze had een wat liederlijke uitdrukking op haar gezicht. Mr. Steyning stond snel op, bevallig, en gaf haar een hand. Hij deed dat handig, in één moeite door opstaan en groeten, maar hij had ook gezien dat ze niet zo vast op haar benen stond, en door haar hand te schudden, zorgde hij ervoor dat ze haar evenwicht kon bewaren.

'Waarde Millicent,' zei hij met hartelijkheid in zijn stem, 'je protegees hebben geweldig voor me gezorgd.'

Millicent deed haar mond open om iets te zeggen, maar sloot hem toen weer.

'Misschien kunnen we beter op de binnenplaats met elkaar praten, Millicent.'

Millicent was het met hem eens en ik was verbaasd te zien dat ze toeliet dat hij haar bij haar arm pakte en de koele nachtlucht in leidde. Ze bleven daar samen en Lolo bracht hun koffie.

Zodra Ai-Lien sliep, verliet ik de kangkamer om naar de binnenplaats te gaan. De verzengende hitte van de dag gaat 's nachts over in een venijnige kilheid die uit de grond lijkt te komen en iemand die buiten staat plotseling kan overvallen. Ik hoorde dat er een lucifer werd aangestoken en er klonk gesis toen een sigaret ontbrandde. Ze zaten samen op de tuinstoelen en hadden me niet gezien. Ik leunde tegen de afkoelende muur en luisterde.

'Millicent, ik voel het als mijn plicht om te zorgen dat dit goed tot je doordringt.'

Millicent zei niets, rookte alleen maar.

Mr. Steynings stem klonk sussend, niet onvriendelijk toen hij zei: 'Je weet, beste Millicent, dat alles wat je voor de kerk doet, al je werk voor de missie en je uitmuntende bijdrage aan de verdere ontplooiing van de verheldering van Zijn wil in de duistere, heidense en ontoegankelijke uithoeken van de wereld, niet onopgemerkt zijn gebleven en zeer worden gewaardeerd door de gemeenschap van missionarissen en daarbuiten, zowel hier in het Oosten als thuis in Engeland.'

'Als dat zo is, waarom worden mijn methodes dan door het bestuur bekritiseerd?'

'Je verwart kritiek met bezorgdheid, vrees ik.' Er klonk een gepiep in de lucht: vleermuizen die luidruchtig hun kostje bijeenscharrelden. 'De politieke situatie in de regio is drastisch veranderd. Eerlijk gezegd vrees ik voor je veiligheid, Millicent, en voor die van je twee metgezellinnen, en ik – maar ook het bestuur – dringen erop aan dat je je aanpak onmiddellijk aanpast.'

'Wat bedoel je, John?'

'Ik bedoel dat je pamfletten hebt verspreid die provocerend zijn. De plaatselijke bevolking kan geen waardering voor je aanpak opbrengen en voor het feit dat je dat mohammedaanse meisje onder je hoede hebt genomen. De spanningen zijn groot, zoals je ongetwijfeld weet. We mogen op dit moment niet te veel opvallen.'

'Dat is wat ik doe. Precies wat ik doe.'

'Nee, niet waar. Er wordt over je gekletst dat je door de soeks struint. Er is veel vijandigheid. Bovendien zie ik geen bewijzen van je voorstellen op het gebied van onderwijs, de school voor kinderen, de zondagsschool. Op grond van die informatie is je bezoldiging gebaseerd.'

'Je wilt dus dat ik niet word opgemerkt en geen problemen veroorzaak, maar tegelijkertijd dat ik onderwijsvoorzieningen voor de kinderen opzet?'

'Ons missiebeleid is zorgen voor zowel nuttige voorzieningen als voor geestelijke begeleiding, en op het moment heb ik het gevoel, en het bestuur is dat met me eens, dat je die voorzieningen in het geheel niet aanbiedt. Als ik dat gevoel heb, dan zullen de Chinese beambten en het netwerk van leiders, zowel van de stammen, de nomaden als anderszins, dat ongetwijfeld ook voelen. Derhalve is de situatie bedreigend voor je.'

Ze zwegen allebei, en aan de stand van hun hoofden zag ik dat ze allebei opkeken naar de sterren, die bijna overweldigend helder en fonkelend aan de hemel stonden.

'Hoe zit het met dat proces, Millicent?'

'Ik weet net zoveel als jij. We worden ervan beschuldigd dat we een meisje hebben vermoord, de moeder van de baby voor wie Evangeline nu zorgt. Ze is tijdens de bevalling overleden, toen we probeerden haar te helpen. We mogen de regio niet verlaten. Je collega's van het missiehoofdkwartier hebben geweigerd om me de fondsen te verschaffen om steekpenningen te kunnen betalen. Zou jij ons op dit punt op wat voor manier dan ook kunnen helpen?'

'Eh, uiteraard heb ik de fondsen om je te ondersteunen als zo'n proces doorgang zou vinden, en we zullen je verdediging op ons nemen, dat staat buiten kijf, maar dat is volledig afhankelijk van één specifieke voorwaarde, naast de punten die ik al te berde heb gebracht.'

'En dat is?'

'Je moet alle contacten met pater Don Carlo verbreken. Hij heeft geen enkele band met de missie en het is hem verboden om onder auspiciën van wie dan ook te opereren, inclusief de Italiaanse missies. Hij is geen gepast contact, noch is het bevorderlijk voor je reputatie als er alleen al wordt gedacht dat je banden met hem onderhoudt. Wat dit onderwerp betreft ben ik onverbiddelijk, Millicent.'

Ze zei niets.

'Ten slotte kan ik niet genoeg benadrukken dat het onontkoombaar voor je is dat je je bekommert om deze kwesties, niet alleen voor je eigen veiligheid, maar ook voor die van miss Evangeline en Elizabeth English. Ik ben ervan overtuigd dat we deze missie samen weer in een veilige haven kunnen laten terugkeren.'

Bij zijn vertrek, lang na het vallen van de avond, gaf Mr. Steyning me een cadeau dat nu naast me ligt: een boekje, met de hand gemaakt van prachtig papier. Het is een exemplaar van Mr. Greeves' vertalingen van Mongoolse volksverhalen.

'Ik wens u het beste met uw boek,' zei hij tegen mij. 'Werk eraan. Blijf gewoon doorwerken en ik zal ook bidden voor uw veiligheid.' Hij noemde Millicent niet. Hij glimlachte naar Ai-Lien in haar bedje en toen was het tijd voor hem om te gaan.

Waar ik niet op was voorbereid, was dat ik door zijn aanwezigheid aan mijn vader moest denken. Het gevolg daarvan was dat ik meedogenloos werd overvallen door rouw om mijn verlies, als de onrechtvaardigheid van een pijnlijk stekende wesp. We keken hopeloos tot niets-doen veroordeeld toe terwijl hij zijn paard besteeg, en als drie spookgedaantes wuifden we hem uit.

3 juli

Ik had me een aap kunnen schrikken en wel kunnen doodvallen. Ik schrok me ook een aap, zakte met bonkend hart door mijn knieën, begon plotsklaps over mijn hele lijf te trillen en te zweten, en schudde mijn hoofd.

Ik weet echt niet hoe ik dit moet opschrijven, maar ik zal het doen.

Ik moet maar ergens beginnen. Oké, het is een gewoonte van me geworden om Ai-Lien aan het begin van de middag, wanneer de hitte tot in alle vezels doordringt, bij Lolo achter te laten. Hij vermaakt haar en daarna gaan ze samen liggen slapen in zijn knusse hokje achter de keuken. Ze schijnt het daar fijn te vinden. Meestal ligt ze in de bocht van zijn elleboog weggestopt, zo zoet als een lammetje. In die uren slaapt iedereen. Lolo's boodschappenjongetjes tuimelen in hun slaap over elkaar heen bij de poort, een wriemelende massa ledematen; zelfs Rebekah zakt dan door haar grote poten en slaapt.

Meestal kan ik in die periode ondanks de hitte niet slapen. Ik

schrijf hier, of ik lees. Maar vandaag werd ik zo door rusteloos-
heid behekst dat er niets uit mijn handen kwam. Ik kon een bepaalde gedachte niet uit mijn hoofd krijgen: dat Ai-Lien meer
van Lolo houdt dan van mij.

Zou dat waar zijn? Als ze huilt, krijgt hij haar met zijn zachte
zang onmiddellijk stil, dat staat vast. Hij betovert haar en wiegt
haar in slaap. De bruine vlekken op zijn handen steken af tegen
de rest van zijn huid, er hangt een leerachtige geur om hem heen
en zijn ogen glimmen. Ik kan er gewoon geen hoogte van krijgen
of hij iemand is die ik kan vertrouwen of niet. Ai-Lien kijkt op
een manier naar hem zoals ze niet naar mij kijkt.

Ik ging naar de keuken. (Dit zou ik liever niet opschrijven,
maar het moet.) De lucht was drukkend van de middaghitte en
vol insecten. De aarde op de binnenplaats schroeide mijn blote
voetzolen, zodat ik gedwongen werd sprongetjes te maken.

In de keuken hoorde ik al het gesnurk van Lolo en toen ik om
de hoek in zijn hokje gluurde, zag ik Ai-Lien met een licht laken-
tje over zich heen op haar buik naast hem slapen. Ze zagen er se-
reen uit en ik schaamde me voor mijn jaloezie. Waarom zouden
ze tenslotte niet van elkaar mogen houden?

Ik besloot even naar Lizzie en Millicent te gaan kijken terwijl
ze sliepen. Nog steeds maakte ik me veel zorgen om Lizzie en
haar geheimzinnige, gesloten gedrag van de laatste tijd. Ik sloop,
omdat ik niet gezien wilde worden, naar de kangkamer, en in
plaats van naar de deur te lopen, zakte ik door mijn knieën
zodat ik ongezien bij het raam kon komen. Daarna kwam ik
overeind en gluurde door het raam.

Zoals ik al zei, zakte ik van schrik door mijn knieën, maar ik
kon het niet laten om nog een keer te kijken: mijn zusje Lizzie
lag op haar kang en droeg Millicents drakenkimono. Alleen hing
de kimono vrijwel helemaal open en ze lag er lui bij, het ene mo-

ment op haar zij terwijl ze iets zei, daarna weer op haar rug naar het plafond te kijken. Toen stond Millicent op; ze had op de grond geknield gezeten om iets te doen, en ik zag dat ze naakt was op haar zwarte satijnen broek na. Haar borsten zijn klein, jongensachtig, en haar roze tepels bijna rechthoekig van vorm. Er liep een maanvormig litteken, behoorlijk duidelijk afgetekend, over haar buik. Ze spraken met elkaar, hoewel ik niet kon horen waarover, en toen begon Millicent te lachen, ging op de kang zitten en boog zich voorover naar Lizzies knieën. Millicent doofde haar sigaret door hem op de vloer uit te trappen en toen – lieve hemel – duwde ze mijn zusje terug, op een speelse manier (ze was enigszins overeind gekomen tijdens hun gesprek), zodat ze plat op haar rug op de kang kwam te liggen, duwde zowaar haar benen een stukje van elkaar en boog zich voorover.

Ik zakte weer door mijn knieën, tot onder het raam. Mieren verdwenen in een haarscheur in de grond. Ik kroop op handen en knieën over de binnenplaats, biddend dat ik niet zou worden gezien, en toen stond ik op en rende de keuken in. Op tafel lag een dode kip die Lolo had besteld. Een van de jongens had hem daar achtergelaten. Ik pakte de kip en dompelde hem snel onder in de emmer met water, waarna ik het beest begon te plukken. De veren kwamen vrij gemakkelijk los, ruk ruk ruk. Ik pakte Lolo's vleesmes en hakte erop in, sneed door pezen, verdeelde het karkas in vier stukken. Ik scheurde de dijen van het lichaam en toen het vlees van het bot loskwam, begon mijn hartslag eindelijk tot rust te komen.

Londen, heden

Een flatje bij de spoorlijnen in de buurt van Victoria Station

Kennis sluimert in het lichaam totdat zich een gelegenheid voordoet om die weer te laten floreren. Het was lang geleden dat Tayeb met een vogel had gewerkt. Zijn vader zou die vogel met gemak en veel sneller naar beneden hebben gekregen. Hij had zich ten minste herinnerd dat het bij vogels altijd om voedsel gaat. Tayeb stond in de kleine woonkamer naar de vrouw te luisteren die geluiden in haar keuken maakte. Hij wist niet wat hij moest doen, of hij moest gaan zitten of bewegen of blijven waar hij was. Hij keek naar de uil in zijn kooi en het kwam bij hem op dat ze misschien wel wist dat hij haar gisteravond achterna was gelopen. Ze had een kussen en een deken voor hem gehaald – waarom had ze dat gedaan?

'Wil je thee of koffie?'

'Thee. Alsjeblieft.'

Hij liep naar een grote boekenkast die een hele wand besloeg en pakte een presse-papier van geblazen glas, veegde het stof eraf en legde hem weer op de plank. *The Mill on the Floss* van George Elliot. Prousts *Du côté de chez Swann*. Dostojevski. Treinen kwamen om de paar minuten krijsend langs en iedere keer wanneer er één passeerde, stond het hele gebouw te schudden, zachtjes, alsof het zich beklaagde. Een luide piep weerklonk uit Tayebs pukkel. Hij haalde zijn telefoon eruit en keek ernaar. Eindelijk een bericht: A ONDERVRAAGD DOOR POLITIE. NIDAL NAAR MANCHESTER VERTROKKEN. SMS JE NIET MEER. KOM NIET TERUG NAAR FLAT. BLIJF OP JE HOEDE. R

Terwijl hij de sms las, kwam de vrouw die zich als Frieda had voorgesteld, de kamer in met een dienblad: thee, koekjes, chocoladerepen.

'Ga je gang,' zei ze, terwijl ze het blad op een laag tafeltje zette. Daarna wees ze naar de bank. 'Ga alsjeblieft zitten.'

Tayeb ging op de leren bank zitten en gebaarde naar de uil. 'Ik heb al heel lang geen uilen meer gezien. Het roept herinneringen op.'

'Ontzettend bedankt dat je me hebt geholpen hem te vangen.'

Ze had donker haar en donkere ogen, en datgene waardoor hij haar oorspronkelijk achterna was gegaan, iets bevalligs gecombineerd met onverschrokkenheid. Ze was als een wijnrank.

Hij moest aanbieden om weg te gaan, realiseerde hij zich, hij hoorde niet in haar huis te zijn. Hij krabde aan zijn snor en keek weer naar de uil, die erbij zat alsof hij verbijsterd was dat hij weer in die afschuwelijke kooi zat. Zelfs nu nog droomde Tayeb soms over de kooien van zijn vader, allemaal boven op elkaar gestapeld en met al die vreselijke, knipperende ogen die naar je keken. Als kind haatte hij die vogels. Hij had erop af willen rennen en de kooien open willen maken, niet om de vogels vrij te laten, maar in de hoop dat ze dood zouden gaan.

Tijdens een zomer had hij opdracht gekregen om met zijn vader mee te gaan op een reisje naar de Wadi Dhahr. Zijn vader leverde de vogels voor een jachtpartij. Een Omaanse sjeik en zijn familie brachten een bezoek aan Jemen. Ze reisden met z'n allen vanuit Sana'a in noordwestelijke richting over de bochtige weg en stopten uiteindelijk in de buurt van Amran. De sjeik en zijn zoons probeerden een arend neer te schieten, maar misten, en toen kreeg Tayeb opdracht om de kisten met vogels van de wagen te halen en ze op een rij te zetten. De sjeik en zijn zoons verlangden dat de dieren werden losgelaten, waarna hun wedstrijd begon: kijken wie het snelst de meeste vogels kon doodschieten.

Twee uur later werden de krampachtig bewegende, stervende vogels op een hoop geschoven, maar een van de zoons, zo'n twintig jaar oud, wilde nog meer. De sjeik had Tayebs vader gevraagd zo veel mogelijk vogels mee te nemen en dus kwamen er nog meer kooien tevoorschijn: wulpen, een witte uil en twee valken die allebei geïnfecteerde poten hadden.

'Maak open, Tayeb,' zei zijn vader.

Tayeb knielde neer en opende de kooien en elke vogel kwam met een paniekfladder naar buiten, om onmiddellijk door een geweerschot te worden gedood. Maar een van de valken vloog weg en verdween snel over het duin. De mannen losten het ene schot na het andere, maar misten en waren toen diep verontwaardigd. Ze reageerden hun woede af op de andere vogels. Nog twee kooien en de versufte, wreed behandelde duiven vlogen net hoog genoeg op voor de mannen om ze neer te schieten. Bloed en veren vlogen om Tayeb heen en de vogels vielen, ploften als dode gewichten op de grond. Hij talmde, keek naar een kleine witte uil in een kooi. Zijn vader schreeuwde, nogmaals, en Tayeb opende het deurtje, wilde dat ze de uil in leven lieten.

De uil kwam niet in beweging, ook al was het deurtje open. Tayeb deed niets om hem te dwingen naar buiten te komen. Zijn vader boog zich boos naar voren, greep de witte uil met zijn hand vast en gooide hem de lucht in. De zoon van de sjeik schoot er slechts enkele centimeters van Tayebs hoofd op, de bebloede veren bleven liggen in het zand.

Toen het voorbij was, kreeg zijn vader een dikke rol geld. De familie reed in hun Land Rover weg, lieten Tayeb en zijn vader bij hun kleine Ford-pick-up achter. Zonder iets te zeggen stapelden ze samen de kooien achter in de truck op. De meeste van de bloederige, kleine lichamen bewogen nu niet meer. Tijdens de lange reis terug naar huis keek Tayeb niet naar zijn vader, omdat hij wist dat hij slaag zou krijgen als hij zou jammeren om de dood van een vogel.

'Gaat 't?'

De vrouw glimlachte naar hem. Hij stond versteld van haar vriendelijkheid. In al die vijftien jaar in Engeland was hij eigenlijk nog nooit iemand tegengekomen die zo aardig was, maar hij wilde niet dat dat op zijn gezicht was te zien, niet in het minst omdat de afgelopen jaren dan een verspilling van tijd zouden zijn geweest, een droevige verspilling. Hij tuurde naar zijn telefoon en las de boodschap aan Frieda voor.

'Het spijt me,' zei Tayeb toen, 'ik weet niet waarom ik je dit voorlees. Ik moet je niet met mijn problemen lastigvallen.'

Ze zat met haar benen over elkaar op de grond en zag er tegelijkertijd oud en jong uit.

'Wie is R?' vroeg Frieda.

'Mijn vriend Roberto.'

'En wie is A?'

'Ook mijn vriend. Stomme Anwar. Ik heb altijd al geweten dat hij ons in de problemen zou brengen.'

'Door de politie verhoord? Dat klinkt behoorlijk ernstig.'

'Anwar is nogal actief op anti-Amerikaanse en anti-Britse websites. Hij leeft tegenwoordig volgens de idealen van de moslimbroederschap.'

Tayeb kon zich voorstellen wat ze dacht: het beramen van bomaanslagen en de jihad. Hij zuchtte. Ze was zo'n Engels meisje dat met een Palestijnse vlag op haar T-shirt zou rondlopen, maar wel bleef denken dat hij haar in de metro zou kunnen opblazen.

'Anwar heeft alleen maar een grote mond. Hij weet niet waar hij over praat. De hele dag zit hij in zijn boxershort videogames te spelen. Alles is voor hem een spelletje. Ik probeer te overleven. Ik ben niet geïnteresseerd in dat alles. En Roberto en Nidal ook niet. Zij proberen ook alleen maar om in dit land te blijven.'

Tayeb moest nu ophouden. Wat hij zei interesseerde deze vrouw niet. Hij deed ontzettend zijn best om niet aan zijn polsen te krabben.

'Het probleem is dat wat voor Anwar een spel, een fase, een soort, zoals hij het noemt, hersenkick is, voor mij gevaarlijk is. Als ik word teruggestuurd, is dat niet best voor me. Anwars ouders wonen in Zuid-Londen. Hij heeft niet dezelfde zorgen aan zijn hoofd, snap je?'

'Dat kan ik me voorstellen. Heb je dat aan hem geprobeerd uit te leggen?'

'Hij gaat zo op in zijn beeld van het Oosten als slachtoffer. Hij is er zelfs nog nooit geweest. De meest oostelijke plek waar hij is geweest, is Plaistow.'

Frieda lachte. 'Je schijnt Londen op je duimpje te kennen.'

Tayeb keek haar verrast aan, trok aan de punt van zijn snor en raakte het litteken op zijn kin aan.

'Mag ik je wat vragen?' zei ze. 'Waarom teken je eigenlijk op muren?'

'Dat is een lastige.' Hij glimlachte. 'Als kinderen in mijn vaderland worden betrapt op het schrijven op muren, zal de veiligheidspolitie hun vingernagels uitrukken.' Hij lette op haar reactie; haar ogen werden een beetje groter, maar ze keek niet verbaasd. 'Ondanks dat blijven mensen op muren schrijven. We schrijven daarop wat we niet in kranten of boeken kwijt kunnen. Overal zie je Arabische woorden op geklad, maar zonder gevoel voor artisticiteit. Meestal hebben de teksten een politieke lading.' Hij zei even niets, hoe kon hij haar dat uitleggen? Hij had het zelfs nog nooit tegenover zichzelf onder woorden gebracht. Hij vertelde verder. 'In Jemen, waar je heel veel afbrokkelende muren en lege ruimtes hebt, zijn de woorden politiek of religieus. Ik heb me altijd afgevraagd waarom de Koefische schrifttekens niet tot tekeningen, grappen of tags konden worden uitgewerkt.'

Hij hield op. Ze knikte, luisterde, maar hij kon het niet verder aan haar uitleggen. Waarom had hij die dwang om stukken uit *Het boek der dieren* op te schrijven? Omdat het oeroud, wetenschappelijk, anekdotisch en grappig was? Omdat het geen slogans waren? 'Voor mijn eigen plezier, denk ik.'

'Mag ik je wat vragen? Ben je nu officieel op de vlucht?'

'Ja.' Hij glimlachte weer omdat ze toestemming vroeg een vraag te stellen. 'Ik geloof het wel. Nu Anwar me veel interessanter heeft gemaakt dan ik ben, die idioot. Of als dat niet het geval is, zullen die lui van de immigratiedienst me wel graag in handen willen krijgen.'

'Wat ga je nu doen?'

Hij haalde zijn schouders op. Dat was de vraag. Er klonk een zoemtoon, deze keer vanaf Frieda's dijbeen. Tayeb keek toe terwijl ze haar mobieltje uit haar zak haalde en ernaar keek. Ze keek naar Tayeb op. 'Ik vind het niet erg als je in de keuken rookt,' zei ze, 'bij het raam.'

'Allah was wijs toen hij me naar jou toe leidde. Je kunt mijn gedachten lezen en je geeft me ook nog iets te eten en te drinken.' Hij haalde een pakje sigaretten uit zijn broekzak.

Onder Tayeb passeerden vijf treinen elkaar tegelijkertijd terwijl hij rook uitblies in de betrokken lucht boven Victoria Station. Twee treinen de ene kant op, drie de andere kant, en toen was het ineens doodstil. Hij kon haar in de andere kamer horen. Ze probeerde zachtjes te praten, maar het was duidelijk dat ze ruzie met iemand maakte. Hoe zou het zijn om zo'n flatje als dit te hebben? Om een kamer boven een spoorlijn te hebben waar je altijd kon blijven wonen? Hij was gedwongen geweest zijn eigen land te verlaten omdat hij schunnige woorden in klassieke kalligrafie had geschreven, een onvergeeflijke zonde. En omdat hij de politie had gefilmd; het was niet aan te raden om op te vallen en jezelf tot getuige te maken. Hij gooide zijn sigarettenpeuk naar het zilverkleurige hek dat langs de sporen stond. Hij moest gaan, dat wist hij. Het beeld van de twee mannen – Matthew en Graham – kwam in hem op en daarna een heftig, niet-onaangenaam gevoel van wanhoop.

In Sana'a was hij ooit een keer op dezelfde manier benaderd, een mensenleven geleden. Hij stond met zijn camera een stuk graffiti te filmen op de muur in een steegje dat door theehuis-klanten als toilet werd gebruikt, net binnen Bab al-Yaman. Hij liet zijn camera langzaam over de muur glijden om de woorden te vangen die in een wijd uitgerekt Arabisch waren geschilderd. Terwijl hij dat deed, riep een kleine man, zijn hoofd gewikkeld in een *somata*, zijn sandalen bijna bedolven onder het stof, 'psst' naar hem. Tayeb had zijn camera onmiddellijk in de binnenzak van zijn jas gestopt en was vertrokken en snel de zilversoek in gelopen. Maar de man kwam hem achterna. Hij dacht waarschijnlijk dat Tayeb een homo was.

Tayeb liep snel naar de Grote Moskee. Hij had van zijn broers gehoord over mannen die andere mannen in de soeks benaderden. Als je weigerde, dreigden ze wereldkundig te maken dat je homoseksueel was, of ze eisten enorme hoeveelheden smeergeld. Op dat soort handelingen stond in Jemen de doodstraf. Sana'a is een doolhof, een bijenkorf die je bescherming kan bieden. Het is letterlijk een beschreven stad, woorden op de muren en overal verdwaalde letters. De muren zijn bedekt met lagen krabbels in oude en nieuwe handschriften. Tayeb zou de muren van Sana'a wel tien jaar hebben kunnen fotograferen en filmen, als hij niet gedwongen was geweest te vertrekken. Hij was gaan geloven dat de boodschappen op de muren voor hem waren bestemd: Kom hierheen. Links. Rechts. Hier beneden. Dat is het. Kom met me mee.

De man was hem blijven achtervolgen, over de groentemarkt, maar op een gegeven moment struikelde hij over de benen van de oude *qashshamah* en viel voorover in haar groenten: bossen *asif* en peterselie, tomaten, venkel en kruiden. Vanaf de grond schreeuwde de man naar hem. Verschillende vrouwen stopten met boodschappen doen, keken door het gaas van hun niqabs naar hem. Tayeb rende een gang als een ader in, onder hoge huizen door waarvan de samenhang verloren was gegaan en die als oude vrienden tegen elkaar aan stonden geleund. Hij bleef doorrennen, zonder achterom te kijken, als een hond die de geur van voedsel volgt, langs gesloten deuren, abajastalletjes, langs de gezondheidszorgsoeks, totdat hij achteromkeek en zag dat hij de man kwijt was. Maar hij was zelf ook de weg kwijt.

Zijn moeder zei altijd tegen hem dat hij geluk in zijn botten had en geen djinns in zijn schaduw, maar hij kon zich niet voorstellen dat dit werd bedoeld met geluk hebben.

'Ik heb een idee,' zei Frieda, die nu achter hem in de keuken stond, leunend tegen de deurpost.

Hij draaide zich om en keek haar aan in de hoop dat hij geen sigarettenrook in haar keuken had geblazen. Ze was mager, aantrekkelijk, maar ze leek ook nerveus. Of misschien niet nerveus, maar slecht op haar gemak. Ze gedroeg zich zelfverzekerd, maar het was niet erg overtuigend. Ze glimlachte naar hem.

'Over waar je zou kunnen slapen, al is het maar voor een week. Misschien is het een oplossing.'

'O? Ik kan hier niet blijven, je bent heel vriendelijk, maar ik mag me niet aan je opdringen.' Tayeb rechtte zijn rug, maar in werkelijkheid was hij een beetje geschrokken van haar voorstel.

'Nee, niet hier,' zei ze. Haar stem klonk zacht en broos, toch was ze merkwaardig genoeg niet van slag door een vreemde man in haar keuken. 'In een ander huis, ik heb er nog een. Ik heb het voor een week, nou ja, nu nog vijf dagen. Ik ben het... aan het leeghalen. Misschien kun je me daarmee helpen, in ruil voor het plezier dat ik jou daarmee doe?'

Tayeb keek naar haar rustige, brede gezicht en dunne lippen. Hij had het warm van opluchting. Tayebs psoriasis kwam opzetten alsof die zijn uithoudingsvermogen op de proef wilde stellen. 'Die vijf dagen geven me de tijd om uit te zoeken wat ik moet doen. Ik ben je zo dankbaar.'

'Oké,' zei Frieda, en om de pijnlijke situatie te vermijden van een gesprek over waar hij die nacht dan zou slapen, zei ze: 'Waarom gaan we er nu niet heen?'

HOE VORDERINGEN TE MAKEN. *Hoe vaker ontmoedigd, des te vaker de kans weer vertrouwen te krijgen. De kunst van het fietsen is een puur werktuiglijke verworvenheid; en hoewel de moeilijkheden in eerste instantie onoverwinnelijk lijken, zal voldoende oefening uiteindelijk tot volledige beheersing leiden.*

Een dame op de fiets in Kashgar – aantekeningen

9 juli

Ik moet verslag doen van de afgelopen drie dagen, maar ik loop ervoor weg. Ik denk als ik vijftig ben, me nog zal afvragen wat er gebeurd is. Is het echt zo gegaan? Maar ik moet denken aan Mr. Hatchett, die op mijn gids zit te wachten. Een schande is het!

Volgens vader Don Carlo kon je je leven al verliezen als je om twaalf uur 's middags de straat overstak, dus was het een verrassing toen Millicent erop aandrong om samen de woestijn in te gaan om naar een rondtrekkende theatergroep te gaan kijken.

'Dit is de kans waarop ik heb gewacht,' zei ze als een vink over de binnenplaats hippend. 'De voorstelling loopt drie dagen. Ik zal aan de maarschalk toestemming voor ons vragen om die bij te wonen.'

'Maar Millicent... die hitte.'

Tot mijn ontzetting kregen we toestemming – als Hai en Li ons maar zouden begeleiden. Ik kan het niet laten om nu te denken dat het veel verstandiger was geweest om thuis te blijven.

Even voorbij de grens van de Oude Stad van Kashgar, aan de andere kant van de letterlijk ziekmakende Toomanrivier, loopt een pad de woestijn in. Het ziet er normaliter verlaten uit, maar zoals de meeste van deze schijnbaar ongebruikte paden leidt ook dit ergens heen. Het is in werkelijkheid het begin van een lange voettocht naar een tempel in de woestijn: de Tempel van de Rode Stenen Ladder, zo genoemd omdat die aan de voet van een breed plateau van eigenaardig aflopende steile rotsen ligt. De rotsformatie is op zo'n manier getand dat die tegen de heldere, wolkenloze lucht een perfect silhouet vormt van een trap, of een ladder, die naar de hemel leidt. Aan het hoofd van de tempel staat een oude abt die nog nooit zijn hoofd- en baardhaar heeft afgeknipt. Zijn in elkaar gedraaide, touwachtige haar geeft hem het onwaarachtige voorkomen van een medusa. Sterker nog, hij staat bekend onder de troetelnaam Abt Slangenkop.

Tegen de tijd dat we de vlakte van de Tempel van de Rode Stenen Ladder bereikten, stroomden massa's families in vol festivalornaat toe. We werden gedwongen om onze tenten op een onbeschut stuk terrein op te zetten, dicht bij de hoofdverbindingsweg die doorliep naar een geïmproviseerd theater dat voor de tempel was opgericht. Vader Don Carlo voegde zich bij ons. Samen zetten we een tafel in elkaar en legden daarop bijbels, wat vertaalde citaten en in een waaier zijn prachtig geïllustreerde pamfletten.

De eerste middag zaten we eigenlijk alleen maar op de aankomst van de acteurs te wachten. Lizzie beende met haar Leica rond, achtervolgd door een sliert kinderen. Millicent en vader Don Carlo deelden pamfletten uit aan voorbijgangers, van wie er velen stopten om naar ons te gluren. Het geluid van drums en trommels kwam vanuit alle richtingen, en zo nu en dan begon de plaatselijke bevolking met spontane maar onrustbarende bewegingen te dansen. Ik hield Ai-Lien in doeken gewikkeld dicht tegen me aan terwijl de mensenmassa's om ons heen vlogen.

Uiteindelijk, in het felle middaglicht, arriveerden de toneelspelers, die er meer als gevangenen uitzagen dan als een theatergezelschap. Ze droegen grote koffers op hun schouders en hadden enorm veel rekwisieten en kostuums bij zich. Daarna volgden de muzikanten, die zelfs nog sjofeler en onooglijker waren dan de toneelspelers. De groep leek uit heel veel verschillende nationaliteiten te zijn samengesteld, sommigen van hen – degenen die de fluiten en cimbalen droegen – hadden die puntige kin en staarten als van Mongolen, anderen zagen er Oeigoers uit, sommigen zelfs nauwelijks Aziatisch. Ze hadden enorme drums bij zich en fluiten en verschillende snaarinstrumenten met lange halzen en grote, ronde klankkasten. Ze zwaaiden met rinkeldingen die van stokjes, spijkers en stukjes metaal waren gemaakt, en met primitieve tamboerijnen. Lizzie was als een sprotje, snel heen en weer schietend. Toen de dierentemmers kwamen, ging ze er zo dicht als ze durfde naartoe en fotografeerde een erbarmelijk uitziende tijger die door een man met een lange staart aan een zware ketting werd vastgehouden; daarachter kwamen jaks; en daarna vijf of zes ezels beladen met kisten, pakjes en bundels op z'n Kashgars vastgebonden met sjaals in vrolijke kleuren.

Pas toen het licht serieus afnam en er fakkels rondom het toneel werden ontstoken, waren er duidelijke tekenen dat de voorstelling werkelijk begon.

Om de beurt bewaakten we de tent of keken naar de optredens, maar het was bijna onmogelijk om de draad van het verhaal te volgen. Een minuscuul soort opperstalmeester maakte vloeiend grappen in verschillende talen, soepeltjes overgaand van Oeigoers op Chinees en op verschillende dialecten, knikkend en buigend, het publiek voor zich innemend. We aten goed: lamskebabs, komkommers met rode pepers, *jiaozi's*, gestoomd brood en rijst. Zo nu en dan begon het publiek om een volstrekt ondoorgrondelijke reden te lachen om de figuren op het toneel. Door alles wat er te zien was, het geluid, het licht, de liederen, het geroffel van de drums en cimbalen en het lawaaiig optreden van keizers en dansende strijders werd ik draaierig in mijn hoofd, bijna alsof ik hallucineerde. Ik keerde terug naar onze geïmproviseerde tent om water bij het gedroogde voedsel voor Ai-Lien te schenken, en sliep die nacht niet lekker. Toen we bij het ochtendgloren wakker waren geworden, stond en hurkte er een mensenmenigte rondom onze tent, die ons gadesloeg.

Tegen de avond van die dag bleken we onvoldoende proviand te hebben meegenomen. Al ons brood was op en we konden alleen nog maar deeg van meel en olie maken, die in repen trekken en in water koken. In het schemerdonker keerde ik terug van een strooptocht langs de voedselverkopers, die allemaal hun prijzen enorm hadden verhoogd, en was verbaasd Khadega in een hoekje van onze tent met Millicent te zien praten.

'Eva!' riep Millicent. 'Khadega zal een tijdje bij ons komen wonen.' Khadega zat gehurkt op de grond, haar gezicht bedekt.

'Vindt Mohammed dat wel goed?'

'Het is voor Khadega niet veilig meer om thuis te blijven wonen.' Op dat moment kwam Lizzie binnen. Ze zag er moe uit. Ze wierp even een blik op Millicent, die Khadega's hand vasthield.

'Wat is hier aan de hand?'

'Iemand heeft Mohammed verteld dat we proberen Khadega te bekeren.' Millicent haalde een Hatamen tevoorschijn. 'Ze loopt gevaar, hij is boos. Rami heeft Khadega naar ons toe gestuurd om te vragen haar een veilige haven te bieden.'

'Is hij nu hier?'

'Ja, maar Rami hoorde dat we hier waren, heeft Khadega hier afgezet, en heeft hem weggeloodst.' Millicent lachte. Ze scheen zich te amuseren.

'Millicent... dit is geen situatie waar je je vrolijk over zou moeten maken. Ze zal haar familie kwijtraken,' zei Lizzie.

'Ze heeft een nieuwe familie gekozen, een nieuwe weg.' Millicent kneep op een bezitterige manier in Khadega's hand en vertaalde Lizzies woorden in het Russisch. Khadega zat naast Millicent met de uitstraling van een geredde kat: trillend en met natte vacht herstellend, maar tegelijkertijd ook als een keizerin in afwachting van een feest ter ere van haarzelf. Lizzie liet zich aan de andere kant van de tent op de grond zakken en concentreerde zich op het uittrekken van haar laarzen.

'Lizzie, kan ik Ai-Lien aan jouw zorgen toevertrouwen terwijl ik de tempel ga bekijken?' Ik voelde een sterke drang om onze tent te verlaten. Khadega, met hoofdbedekking, bleef geïntimideerd zitten, maar door haar sluier heen kon ik haar ogen zien: te emotioneel en dorstend naar gezond verstand. Ik gaf mezelf een standje. Khadega verdient de vrijheid evengoed als wij allemaal. Lizzie strekte haar armen uit naar de baby en terwijl ze dat deed, zag ik herinneringsflitsen van toen ze jonger was: Lizzie in het klaslokaal in het klooster, die weigert de mis te lezen; Lizzie die in een kastanjeboom klimt in Saint-Omer, zwaaiend; Lizzie die luistert naar een recital in Genève, mijn hand vasthoudt. Een geheimtaal: een kooee-koeroekoe-duivenzang. Hou niet op met lachen in mijn oor. Ze legde Ai-Lien tegen haar borst en hield haar lief vast. Het was de eerste keer dat ik haar dat zo zag doen.

Het was bijna donker. Diverse schrijnen lagen her en der verspreid op het tempelterrein, en voor allemaal stond een rij men-

sen te wachten om wierook aan te steken en gezegend te worden. Ik dwaalde rond, keek naar de mensen die plechtig hun
staafjes aanstaken. Het monotone gebrom van de zingende gees-
telijken vormde een chaos van geluid in de lucht en het geklep-
per van hun oestervormige instrumenten zorgde voor het ritme.
Gelovigen wierpen zich ter aarde, gooiden geld neer en stuurden
hun gebeden naar de hemel.

De immense, getande, trapachtige, steile rotsen lagen voor me.
Ten overstaan daarvan voelde ik dat mijn eigen gebeden, als je
ze zo al mag noemen, niet meer waren dan dode bladeren in een
luwende wind, niets bereikend.

Tussen de flakkerende lichten en de muggen en de vliegen stond
Mohammed. Hij had zijn hoofd gebogen, zijn hand lag op zijn
baard en hij praatte met verschillende andere moslimmannen.
Zoals ik ergens al wist dat hij zou doen, keek hij op; zijn blik
was recht op mij gericht.

Ik liep langzaam weg en zag dat hij zich uit zijn gezelschap los-
maakte. Even later stond hij plotseling vlak naast me. Toen hij
zich half omdraaide om me de weg te versperren, kon ik niet
anders dan hem begroeten.

Hij sprak rustig toen hij zei: 'Khadega?'

Vader Don Carlo bevond zich in de tent, zwetend en stinkend
naar zijn wijn, zijn lippen geopend, sputterend en mopperend.

'Er was een schermutseling. Schoten. Een toendraman is gedood, twee moslimmannen neergestoken.' Erg breedsprakig was
hij niet. 'Ik denk dat we er verstandig aan doen onmiddellijk te
vertrekken.'

'Als je denkt dat dat het beste is,' zei Millicent. Ze rolde de
Jaeger-slaapzakken al op en stopte ze in de grote reistas. Lizzie
zong zachtjes voor Ai-Lien. Vader Don Carlo stond met zijn rug

naar me toe, dus zag hij niet wie ik bij me had. Maar Khadega
wel. Als gehypnotiseerd stond ze op en bleef doodstil staan. Millicent en Lizzie keken naar haar.

Zonder iets te zeggen liep Khadega op Mohammed af en samen vertrokken ze, keken niet meer achterom en raakten elkaar
niet aan.

Stoffige lichamen, intrieste kinderen, vermoeide vaders, allemaal
op de lange voettocht terug naar huis. Een hermelijnachtige man
sprong voor ons het pad op en zwaaide met een van de pamfletten die Millicent had verspreid, spuugde erop en verscheurde
het voor onze neus.

'Gewoon door blijven lopen,' zei Millicent.

'Wat was dat nou?' vroeg Lizzie.

'Enige weerstand tegen onze boodschap,' antwoordde vader
Don Carlo.

'Je moet oppassen,' zei ik tegen Millicent. Ik herinnerde me
Mr. Steynings waarschuwingen en Mohammeds gezicht in het
flakkerende licht.

'Hij is niet van je methodes gediend. Ik geloof eigenlijk niemand. Verspreid die pamfletten niet meer.'

Maar Millicent luisterde niet. Ik had tegen een nachtvlinder
gesproken.

10 juli

Ze is in de rivier gevallen, werd er gezegd, maar uiteraard wist
iedereen dat Mohammed haar had verdronken. Misschien was
ze al dood voordat ze te water raakte. Zijn woede was verzen-
gend geweest. Zou ze ook kunnen zijn doodgeslagen, gewurgd,

doodgeschoten? Door een wolk van stof bereikte het nieuws ons en ik observeerde Lolo's gezicht terwijl hij naar de grond keek.

'Vertel me, Lolo, wat is er?'

'Memsahib...'

We waren bezig een cake te maken van wat er nog over was van Millicents voorraad. Room karnen om boter te maken, meel zeven en Russische suikerklontjes verpulveren in de vijzel. We dopten, pelden en stampten de amandelen fijn. Terwijl we aan het werk waren, leerde ik Lolo kinderrijmpjes – *Little Mary Esther sat upon a tester eating curds and whey* – wat hij op zeer ernstige toon herhaalde terwijl hij over zijn lange, opmerkelijke wenkbrauwen streek. Een jongetje dat onder het stof zat, sloop naar binnen en fluisterde hem iets in het oor.

'Memsahib...'

Mij kwam de eer toe om Millicent en Lizzie te vertellen dat Khadega dood was en dat Millicents bekeringsexperiment totaal verkeerd had uitgepakt. Ze waren echter al de hele dag op stap. Als een geheime tatoeage hield ik mijn kennis voor me.

Lolo was bezorgd en vroeg me Ai-Lien aan hem te geven, maar ik weigerde dat. Ik reageerde op een dode door me vast te klampen aan een levende. Ik zei 'mijn kleine vogeltje' tegen haar en hield haar dicht tegen me aan; in de plooien van de stof van de draagdoek kneep ze me met haar handjes. Van haar houden en haar moeder zijn – dat is er van me geworden – is als een wals alleen voor ons tweeën. Een dans van zachte aanrakingen, vingers onder haar kinnetje, een aai over dat zachte plekje onder haar oor, en de dans gaat steeds sneller, tot ik rondtol, volledig opgaand in een liefde die voor het leven zal zijn.

Ai-Liens haar heeft dezelfde kleur als dat van Khadega. Khadega zonk weg in een stinkende rivier om een deel van de woestijn te worden, en haar ongelukkige gezicht ligt op de bodem, staart voor zich uit alsof ze iets wil onderscheiden wat vervaagd is, ze kan het niet goed zien.

Later. Millicent huilde niet. Ze rookte en zei geen woord over Khadega's dood en haar aandeel daarin. Ze kwam binnen, deed alsof ze rustig was en onbewogen, ze speelde de missionaris. Het is een geweldige act. Is dat mijn probleem? En wie ben ik dat ik iemand anders mag beschuldigen van toneelspelen? Dat komediespel, die bluf en het nooit onder stoelen of banken steken van haar mening is zo vervelend: ik hou er helemaal niet van. Ik vind het niet stimulerend of aangenaam. Ik geef mezelf raad: wees beleefd. Maar echt waar, ik kan er niet tegen. Haar motieven zijn verdacht, de manier waarop ze macht over Lizzie uitoefent, is verdacht. Het komt ineens in me op dat ze erg streng voor Lizzie is. *Dat heb je niet goed gedaan, Elizabeth. Je bent niet geschikt om me bij mijn werk te assisteren, Elizabeth.*

Uiteindelijk kwam Lizzie binnen en ze zag eruit alsof ze tot de tanden gewapend was. Ze hield drie veren in haar hand. Ze waren wit met zwarte uiteinden en enigszins gespikkeld. Ze bood ze Millicent aan.

'Van een arend, denk ik.'

Op Lizzies jak zaten vlekken en het was gekreukt, en haar haar zat in de knoop. Al met al zag ze er op de een of andere manier verwaarloosd uit. Ik wilde haar, heel plotseling en heel snel, in bescherming nemen, maar wat een woord: bescherming. Hoe moet de ene zus dat voor de andere doen? Sterren en vislijntjes tooien de binnenkant van mijn oogleden terwijl ik dit opschrijf. Ik wil haar terugstelen. Mijn zusje weet dingen die ik nog moet leren; die akelige gedachte aan Millicent en haar – maar Ai-Lien is hier, dicht bij me, met haar neusvleugeltjes duidelijk afgetekend terwijl ze regelmatig ademhaalt. Als ik haar tegen mijn borst in slaap laat vallen, zijn mijn dromen misschien zoeter.

Ik vertelde Lizzie over Khadega. Ze liet de veren op de grond vallen en keek Millicent woest aan.

'Nu hebben we het bloed van te veel doden aan onze handen, Millicent. Ze zullen ons vermoorden.'

'Kraam toch niet zo'n onzin uit,' zei Millicent, terwijl ze haar ogen half dichtkneep in haar eigen rook en een hand door die afschuwelijke kroeskop van haar haalde.

'Waarom denk je dat ze ons zullen sparen? Waarom vertel je ons niet hoe het met dat proces staat?'

Ik was behoorlijk verrast dat Lizzie Millicent zo aansprak. Toch draaide Millicent zich eenvoudigweg om, toonde ons haar rug, als een gesloten luik, en zei niets.

Londen, heden

Norwood

Materialisme is slecht. Dat was de mantra van Frieda's jeugd toen ze samen met haar vader tussen een massa stacaravans woonde, op een vakantiepark op het Isle of Sheppey, waar hij als toezichthouder min of meer zijn brood verdiende. Eerste levensles: bezit maakt niet gelukkig. Mensen spenderen hun leven met het najagen van grotere auto's, grotere huizen, grotere tv's, Frieda, en wat levert dat hun op? Wat hebben ze eraan? Het antwoord is: niets! Helemaal niets! Kijk naar de zee, naar de lucht en wat zie je: we zijn precies hetzelfde als zij.

In de caravan had Frieda stiekem tot een echte God gebeden in plaats van tot een manifestatie van sublieme energie. Ze bad vooral voor een echt huis met tapijten op de vloer. Ze was in de huizen van andere mensen geweest. Ze had lades gezien die alleen maar bestemd waren voor de inhoud van broodtrommeltjes en vollagen met zulke herkenbare etenswaren als Marsen,

Smith-chips en ChocoPrincen. Frieda bad tot een clandestiene God om dat soort dingen. Onze Vader die in de hemelen zijt, mag ik alstublieft een normale lunch en tapijten. Ze bad niet tot haar vaders Guruji. Ze begroette niet samen met haar moeder bij het ochtendgloren de zon. Ze verdacht Guruji ervan dat hij op de een of andere manier verantwoordelijk was voor de onorthodoxe maaltijden waaraan zij blootstond, de taugésalades en de rodebietengoulash en die afschuwelijke bleekselderijsoep.

Terwijl ze naar Irene Guys spullen keek, dacht ze dat ze die kleine verzamelingen begreep: het melancholische groepje aardewerken hondjes, de veelbelovende stenen; de elastieken en verbleekte enveloppen. Maar toch had ze niets gevonden dat exact verklaarde wie Irene Guy was en het leek raar, gezien de grote hoeveelheid spulletjes, dat er geen foto's waren.

Het was kil in de woning. Frieda had er nu spijt van dat ze het huis in een opwelling aan Tayeb had aangeboden om er te logeren. Het gevoel van onbekendheid met elkaar was gegroeid toen ze samen in de taxi hierheen waren gereden, met de uil in de kooi op de achterbank tussen hen in. De vogel achterlaten had gevoeld als een kind alleen achterlaten, een eigenaardig gevoel van schuld, en daarom had ze besloten om hem mee te nemen; misschien wel om hem weer in het huis achter te laten. Het was een dure slakkengangetjesrit geweest – zij had erop gestaan die te betalen – over Battersea Bridge, met de Theems waarin het oranje-zwart van de stad bij avond werd gereflecteerd.

Ze gaf hem een rondleiding door de kamers: slaapkamer, woonkamer, keuken, badkamer, en hij knikte en glimlachte en vroeg niet van wie het huis was. Ze wees naar het bed. 'Dat is voor jou, tot vrijdag.'

Hij was nu in de keuken en opende en sloot deuren van kasten. Hij leek geobsedeerd door het kleine, ouderwetse voorraadkamertje en zijn inhoud. Frieda voelde de behoefte om uit te leggen: 'Ik doorzoek alles om te zien of er iets is wat ik wil houden. De rest wordt door de gemeente weggehaald.'

'Oké,' zei hij, nog steeds niets vragend.

Tayeb droeg de vogelkooi de woonkamer in en was een tijdje bezig om hem weer op zijn standaard te zetten. De uil verdroeg het gewiebel en gezwaai met een stoïcijnse uitdrukking in zijn ogen.

Tayeb draaide zich naar haar om. 'Ik kan wat vlees voor hem klaarmaken.'

'Wacht.' Frieda haalde uit haar zak een uitgeprint vel papier over uilen dat ze had gedownload.

REDENEN OM GEEN UIL TE NEMEN

1. Door mensen grootgebrachte uilen raken zeer gehecht aan hun eigenaren en ze houden niet van verandering. Dat maakt het erg moeilijk voor u om op vakantie te gaan of hem bij een ander achter te laten.

2. Uilen hebben een instinct om dingen te 'doden'. Ze zullen handdoeken, snuisterijen, sokken en speelgoed et cetera aan flarden rijten.

3. U bent 100% verantwoordelijk voor alle behoeftes van een uil in gevangenschap: waar hij op moet zitten (om infecties te voorkomen), welk voedsel moet worden vermeden, hoe er voor klauwen en snavels moet worden gezorgd.

4. De paartijd impliceert de hele nacht krassen of blazen, en voor een door mensen grootgebrachte uil zal dat geluid aan u zijn gericht. Er wordt verwacht dat u met de uil meekrast, en als u dat niet doet, zal hij nog luider gaan krassen. De paartijd kan wel 9 maanden duren.

5. Uilen houden er niet van om geknuffeld en geaaid te worden, maar zijn dol op spelen en kunnen ruw zijn!
6. Overal zullen poep, veren en braakballen komen te liggen.
7. Uw uil heeft als voedsel een constante aanvoer van volwassen dieren van u nodig. U zult die moeten opensnijden en de lever, de darmen en de maag moeten verwijderen, anders zult u ingewanden en maag van uw vloer en muren moeten schrapen. Uilen hebben een natuurlijke aandrang om restjes te verstoppen. Als uw uil niet aan zijn kooi is gebonden, dan zult u dagen achtereen op geheime bergplaatsen stinkende vleesresten vinden.

De kant-en-klare gegrilde kip die ze hadden meegenomen, leek ineens niet levend, bloederig en vers genoeg. Frieda keek toe terwijl Tayeb stukken kip in de kooi duwde. En dit duwen van vlees in de uilenkooi verjoeg de onbeholpenheid tussen hen. Ze begon te denken dat ze het misschien zelfs wel prettig vond om met een onbekende man in dit onbekende huis te zijn, en dat ze misschien juist wel nu hier wilde zijn. Ogenschijnlijk zoekend in Irene Guys spullen, bleef ze blikken werpen in de richting van Tayeb. Een merkwaardige snor en het soort lichaamsbouw waardoor hij zich makkelijk kon opvouwen, netjes, als een hond op de stoel van een auto. Zijn schoenen waren heel schoon. Ze probeerde zijn leeftijd te raden: rond de veertig.

In de slaapkamer maakte ze haar keuzes uit de ooit dierbare bezittingen. Van de vensterbank pakte ze een glimmende, bijna perfect ronde kiezelsteen met een gat in het midden. Ze hield hem voor haar oog en keek door het gat. Het was er precies zo een als haar moeder had achtergelaten op de avond dat ze zonder tekst en uitleg te geven was vertrokken. Er was alleen een ansichtkaart geweest, op zijn plaats gehouden door die kiezelsteen. De ansichtkaart was van een schilderij dat als titel *Aan de toilettafel* had. Het was een zelfportret van een jonge Russische vrouw die haar haren borstelde. Frieda begreep de betekenis ervan niet, toen niet en nu niet, en jaren later was het een schok om dat schilderij in het echt te zien, in het Tretyakov. De vrouw bereidde zich voor om zich op te offeren, had ze gedacht. Wat er op de achterkant van de kaart stond was tamelijk onsamenhangend. Haar moeder had geschreven dat ze weg moest, ging werken op een cruiseschip, dat ze 'contact' zou houden, 'en hier is een kiezelsteen met een gat erin; het is een magische steen'. Frieda was er nooit achter gekomen hoe de kiezelsteen haar moeder had moeten vervangen.

'Kijk eens!' Tayeb riep vanuit de woonkamer. 'Moet je zien, yalla.' Hij wees naar een camera op een van de boekenplanken. 'Heb je er bezwaar tegen als ik hem even bekijk?'

Voordat ze antwoord had kunnen geven, had hij hem al gepakt. Hij hield hem bij zijn gezicht, keek aandachtig naar de achterzijde, wreef erover, gaf een tikje tegen de opwinder en bestudeerde de lens.

'Heel mooi.' Zijn gezicht zag er uitgestreken en serieus uit. 'Eerlijk gezegd, is deze héél mooi. Het is een Leica. Een heel vroege Leica. Kan zelfs een proefmodel zijn, want ik geloof dat ze pas aan het eind van de jaren twintig op de markt zijn gekomen.'

Frieda keek naar hem terwijl hij de camera voor zijn oog hield en daarna met zijn vinger over de achterkant wreef. Ze schrokken allebei toen een metalen vierkantje plotseling omhoogklapte, boven op het camerahuis.

'Een van de eerste 35 millimeters. Interessant, is die van jou?'

'Ik weet het niet,' zei Frieda, 'ik heb hem... ik heb hem pas gisteren hier gevonden.'

Hij bracht de zoeker op gelijke hoogte met zijn oog en bewoog de camera alsof hij een film van de kamer opnam.

'Heb jij die gevonden?'

Frieda gaf geen antwoord, maar nam de camera van hem over en liet hem in haar handpalm rusten, voelde hoe zwaar hij was. 'Hoe oud zei je dat hij was?'

'Jaren dertig,' zei hij zonder enige aarzeling. 'Nee, ik denk eigenlijk uit de jaren twintig. Een van de allereerste.'

'Hoe weet je dat?'

'Ik ben filmer. Of...' Hij hoestte. 'Ik was filmer. Thuis in Jemen verzamelde ik camera's als ik de kans had.' Ze staarden allebei een moment naar de camera.

'Zou er een film in zitten?' Hij liet zijn hand over de camera glijden, keek naar de achterkant, bekeek hem helemaal. Hij vond een klein palletje en trok eraan. De achterkant sprong open, maar er zat niets anders in dan stof.

De deur naar de keuken ging open en Tayeb kwam binnen. Hij had zich gedoucht, droeg een ander hemd en had zich opgedoft en geschoren. Hij bleef in de deuropening staan en haalde zijn handen door zijn natte haren. Hij had iets ijdels over zich, dacht ze, zoals hij met zijn duim over zijn wenkbrauwen streek alsof hij solitaire haren terug op hun plaats wilde drukken en zijn mond opende om de huid van zijn gezicht op te rekken. Hij vouwde de handdoek netjes op, legde hem over de rug van een van de stoelen en keek naar de voorwerpen die ze op tafel had gelegd. Het sloeg nergens op, maar ze begon te blozen. Om dat te verbergen, keek ze naar beneden, naar de camera, naar de Chinese muziekdoos in zijn glazen stolp en een houten kist die ze onder in een kast in de woonkamer had gevonden. Er leek een soort drukapparaat in te zitten. 'Moet je dit zien.'

'Het lijkt wel een kleinere versie van de draagbare drukpers die we in Sana'a hadden.' Hij trok een stoel onder de tafel vandaan en ging zitten. 'Ik heb in een drukkerij gewerkt... een tijdje.'

Hij bestudeerde het ding een paar minuten terwijl Frieda zich op de achtergrond hield, tegen de gootsteen leunde, en naar hem keek. Ze dacht na over Sana'a. Ze kon zich voorstellen dat ze daar een bezoek aan bracht. Ze was altijd veel flexibeler geweest dan andere mensen op haar werk, meer klaar om op te springen en daarheen te vliegen waar ze nodig was, niet van haar stuk gebracht door een vertraging of een onverwachte tussenlanding met een verblijf in een hotel of lange trajecten. Hoe verder weg, hoe ongewoner, hoe groter de afstand en hoe ánders, des te beter. Al heel lang was er niets geweest wat haar tegenhield, of haar in bedwang hield. Geen zwaartekracht of vastgelopen-zijn in haar eigen dagelijkse gedoetje, want dat zou betekenen dat ze stil zou blijven staan, ook al was het maar voor een korte periode. Na een week of iets meer in Sana'a zou het tot haar doordringen dat de geschiedenis van de stad nimmer voor haar te doorgronden zou zijn, maar ze zou ontzettend haar best doen om dat besef te negeren. Ze zag het verslag al voor zich: BRITSE KANSEN VOOR EMANCIPATIE IN JEMEN; HET NIEUWE SANA'A.

'Misschien kan ik hem wel aan de praat krijgen,' zei hij. 'Zou er ergens inkt zijn?'

Vijf minuten later had hij verschillende onderdelen van de machine op tafel gelegd: een roller, een inktplaat.

'Het raster van het drukraam ontbreekt,' zei hij.

'Heb je trek in iets?' Frieda duwde haar bril omhoog op haar neus en keek Tayeb aan.

'Altijd.'

'Laten we fish-and-chips halen. Hou je daarvan?' Ze wachtte niet op een antwoord. 'Ik weet het, ik weet het, van de nasmaak word je onpasselijk, maar de eerste happen zijn altijd heerlijk, ja toch?'

Hij knikte.

'Er is nog wel ergens een snackbar open,' zei ze. 'Zeker weten. Ik ga.'

Frieda keerde terug met de fish-and-chips en een fles witte wijn. Ze schonk voor hen allebei een bekerglas half vol en begon te praten terwijl ze at. Ze vertelde hem alles wat ze wist over de brief, over de dood van Irene Guy en het huis.

'Hmm, wat een mysterie,' zei hij, terwijl hij voorzichtig probeerde de oranjekleurige korst van de kabeljauw te trekken.

'Ja. Eerst dacht ik dat het een vergissing was, maar nu ben ik daar niet meer zo zeker van. Ik heb het aan mijn vader gevraagd en die zei dat ik met mijn moeder moest gaan praten.'

'Heb je dat gedaan?' vroeg Tayeb.

'Zo eenvoudig is dat niet. Mijn moeder heeft me jaren geleden in de steek gelaten.' Ze zei het op een luchtige toon.

'O.'

'Wil je een glas water?' Ze stond op en liep naar de gootsteen.

'Nee, dank je.'

'Ik vraag me af wie ze is geweest,' zei Frieda, terwijl ze in de keuken rondkeek naar alle spullen. 'Een globetrotter misschien?'

'Een ontdekkingsreizigster? Ze was behoorlijk ontwikkeld, denk ik,' zei Tayeb. 'Wie hier ook heeft gewoond, diegene had wel een goede smaak wat boeken betreft. Een verbazingwekkend brede interesse. Teksten over soefisme en Afghaanse literatuur. Ik stond versteld dat ik een boek over pre-islamitische Arabische poëzie zag staan.'

'Het lijkt of ze verschillende talen sprak. Het is duidelijk dat ze intelligent was.'

'Zou ik hier een sigaret mogen opsteken?'

Frieda antwoordde niet meteen, keek om zich heen. 'Ik zou niet weten waarom niet.'

Frieda's telefoon op de tafel voor hen lichtte plotseling op. Ze reageerde er niet op. Het lichtte weer op. En voor de derde keer.

'Iemand wil je erg graag spreken,' zei hij, maar ze negeerde hem.

Frieda liep de slaapkamer in en trok de bovenste lade van een victoriaanse kast open. Hij zat propvol papieren, stencils of kopieën of zo. Dun, wasachtig papier met eigenaardige buitenlandse letters erop. Haar broekzak begon te vibreren. Deze keer nam ze op.

'Schatje. Schatje! Niet ophangen.' Ze zei niets. 'Schatje, ik moet je zien.'

'Nee, Nathaniel.'

Vreemd genoeg was ze hem vergeten. Voor misschien het eerst in jaren had ze een hele dag helemaal niet aan hem gedacht. In de zak van Nathaniels leren jack zaten altijd twee voorwerpen: een blauwe knikker en een kristallen traan die hij van een van de kroonluchters had gejat die hij ooit als bron van inkomsten naast de fietsen had verkocht. Zolang die twee dingen bij elkaar waren en hij ze bij zich had, hielden ze het universum in evenwicht en vormden ze een volmaakte eenheid. Doordat hij zo prachtig en oprecht, als een kind, geloofde in de gelukbrengende kracht van voorwerpen, had hij haar een glimp van een andere wereld laten zien, een wereld waarin voorwerpen hun eigen verhalen hadden, en dat had ertoe geleid dat ze van hem was gaan houden.

'Nee, luister, serieus, dit is geweldig. Ik heb het gedaan. Ik heb het gedaan.' Zijn stem klonk hysterisch, krakend en heftig.

'Wat? Wat heb je gedaan?'

'Ik heb het Margaret verteld.' Nathaniel zei dit met een zach-tere stem.

'Wat?' Frieda staarde naar het vel papier in haar hand. Het was wonderbaarlijk dun, als een laagje huid; het leek Arabisch schrift.

'Ik heb het haar verteld. Ik zei het gewoon. Ik zei: "Ik ben niet verliefd op jou, Margaret, ik ben verliefd op Frieda Blakeman."'

Er was iets, een licht gejammer in zijn stem, een toon die hij gebruikte als hij op een compliment wachtte, als een kind. Haar nagels persten zich in haar handpalmen.

'Zo heb ik het exact gezegd.'

Ze had het koud; haar huid leek samen te trekken en zich om haar botten te spannen, en ze had weer het gevoel totaal ver-dwaald te zijn, alsof ze net wakker was geworden in een rotsig, mossig, Engels bos, zonder dat ze erachter zou kunnen komen hoe ze daar terecht was gekomen of hoe ze er weer uit kon komen. Ze bleef de vellen papier met Arabisch schrift uit de la trekken. Daaronder lag een dik zwart aantekenboek met een leren band.

'Wat?'

'Ik moet je zien. Nu!' schreeuwde Nathaniel.

'O... Oké.' Ze stond perplex. Margaret. De jongens. Die ver-domde jongens.

'Ben je thuis?'

'Nee. Nee. Ik ben...'

Frieda gaf hem het adres en hij hing op. Ze weigerde aan de jongens te denken; ze wilde het zichzelf niet toestaan om aan de jongens te denken. Die nachtmerries met blond haar en melk-witte gezichten die ze alleen op foto's had gezien, op één keer na toen ze in hun Volvo stapten, een kluwen van losse schoenveters en knorrige stemmen. Ze herinnerde zichzelf eraan dat Nathaniel precies deed wat hij zelf wilde, dat hij volledig verantwoordelijk was voor zijn eigen lot, zijn eigen balans. Haar mond was droog. Ze liep met het aantekenboek en een van de vellen papier in haar hand de keuken in. Tayeb draaide zich snel naar haar om, sigaret in zijn mond, diverse onderdelen van de machine in zijn hand.

'Het is een mimeograaf,' zei hij, 'een soort fotokopieerapparaat van vroeger.'

'Echt waar?'

'Ja. Je zou hem wel kunnen verkopen... of aan een museum kunnen geven. Het is een interessant ding.'

'Denk je dat het iets met deze papieren heeft te maken die ik heb gevonden?' Ze gaf hem het vel papier, zich ervan bewust dat haar hand trilde.

'O,' zei hij terwijl hij ernaar keek, 'dat is Arabisch.'

Hij ging op een stoel aan de keukentafel zitten en hield de pagina vrij dicht bij zijn ogen; hij is vast bijziend, dacht ze. En daarna: die verdomde jongens. Tayeb liep met het vel naar de mimeograaf. Hij legde het in het drukraam.

'Ja,' zei hij. 'Kijk, het past.' Hij glimlachte naar Frieda en ze voelde de neiging om zijn hand vast te pakken. Om erin te knijpen. Ze had niet nog meer wijn moeten drinken.

'Wat staat erop?'

Hij had zijn ogen nog steeds tot spleetjes geknepen en las toen: '{zie blz. 185 voor Arabische letters}'

'Kun je dat vertalen?'

'Want de vogels van de hemel zeggen het voort... en,' – hij haalde het vel papier bij zijn ogen weg en bracht het toen weer dichter naar zijn gezicht toe – 'en hun vleugels... en hun vleugels zullen de waarheid vertellen.' Hij kuchte en las het toen weer.

'Nee, "de waarheid" is niet helemaal goed. Het verhaal vertellen. Prediker tien vers twintig.'

Er werd met de brievenbus gerammeld en een stem riep: 'Fríé-ééééda.'

Tayeb stond op, geschrokken. 'O mijn god,' zei hij.

'Het is oké,' zei Frieda tegen Tayeb, wiens wenkbrauwen omhoogschoten. 'Ik weet wie het is.'

Voor de deur stond Nathaniel. Zijn boven- en onderlip leken niet goed op elkaar te passen en zijn kin zag er geprononceerder uit dan anders. Hij knipperde met zijn ogen vanwege het licht in de woonkamer, keek naar Frieda, daarna naar Tayeb, naar de mimeograaf, en daarna weer naar Tayeb. Hij wilde iets zeggen, maar hij kon ineens niet meer recht op zijn benen blijven staan en deed een greep naar voren om de deur vast te pakken, maar die zwaaide door naar achteren en wankelend ging Nathaniel hem achterna.

'Hola. Hou je roer recht, schat. Wie mag dat zijn?'

'Tayeb, dit is Nathaniel, Nathaniel, Tayeb. Het is een lang verhaal waarom we hier zijn, maar wees alsjeblieft voorzichtig, omdat dit allemaal niet van mij is.'

'Nou, het is wel een knus tafereeltje,' zei Nathaniel, die als een zoutzak in een leunstoel ging zitten terwijl hij met half dichtgeknepen ogen de kamer rond keek. Frieda had er onmiddellijk spijt van dat ze hem had laten komen; het was stom geweest om hem het adres te geven.

'Wordt dit huis ontruimd? Zit er dan nog iets goeds tussen? Goed genoeg om het te verpatsen?'

Tayeb stond op en legde zijn hand op zijn kin, keek naar Frieda alsof hij een teken van haar verwachtte. Toen ze hem dat niet gaf, zei hij: 'Sorry, maar...' Hij probeerde te glimlachen en liep naar de keuken.

'O nee, Tayeb, alsjeblieft, blijf hier.' Frieda keek naar hem, probeerde zich te verontschuldigen met haar gezichtsuitdrukking. 'Ik zal even koffie voor ons zetten.'

Ze had het een en ander in een draagtas meegenomen: thee, koffie, melk en brood. Ze begon koffie te zetten in de keuken en Nathaniel kwam achter haar aan, blies met zijn whiskykegel in haar nek en greep haar vast; hij draaide haar om en probeerde haar te kussen. Ze duwde hem weg.

'Kom op, schat. Ik heb het gedaan!'

Frieda gaf zijn gezicht een duwtje, bij het hare weg, en keek hem aan. Hij zag er oud uit. 'Wat verwacht je nou dat ik zeg? "Wel gefeliciteerd"?'

'Hou even op, Frieda, je hebt me jarenlang achter de broek gezeten om dit te doen.'

'Dat is niet waar.' De fluitketel gonsde.

'Weet je wat dat betekent?' Hij pakte haar hand vast en bracht hem naar zijn voorhoofd alsof zij de dokter was en hij de patiënt.

'Ik heb wel enig idee, ja.' Frieda trok haar hand weg.

'Dringt het wel tot je door dat het betekent dat we nu samen kunnen zijn? Fatsoenlijk.'

Het water kookte en Frieda probeerde voorbij de kracht van de stoom te luisteren, voorbij Nathaniels dronken, monotone stem, naar Tayeb. Hij maakte geen enkel geluid en voelde zich waarschijnlijk vreselijk opgelaten. 'En hoe zit het dan met de kinderen? Edward? Sam?'

'Ja, ik weet hoe mijn eigen kinderen heten, dank je. Je vergeet Tom.'

Ze draaide de deksel van de pot met oploskoffie en haalde het goudkleurige afsluitpapiertje woest met een lepel weg. 'Je weet wat ik bedoel.'

'Ze weten het nog niet. Ik zal het ze moeten vertellen, zal met ze moeten praten.' Er viel even een stilte terwijl Nathaniel in de keuken om zich heen keek. 'En wie is die knappe gozer trouwens?'

'Sssst,' zei Frieda terwijl ze hem een por gaf. 'Hij is een vriend.'

'Juist ja.' Een koekoeksklok aan de muur pingelde en een troosteloos uitziend vogeltje op een stokje bewoog zich een paar keer achter elkaar uit en in het deurtje. Nathaniel kuierde terug naar de woonkamer en Frieda was even bezig om kopjes op een blad te zetten, zich bewust van het gebrom van hun stemmen. Toen ze binnenkwam, stond Tayeb van verlegenheid in zijn handen te wrijven.

'We zijn net overeengekomen, niet waar, maat, dat je vriend hier 'm smeert zodat wij even lekker... de ruimte hebben.'

Frieda keek Nathaniel woedend aan. 'Wát?'

'Het is oké, Frieda. Ik pak alleen even mijn pukkel,' zei Tayeb. Hij glimlachte naar haar en begon naar de deur te lopen.

'Nee. Nathaniel, wie denk je wel dat je bent? Hij gaat nergens heen. Hij heeft op dit moment geen plek om te slapen.'

'Geen plek om te slapen? Dus je helpt hem? Wat aardig, zeg. Heb je hem soms in een pub opgedoken?'

'Hou je mond. Ik vind dat jíj weg moet gaan. We praten morgen wel verder.'

'Ik weg? Frieda, schat. Dit is een bijzondere avond, een hoogtepunt.'

Tayeb, die er bezorgd uitzag, boog zich naar haar toe. 'Echt, ik ga wel.'

'Nee, Tayeb, je blijft. Tayeb helpt me om al die spullen hier uit te zoeken, helpt me dit huis ondersteboven te keren, Nathaniel. Hij kan Arabisch lezen, hij... begrijpt het. Jij moet nu gaan, Nathaniel. Je bent dronken.'

'Luister, schat, als ik het morgen aan Margaret vertel, dan is het zover. Dan zullen we samen zijn.'

Frieda staarde hem aan. 'Hoe bedoel je, morgen? Heb je het haar dan niet verteld?'

Nathaniel stond te zwaaien op zijn benen. 'Dat is wat ik bedoel. Ja, ik bedoel dat ik het haar heb verteld. Maar morgen loopt het pas echt helemaal uit de klauwen.' Nathaniel draaide zich naar Tayeb om, zwaaide met zijn armen in een wijds gebaar alsof hij een collegezaal toesprak. 'Ik wil wedden dat je geen idee hebt hoe het is als je leven echt helemaal uit de klauwen loopt, hè?'

Tayeb glimlachte. 'Eerlijk gezegd wel.'

Nathaniel zag eruit alsof hij Tayeb een klap wilde geven. 'Wie ben jij? Heb jij kleine Frieda ergens opgepikt of zij jou? Verloren zielen die elkaar hebben gevonden?'

'Hou op, Nathaniel. Ga alsjeblieft.'

'Nou niet moeilijk doen, schat.'

Frieda liep bij hem weg en Tayeb stond met zijn rug tegen de muur aan zijn polsen te krabben. Ze pakte Irene Guys kiezelsteen en liet hem draaiend van de ene hand in de andere vallen. Op de avond dat haar moeder was vertrokken, ging haar vader naar bed; hij kwam er wekenlang niet meer uit. Frieda bracht hem iedere morgen thee en geroosterde boterhammen, omdat dat het enige was wat ze zonder problemen kon klaarmaken. Terwijl hij in bed lag, haalde ze een zak meel uit de kast en maakte lijm door het meel met water te mengen. Ze maakte ijverig kommen vol met de brijachtige, plakkerige substantie en smeerde het daarna op de achterkant van uit catalogi geknipte foto's van allerlei spullen waar ze immens naar verlangde: blikopeners, dekbedovertrekken, grasmaaimachines, tuinschuurtjes, nachtlampjes, schoenlepels, lampenkappen, snoeischaren, onderzettertjes, jaloezieën, gordijnen, boekenplanken, deurknoppen, lichtschakelaars, douchekoppen, kaplaarzen, bakjes voor ijsblokjes, citroenpersen, kerstboomverlichting, lavalampen, wc-rolhouders... Ze plakte die allemaal op de wanden van haar caravan en hield daar niet mee op tot de wanden helemaal bedekt waren. En hier in deze kamer met deze twee mannen, die ongeveer net zoals haar vader weigerden van hun plaats te komen, was daar weer dat gevoel van verwarring, alsof een deel van haar ergens op een stoep was achtergelaten.

TE OVERWINNEN MOEILIJKHEDEN. *Een moeilijkheid die men in het begin ervaart, is onzeker sturen en een onzeker oriëntatiegevoel.*

Een dame op de fiets in Kashgar – aantekeningen

12 juli

Haar gezicht hing scheef en haar mond was nat. De oorzaak was meer dan een beetje wijn, vermoedde ik. Lizzie en Ai-Lien sliepen. Ze moest haar best doen om rechtop op mijn kang te blijven zitten, stak een Hatamen op, zei even niets en begon toen aan haar preek: die planten, heb je die gezien, Eva? De smalle olijfwilg met de kleine zilveren blaadjes en goudgele bloemen? De mensen uit Turkestan associëren de geur van die bloemen met een verhaal over hun geboortegrond. Toen er in de achttiende eeuw krijgsgevangenen werden vervoerd van de omgeving van Kashgar naar Peking, was daar ook een mooi meisje uit Kashgar bij. Keizer Qianlong zag haar en hield op slag van haar. Hij gaf haar alles wat ze wilde, maar ze had heimwee. Hij bouwde een moskee voor haar, legde op het terrein van het paleis een Kashgaars landschap aan, en richtte uiteindelijk een paviljoen op dat de 'Naar-huis-starende-toren' werd genoemd.

Millicent blies haar rook over me heen. '"Waarom ben je niet gelukkig? Wat wil je dan nog meer?" vroeg de keizer haar en zij vertelde hem: "Ik mis de geur van de bomen met zilveren blaadjes en goudgele bloemen." Dus werden zijn mannen op pad gestuurd om wat van die bomen te oogsten. Ze werden naar Peking mee teruggenomen en daar geplant. Korte tijd was ze gelukkig omdat ze de geur van thuis rook, maar de bomen hielden het niet vol, ze gingen allemaal dood.'

Werd ik geacht te reageren? Voor het eerst bood ze me een Hatamen aan en ik nam hem aan. Ze stak hem voor me op en mijn mond vulde zich onmiddellijk met de vieze smaak.

'Ben jij je eigen Naar-huis-starende-toren aan het bouwen, Eva?'

'Ik snap niet wat je bedoelt.'

'In je paviljoentje, Eva. Ik heb gelezen wat je hebt opgeschreven: "Er kan alleen een aanvang met een echte bekering worden gemaakt als geheimen zijn blootgelegd."'

Ze had mijn boek gevonden! Het was moeilijk om rustig te blijven. Ik ging rechtop op de kang zitten en keek naar Lizzie, maar zij sliep al. Millicent straalde over haar hele gezicht een vreemde energie uit, alsof ze te veel gedachten had om te kunnen beteugelen, alsof de gedachten snel onder haar huid heen en weer schoten en elkaar verdrongen. Ik trok de deken omhoog, schatte in dat ze van Mr. Hatchett wist.

'Waarom lees je mijn aantekeningen? Die zijn privé.'

'Weet Lizzie van je eigen kleine geheimpje?'

'Wat voor geheimpje?'

Millicent haalde het papier bij het raam weg; buiten begon het licht te worden.

'Dat je niet gelooft.'

Ik hield de deken nog dichter tegen me aan om mezelf in bedwang te houden terwijl er regels uit dit boek in mijn hoofd opkwamen. 'Je hebt mijn privacy geschonden, Millicent.'

'Ze willen de baby terug, wist je dat?' Ze wierp even een blik op Ai-Lien. 'Je denkt toch niet dat ze van jou is? De plaatselijke bevolking wil haar terug.'

'Waarom? Ze vermoorden voortdurend meisjesbaby's. Waarom zouden ze haar dan willen hebben?'

Ai-Lien lag in diepe slaap in haar bedje, op haar buik met haar hoofdje opzij gedraaid, haar handpalmen omhoog aan beide zijden van haar lichaampje, de vingertjes uitgespreid. Ze snurkte lichtjes. Millicent heeft gelezen dat ik steeds meer van Ai-Lien ga houden en nu wil ze haar bij me weghalen – voor straf.

'Lolo heeft me dat verteld,' zei ze. 'Ze willen haar terug.'

Het idee dat Lolo met Millicent praat. Ik dacht eigenlijk dat hij dat niet deed. Het schoot me te binnen dat Lolo regelmatig het paviljoentje in en uit loopt.

'Millicent, wat Khadega betreft...'

'Arme Khadega, verdronken.'

'Ja, maar het is duidelijk dat Mohammed haar heeft vermoord. Ze heeft de familie te schande gemaakt. Door met ons om te gaan.'

Millicents ogen werden kleiner. 'Ze is verdronken.'

'Mr. Steyning denkt dat het gevaarlijk voor ons is om hier te blijven. Kunnen we niet onderhandelen over ons vertrek?'

'Ik zal ons verdedigen.' Ze stond op. Ai-Lien maakte ritselende geluiden, draaide haar hoofdje de andere kant op. Ik hurkte naast haar bedje neer, deels om te zien of ze genoeg was gedraaid om goed te kunnen ademen, deels om Millicents starende blik te ontwijken.

'Drie mannen dood vanwege ons, Ai-Liens jonge moeder en nu Khadega,' zei ik, maar wel pratend tegen de baby.

'Wat zei je?'

'Vader Don Carlo vertelde dat er op het festival drie mannen zijn gedood. Hij concludeerde dat de verspreiding van onze pamfletten iets te maken heeft met de toenemende spanningen.'

Haar ogen lachten me weg en ineens kon ik mijn woede niet meer inhouden. Zonder na te denken zei ik: 'Er mag misschien niet om Khadega worden getreurd. Niet worden gerouwd. En Lizzie mag dan monter rondlopen, alsof er een splinter uit haar voet is weggehaald, en jij maakt je nergens druk over, maar één ding weet ik wel, en dat is dat Khadega is vermoord vanwege ons – vanwege jou, Millicent.'

Millicent kwam ineens snel in beweging. Ze tilde de baby uit haar bedje, ruw, maakte haar wakker. Die arme Ai-Lien liet een zacht, slaperig gehuil horen. Millicent hield haar in haar armen vast alsof Ai-Lien een blok hout was dat naar binnen werd gedragen voor de open haard. Ik sprong van de kang af; Millicents gezichtsuitdrukking beviel me niet.

'"Efraïms heerlijkheid zal wegvliegen als het gevogelte: geen geboorte, geen moederschoot, en geen ontvangenis meer."' Ze zei het op een dreigende toon. Ik kende het citaat niet, noch wat het betekende. Ik wilde de baby terughebben. Haar gehuil werd luider.

'Millicent,' zei Lizzie, die wakker was geworden, 'wat doe je in hemelsnaam?'

Ai-Lien huilde nu uit volle borst, Millicent hield haar te stevig vast, en schudde. Ik liep op haar af, klaar om met haar te vechten, maar Millicent duwde Ai-Lien in mijn armen.

'Vergeet niet,' zei ze, 'dat ze niet jouw kind is. Je bent door je ontucht van je God weggelopen. Je zult lijden.' Ze liep de kamer uit.

Ik hield Ai-Lien tegen me aan, kuste haar en zong voor haar om het huilen te stoppen, om te zorgen dat ik zelf niet ging hui-

len. De kwetsbaarheid van Ai-Lien – wat heet, van alle baby's –
leek me ineens ondraaglijk: de weerloze lichaampjes, de huid, de
breekbare botjes. Ik zou haar zomaar even iets te lang in de zon
kunnen laten liggen en ze zou doodgaan. Door mijn woede, uit
naam van Ai-Lien, trilden mijn handen. Ik deed mijn ogen dicht
om mijn zelfbeheersing niet te verliezen.

Daarna keek ik naar Lizzie. 'Millicent vervult voor jou de stem
van het gezag,' zei ik. Ik gloeide helemaal en mijn oren tuitten
van kwaadheid.

Lizzie stopte haar haren achter haar oren en zag eruit alsof ze
in de war was. 'Wat bedoel je?' vroeg ze.

Ik wilde haar vragen: Waarom gehoorzaam je haar? Maar in
plaats daarvan zei ik: 'Wat citeerde ze eigenlijk?'

Lizzie dacht even na. 'Hosea, denk ik.'

Het kostte me een paar minuten om Ai-Lien stil te krijgen.
Millicent is sindsdien verdwenen. Ik weet niet waar ze is. Vanmiddag heb ik Hosea opgezocht. Ik ken het niet goed. Haar
citaat komt uit een wrede, venijnige passage over wraak voor
verraad. Ik zal het hier helemaal opschrijven:

*Ja, al brengen zij zonen groot, Ik zal hen kinderloos maken,
zodat er geen mens meer zijn zal. Ja, ook wee hun, wanneer
Ik van hen wijk. Efraïm, zoals Ik het gezien had, was als
Tyrus, geplant in een landouw; maar nu moet Efraïm zijn
zonen uitleveren aan de moordenaar. Geef hun, HERE, wat
Gij maar wilt: geef hun een kinderloze schoot en verdroogde
borsten. Al hun boosheid is in Gilgal, daar heb Ik ze dan
ook gehaat; wegens hun boze handelingen zal Ik ze uit mijn
huis verdrijven. Ik zal ze niet meer liefhebben: al hun vor-
sten zijn opstandelingen. Efraïm is geslagen, hun wortel is
verdord; vrucht zullen zij niet zetten. Wanneer zij nog kin-*

deren zouden voortbrengen, zal Ik de lievelingen van hun schoot doden. Mijn God zal hen verwerpen, omdat zij naar Hem niet geluisterd hebben; en zij zullen dolende zijn onder de volken.

Hosea 9

Londen, heden

Norwood

Ze was in de badkamer. Tayeb kon haar horen huilen en hij
wist niet of hij iets moest doen of niet. Hij had vrij weinig
ervaring met vrouwen. In Sana'a had hij één vriendin gehad, een
Franse doctoraalstudente die Arabisch studeerde. Haar naam
was Sandrine. Ze had ooit tegen hem gezegd: 'Voel je niets als ik
huil?' en hij had haar eerlijk geantwoord: 'Nee.' Ze had iets on-
oprechts over zich. Ze was zo verliefd op Jemen, zo verliefd op
hem, een echte, authentieke Jemenitische man, helemaal alleen
van haar. Door haar begreep hij dat sommige Europese vrouwen
Arabische mannen verzamelden als edelstenen. Omdat ze een
buitenlandse was, kon ze zich relatief vrij door de stad bewegen
en ze was er heel bedreven in om geen aandacht te trekken. Ze
woonde in een Europese compound en betaalde de taxi om hem
langs de slagbomen binnen te smokkelen.

'Dat wordt cultureel toerisme genoemd, de kick die het je

geeft om mij hierheen te halen,' had hij een keer tegen haar gezegd.

'Zou kunnen.'

Ze was seksueel nogal vrijpostig, zo erg zelfs dat het hem choqueerde, maar tegelijkertijd was het ook opwindend. Een deel van haar spelletje was om erg weinig onder haar abaja aan te trekken, waarbij haar huid langs de zwarte stof streek. Ze vlijde zich in haar kamer neer, hem schokkend met haar naakte vel, zo nonchalant en oppervlakkig. Hij gaf haar dekens om haar lichaam te bedekken, maar ze kreeg het altijd voor elkaar om ze weer van zich af te laten vallen, en dan begon ze te huilen en verwachtte van hem dat hij haar troostte zonder uit te leggen waarom ze huilde, en dan deed hij zijn ogen dicht om zichzelf te beletten haar te slaan. Ze was zo rijk en vrij, ze had geen enkele reden om tranen te vergieten.

Maar nu was Tayeb verbaasd over zijn bezorgdheid om Frieda. Hij stond aan de andere kant van de badkamerdeur en luisterde. Zijn hand rustte op de deurknop, maar hij twijfelde of hij hem zou openen of niet.

'Frieda,' riep hij zachtjes, 'mag ik binnenkomen?' Het geluid van een lopende kraan klonk, waarna de deur openging. Haar gezicht had even een ander aanzien gekregen door verdriet en wijn, en haar ogen waren rood.

'Het spijt me heel erg dat dit allemaal is gebeurd,' zei ze.

'Ik weet wat Engelse meisjes nodig hebben als ze van slag zijn: thee.'

Ze glimlachte, hield de deurknop vast alsof die haar de allerbeste ondersteuning in het universum bood.

Tayeb kon niet wennen aan die smakeloze thee in zakjes. Hij dronk liever thee op zijn Jemenitisch: het water met suiker en kardemom koken voordat je de thee toevoegde en dat brouwsel in glazen schenken. Maar toch deed hij het nu op de luie Engelse manier die Anwar hem had geleerd: doe in elke mok een zakje, schenk het water over de zakjes, voeg een plens melk toe en roer tot je grijs afwaswater hebt. Hij nam de twee mokken mee naar Frieda. Ze was op de bank gaan liggen, op haar zij en met haar handen onder haar gezicht als een klein kind in gebed. Hij zette de mokken op de lage glazen salontafel en ging in een stoel tegenover haar zitten.

'Ik geloof niet dat ik nog in staat ben om naar huis te gaan,' zei ze. 'Ik blijf vannacht gewoon hier.'

'Neem jij het bed, ik ga wel op de bank liggen.'

'Oké.' Haar kleine, gladde gezicht was gevlekt en haar haren plakten tegen haar voorhoofd. Binnen een minuut was ze op de bank in slaap gevallen, zonder haar thee aan te raken. Ze begon te snurken, heel licht.

Tayeb stak een sigaret op en keek naar haar. Hij stond op, verplaatste zijn voeten zachtjes zodat hij haar niet wakker zou maken. Er zat een gat in een van zijn sokken en één teen stak er uit. Dat ontmoedigde hem. Hij liep door de kamer en het kwam in hem op dat hij wel wat van deze spullen kon verkopen. Hij had geld nodig; wat hij nog had, zou snel op zijn. Hij zou die Leica-camera kunnen pakken, nu, en zo de deur uit kunnen lopen en er een niet onwelkome bom duiten voor kunnen krijgen. De uil keek naar hem, maar op een afstandelijke manier, alsof hij mediteerde. Hij kon zelfs de uil verkopen. Hij moest op een rijtje zetten wat hij ging doen. Waar kon hij heen? Nikolai in Eastbourne? Delilah, de Spaanse chef-kok in Southwick? Hij had eigenlijk een baan en een huis nodig, hij moest weer als een oorwurm in de kieren van de stad verdwijnen. Hij zag zijn vader voor zich, thuis in zijn stoel na een maaltijd, qat kauwend. Tayeb herinnerde zich dat hij als kind met gekruiste benen voor hem op de grond zat, en niet kon geloven dat zijn vader zo goed in zijn vel zat dat hij zich waar dan ook kon ontspannen en rechtop zittend kon slapen.

Zijn vader had heel lang geleden gezegd: 'Niet doen, je zult er spijt van krijgen. Word wat anders. Geen filmer.' Hij was een man die van vogels leefde, die Tayeb alles zou kunnen leren wat hij maar over vogels wilde weten, maar Tayeb hield niet van de klauwen en de vleugels, of van de lastige manier waarop je vogels moest vasthouden. Jarenlang had Tayeb rokend in een rudimentaire montageruimte doorgebracht: in een achterafkamertje van een kantoor waar overdag klachten en procedures werden afgehandeld in verband met parkeervergunningen in het groeiende stadscentrum van Sana'a. 's Nachts werd het omgevormd tot een primitief maar functioneel filmbedrijf. Vanaf zijn achttiende werkte Tayeb aan de zijde van de grootste filmmaker van Sana'a, Salah Salem. Eerst bestond zijn taak vooral uit het halen van koffie en sigaretten voor Salah. Daarna werd hij tot boodschappenjongen bevorderd en mocht hij op jacht gaan naar gloeilampen, kabels, radio's en broodjes. Nadat hij dat een jaar had gedaan, stond Salah Tayeb eindelijk toe om naast hem te komen zitten en mee te kijken terwijl hij monteerde.

Urenlang doordraaien en terugspoelen, als twee knorrige djinns bewerkten ze Salahs opnames van de enorme vernietiging van qatoogsten en de dorre gebieden vol struikgewas in het noorden. Herkadrering. Cut. Herpositionering. Tayeb leerde de kunst van de eeuwigdurende reductie zodat het resultaat uiteindelijk nauwelijks meer iets met de oorspronkelijke opnames te maken had. De film werd gefinancierd door het ministerie van Informatie en Cultuur, dat zijn goedkeuring moest hechten aan de nationalistische, anti-Britse, antikoloniale boodschap die erin zat. De film werd naar de censors gestuurd voor een fiat en kwam vier

keer terug; iedere keer met aantekeningen en suggesties voor veranderingen. Salah gooide dan woedend zijn koffiekopjes in de
lucht, zodat hoofden en stoelen en apparatuur met de plakkerige
koffie werden bespat.

Uiteindelijk was de film klaar. Salah en de censors waren het
over een versie eens geworden en toen diende Tayeb zelf een ver-
zoekschrift bij het ministerie in. Na zijn lange leertijd was hij eindelijk aan de beurt. Een erecode die onder de filmmakers gold,
was dat als iemand de zeldzame subsidie kreeg toegewezen, hij de
andere filmers in dienst nam, en aldus werd Tayebs baas en men-
tor ineens zijn assistent. Verlegen gaf Tayeb hem opdrachten en
begon zich te verzetten tegen welke montageaanwijzing dan ook.
In strijd met alles wat hij over snijden en monteren had geleerd,
stopte hij zo veel mogelijk in zijn eigen, eerste film: slapende mannen op de stoepranden op de markt en de vernietiging van qat;
kalasjnikovs tegen de achterdeur en de smaak van brood. De melancholie in de ogen van moeders, de sfeer wanneer zijn zusjes op
straat speelden. Beelden van de gescheurde, dorstige, eeuwig uit-
breidende woestijn, de Palestijnse buurman, een neef met een gebroken hart van wie de vriendin een aanhangster van de Nieuwe
Islamisten was. Hij voegde beelden toe van stapels islamitische
boeken op de boekenbeurs, de Russische legerbases, de erfenis
van de Engelsen, de meeuwen van Aden en de letters op de muren.

Zijn film zou lang en indringend en boeiend worden. Met Salahs hulp bracht hij hem terug tot vier uur. Eerst was hij verontwaardigd over Salahs krachtige inmenging, maar geleidelijk aan
kreeg Tayeb meer vertrouwen in zichzelf en groeide zijn visie op
het geheel, en zag hij dat Salah hem meer begon te respecteren.
In weerwil van zichzelf maakte hij opnames van vogels. Hij probeerde het gevoel van vrijheid vast te leggen dat je ervaart wanneer je naar een vogel in de vlucht kijkt. Vogels brengen een bood-

schap over, wilde hij zeggen, maar het is aan ons om te leren die boodschap te ontcijferen. Was de uitvinding van het schrift, in China, ook niet ingegeven door de vlucht van kraanvogels?

De censors vonden de film anti-Jemen. Hij was te 'pan-Arabisch en te regionaal'. Hij kreeg een lijst met meer dan duizend veranderingen die hij moest verwerken. Zijn portret van het fervente religieuze meisje vonden ze verdacht; ze vroegen zich af of hij de spot met haar dreef? Gedurende dit hele proces liet hij zijn vader steeds meer achter zich. Elk uur in de montagekamer was een uur dat hij tussen hen in schoof, een grotere afstand. Salah verving zijn vader en andersom: zijn vader nam een tweede vrouw en kreeg samen met haar nog twee zoons; hij vergat Tayeb. Die andere zoons groeiden snel op en hielden de klauwen van de valken vast. Aan hen werd de traditionele kennis over de vogels doorgegeven. Zij kropen niet weg achter de moskee om de graffiti op de oude stadsmuren te fotograferen.

Eén keer beging Tayeb de fout om een droombeeld aan zijn vader te beschrijven. Hij deed dat in een taal waarvan hij dacht dat zijn vader die wel zou verstaan: ik wil als een vogel zijn, vader, en vliegen en alles vanuit de lucht bekijken. Zien hoe de wereld in elkaar zit en dat vastleggen en er vorm aan geven. Zijn vader zei daarna zo lang niets dat Tayeb dacht dat hij sliep, maar toen bolden zijn wangen op terwijl hij zijn qat kauwde, een beetje groen schuim op zijn lippen.

'Waarom word ik gestraft met kinderen die irrelevante keuzes maken? Je hebt een vrouw nodig. Kinderen. Voedsel. Een thuis. Later zul je wel zien dat je zonder die zaken verloren bent. Een thuis komt niet zomaar naar je toe, je zult dat moeten maken. Ervoor moeten werken. Plan je leven daaromheen.'

Het was om woedend van te worden dat hij zo vreselijk gelijk had gehad.

Echt de enige persoon die Tayeb nu misschien zou willen helpen, was Nikolai. Op de dag dat hij Eastbourne verliet, had zijn baas, Nikolai, met zijn Cypriotische glimlach tegen hem gezegd: 'Je moet echt weg, ik kan je hier niet meer hebben, maat. Ze controleren alle restaurants aan deze straat op illegalen.'

'Natuurlijk. Ik begrijp het.'

Hij besloot naar Eastbourne te gaan om Nikolai op te zoeken. Een andere keus had hij niet.

Het was benauwd in de slaapkamer. Tayeb keerde terug naar de woonkamer en zette de tv aan. Een weervrouw met een paardengebit had het over 'een onstuimige wind'. Hij kende dat woord niet, 'onstuimig'. In de grootste boekenkast vond hij een woordenboek dat zo zwaar was als een rotsblok. De pagina's waren dun en glad en het boek zag er duur uit. *Gekenmerkt door korte periodes van hevige wind of regen. Stormen of heftige beweging.* Terwijl hij bladerde, openbaarden de woorden zich aan hem, belangrijk in hun precisie, hun exacte plaats in de taal, hun specifieke karakter. Zijn ogen begonnen te tranen terwijl hij naar al die woorden keek.

Hij was moe. Hij was de gedachte zat dat hij op zoek moest naar een andere plek om te wonen; hij had schoon genoeg van deze tijdelijkheid; van het persen van een vreemde taal door zijn hoofd; van het zitten op kamers die van andere mensen waren. Overal om hem heen zaten mensen in hun eigen huizen hun buikje rond te eten, net als zijn vader. Tayeb had nooit zelf een huis gehad. In plaats daarvan alleen maar een serie gehuurde kamers voor een beperkte tijd, en hij was altijd alleen, liet gekrabbelde sporen op muren achter. Het putte hem uit, hij werd er ouder door. Maar hij was vooral zichzelf zat.

De paardengebitvrouw op de tv was klaar met het weer en

werd afgelost door een vals klinkende tune van een of andere quiz. Tayeb pakte de Leica weer en hield hem voorzichtig in zijn handpalm vast. Alleen al een camera vasthouden bezorgde hem pijn. Verlangen naar het verleden? Meer spijt. Het was beslist geen bewuste keus geweest om al die jaren camera's uit de weg te gaan, zichzelf niet toe te staan er zelfs ook maar één aan te raken. Tijdens de laatste film die hij had geschoten, stond hij op de kruising van de straten Zobairi en Shari' Ari 'Abdul Mughni een panoramashot te filmen. Terwijl hij filmde, was een Ford-busje – een van die kleine, witte, levensgevaarlijke vervoermiddelen – tegen de auto daarvoor gebotst. Het busje slipte en sloeg om. De kinderen, vrouwen en uitgeputte mannen die erin zaten, werden als bonen geplet.

Tayeb filmde het, alles, de gebarsten ramen, een meisje dat een oog kwijt was. Een politieagent schreeuwde naar hem dat hij moest ophoepelen en toen griste een andere politieagent zijn camera uit zijn handen en smeet die op de grond. Daarna stampte hij erop om zeker te weten dat het toestel was vernietigd. Zonder na te denken gaf Tayeb die agent een stomp, een vuurwerk-knal met zijn vuist in zijn gezicht.

Hij legde de Leica weer op tafel, voorzichtig. Het was zijn oudste broer geweest die tegen hem had gezegd: 'Je moet nu weg.'

Voor het eerst stond Tayeb zichzelf toe om goed naar Frieda's lichaam te kijken. Ze was mager, had korte benen. Haar gezicht zag er niet rustig uit, maar ook niet gekweld. Het was iets anders, bedroefd misschien? Hij nam aan dat haar haar heel zacht was om aan te raken. Ze zag er een beetje Spaans uit, een beetje Turks misschien wel, niet dat gespikkelde, vleeskleurige, grauw-witte van de meeste Engelse meisjes.

Toen zijn sigaret op was, ging hij in de leunstoel tegenover haar zitten. Die produceerde een puffend geluid, als een voorzichtig protest. Hij wist dat hij de camera niet zou stelen, of wat dan ook. Vanaf zijn plaats was het onmogelijk om niet op te merken dat een van Frieda's borsten boven op de andere rustte waardoor een gleufje was ontstaan. Bevrijd van schroom omdat ze er geen besef van had, liet hij zijn ogen de vormen van de borsten volgen, als vingers, en hij kon zien dat ze klein waren. Om zijn gedachten een andere kant op te sturen, haalde hij zijn potloden uit zijn pukkel. Eenzaamheid kon worden verzacht, zo had hij ontdekt, door te tekenen. Eerst een denkbeeldig rooster, bepaal de plaats van het hoofdobject midden op de pagina, gebruik dan het tweepuntsperspectief. Trek snel tegelijk verticale, horizontale en schuine lijnen – aarzel niet – breng ook variaties in de dikte van de lijnen aan. Kijk naar het licht: werk nauwgezet, wat zie je? Maar wat er uitkwam, waren welvende spiralen van lijnen: haar haar, haar wang, haar hals schuin weglopend. Hij keek op en zag dat de uil hem met de gele vogelogen van zijn vader aankeek. Schuldbewust haalde hij het roze dekbed uit de slaapkamer en legde het voorzichtig over Frieda's lichaam heen. Hij keerde terug naar het bed en ging plat op zijn rug liggen, geheel aangekleed; binnen een minuut sliep hij.

Tayeb had voor het ontbijt koffie gezet en zat aan de keukentafel toen ze binnenkwam. Hij was bezig iets op een vel papier te tekenen, een ingewikkeld netwerk rondom de woorden *kitab al-hayawan*. De geur van koffie was lekker. Frieda trok een stoel onder de tafel vandaan en ging zitten.

'Het spijt me ontzettend van gisteravond, mijn gehuil, Tayeb.' Ze zag er moe uit. Toen ze haar bril afzette en hem aankeek, zag hij dat haar ogen roodomrand waren en niet helemaal open leken te gaan.

'Ach nee, je hoeft je niet te verontschuldigen. Ik hoop alleen dat je goed hebt geslapen.' Hij gaf haar een kop koffie aan en schoof de suikerpot in haar richting.

Frieda schepte rustig twee lepeltjes suiker in de koffie en keek naar zijn tekening. 'Je bent heel goed,' zei ze.

'Op school heb ik een prijs gewonnen met kalligrafie.'

'Echt waar?'

Tayeb had de prijs mee naar huis genomen naar zijn vader en verkondigd dat hij van plan was meester-kalligrafeerder te worden. Zijn vader had hem gewoon genegeerd, maar enige tijd later, toen hij in de soek was, verstopte Tayeb zich in de buurt van het tekenschrijverswinkeltje, dat volgepropt stond met flessen en terpentijn en kwasten, en keek naar de mannen en hun leerlingen die de kalligrafietekens op papier zetten. Hun ruwheid bracht hem in de war; ze gedroegen zich niet zoals hij zich kunstenaars had voorgesteld.

Daarna had hij diep in de soek het winkeltje van een kalligraaf ontdekt. Een oude man, gebogen over zijn werk, zijn ruimte gevuld met koperen potten met bamboerietpennen, dierenhuiden en inktzwarte Arabische gom, vergruisd en ruikend naar rozenwater.

'Raar, hè?' zei ze.

'Wat?' Hij rookte een sigaret en keek uit het raam.

'Ik heb het gevoel alsof ik je al veel langer ken dan een dag.'

Hij draaide zich naar haar om, maar blies de rook de andere kant op. Hij had zitten denken aan de oude kalligraaf, de concentratie op diens gerimpelde gezicht terwijl hij het riet snel en vloeiend bewoog, zijn hand rustend op een stuk gazellenhuid. Tayeb had gedacht dat de oude man zich helemaal niet bewust van hem was, maar hij had zich plotseling opzij gedraaid, Tayeb aangekeken en gezegd: 'Maak dat je wegkomt! Je bent niet voorbestemd om een boodschapper te worden.'

'Ja, ik weet wat u bedoelt,' zei hij.

'Zijn we dan nu vrienden?' Frieda's rode wangen glimlachten naar hem.

'Ja.' Hij keek haar eindelijk recht aan. 'Hoewel ik niet geloof dat je vriend van gisteravond dat ziet zitten.'

'O, hij.' Frieda zuchtte. 'Ik wil hem nooit meer zien.' Ze nam een flinke slok van Tayebs koffie; hij was sterk, precies zoals zij het lekker vond. 'Het is me allemaal volstrekt duidelijk geworden. Alles is vanzelf weer op zijn pootjes terechtgekomen. Ik voel de destructiviteit uit me wegvloeien, dus weet ik dat het goed is...' Ze hield zichzelf in. 'God, wat klink ik aanstellerig.'

'Hoor eens, je mag praten waarover je maar wilt. Ik ben je zo dankbaar dat ik hier mag blijven.'

'Heb je al bedacht wat je gaat doen?'

'Nog niet precies.'

'Hmmm. Ik ook niet. Met dit huis. Ik denk dat ik aan het eind van de week tegen ze zeg dat het een vergissing moet zijn, of ik zeg helemaal niets en geef ze gewoon de sleutels terug. Dan mogen zij zich druk maken over al die spullen.'

'Trek je je handen er verder van af?' Hij keek haar aan.

'Ach. Het is niet van mij. Ja toch? Ik weet niet wat ik hier doe. Ik blijf maar tegen mezelf zeggen: wat doe ik hier?'

Tayeb lachte. 'Dat zeg ik ook tegen mezelf.'

'Misschien zou het Irene Guy niets hebben uitgemaakt dat we hier zitten.'

'Misschien niet.'

'Ik ga even naar de winkel om wat voor het ontbijt te kopen, en dan kun jij... dan kun jij...'

Hij glimlachte naar haar. 'Dan kan ik besluiten waar ik heen ga en wat ik ga doen.'

'Ik neem aan van wel, ja,' zei ze. 'Trouwens, wat moet ik voor de uil meenemen?' De uil begon een constante bron van zorg te worden, als een van het rechte pad afgedwaalde zoon die door Zuid-Amerika rondreisde. Die bezorgdheid was een vleugje verantwoordelijkheidsgevoel, nam ze aan. Ze zou het niet kunnen verdragen als het door haar niet goed zou gaan met de uil. 'Rauw vlees, denk ik zo?' zei ze terwijl ze naar de deur liep. Maar hij hield haar tegen.

'Moet je zien,' zei hij terwijl hij haar een foto aanreikte.

'Is dat een foto van Irene?' Ze pakte hem aan.

Hij haalde zijn schouders op. 'Ik heb hem in dit bijbeltje gevonden.'

Frieda keek naar de foto en hij weer naar de pagina in de bijbel waar hij naar had gekeken. Hij las de woorden hardop voor: '"Zijn mond is gladder dan boter, maar strijd is in zijn hart."'

De vrouw op de foto was geheel uitgedost in hippiekleren uit de jaren zeventig: een lange, wijde jurk met aan de bovenkant smokwerk, haar haren lang, dik en zwart en met een scheiding in het midden. Ze stond voor een caravan en keek met haar ogen half dichtgeknepen in de camera. Frieda draaide de foto om. Op de achterkant stond met potlood geschreven: *Golden Sands, zwanger van F, 1974.*

'Waar heb je die gevonden?' zei ze.

Tayeb hield het zwarte bijbeltje omhoog. 'Ik zat erin te lezen... op de wc,' zei hij, 'en toen viel die foto eruit.'

Hij las het citaat nog verder voor: '"Zijn woorden zijn zachter dan olie, maar het zijn ontblote klingen."'

Het was haar moeder, zwanger, met haar lange hippiehaar. Jaren zeventig-haar. Jaren zeventig-jurk. De bruine sepiatint een tijdspoor. Een enorme buik, en daarbinnenin... Frieda.

MOGELIJKHEDEN. *Er gebeurt altijd wel wat nieuws en de kans op een opwindende gebeurtenis is groot, want op een fietstochtje komt het zelden voor dat alles verloopt zoals u had verwacht of u zich had voorgenomen.*

Een dame op de fiets in Kashgar – aantekeningen

16 juli

Ik pakte Lolo's hand en trok hem naar de deur. 'Lolo, moet je kijken.' Ik liet hem de zwarte pilaar aan de horizon zien, slingerend en zich verplaatsend. De mond in zijn verweerde gezicht viel open en de lucht voelde vreemd aan, als ingehouden adem. 'Wat is dat?'

Het viel me op dat Lolo's lange witte baard er vuiler uitzag dan anders.

'*Buran,*' zei hij.

Millicent stond ineens achter ons in een behoorlijk belabberde toestand, en duwde me opzij. 'Hij bedoelt een zandstorm.'

Daarna vlogen we alle drie door het huis om van alles dicht te doen en van alles naar binnen te halen.

'Waar is Lizzie?'

Uiteraard was ze weg. Ik hield Ai-Lien stevig vast, stopte haar hoofdje onder mijn kin. Lolo klapte Rebekah tegen haar flanken en spoorde haar aan om in beweging te komen. De keuken ligt het diepst binnen in het huis, de enige ruimte die op geen enkele manier met de buitenwereld in verbinding staat; de deur komt uit op de divankamer en niet eens op de binnenplaats. Daar heb ik me vaak aan geërgerd als ik stikte van de hitte boven een prut- telende pan, maar nu kropen we bij elkaar in die kleine ruimte – een hongerige baby, een mopperende koe, een Tibetaanse kok, een kribbige, vrouwelijke missionaris en ik.

'Ik moet haar gaan halen.'

'Nee,' zei Millicent, 'het zou je dood betekenen. Blijf hier.'

'Maar dan gaat Lizzie dood!' schreeuwde ik. 'Ik moet haar echt gaan zoeken. Ik kan op de fiets gaan.'

'Jij gaat nergens heen.' En daarna zei ze alsof ze me als een kind wilde geruststellen: 'Ik weet zeker dat ze een hol of een rots- spleet vindt om in te schuilen.'

'Ik geloof er niks van. Ze draagt niet eens een sluier om zich- zelf tegen het stof te beschermen.'

Een mooie huilebalk ben ik niet. Mijn blauwe ogen zien er al snel bloedrood uit, mijn roze oogleden zwellen op, raken geïrri- teerd en zien er onooglijk uit, en het rood op mijn wangen loopt over in het rood van mijn haar. Millicent schreeuwde, maar ik kon niet horen wat ze zei omdat de storm ons al had bereikt en de lucht alleen nog maar uit zand bestond. Ook al zaten we ge- isoleerd in de meest beschutte kamer, het zand vond toch zijn weg naar binnen en in onze ogen, haren en monden. Ik boog me op mijn knieën helemaal naar voren om Ai-Lien zo veel moge- lijk beschutting te bieden in de holte onder mijn buik. Toen ik op- keek, kon ik even zien dat Lolo zich vastklampte aan Rebekah, die snoof en trapte en zich bang naar voren en naar achteren bewoog. Uren ging het zo door, geen windvlagen maar een on- ophoudelijke pressie. Ik lag opgerold op de grond en arme baby

Ai-Lien hield uiteindelijk op met haar gesnik en viel als een blok in een diepongelukkige slaap. Ik sliep zelf ook bijna, ondanks het lawaai.

Enige tijd later vertraagden de luchtbewegingen en nam de felheid van de storm af. Ik opende op een gegeven moment mijn ogen en zag dat Millicent op haar knieën zat te bidden. Ze was van top tot teen met zand bedekt, zelfs tot in haar haren en op haar gezicht. Daarna voelde de lucht niet meer magnetisch aan en hield het allemaal op.

18 juli

Lizzie wordt al twee dagen vermist. Millicent staat erop dat ik hier blijf, terwijl Lolo en een groep mannen de dorpen in de buurt en de als parels verspreid liggende huizen langs de droge rivierbedding afzoeken. Maar hier blijven is onverdraaglijk. Ik maak jam van het fruit uit de tuin om mijn zenuwen in bedwang te houden. Perzikenjam, pruimenjam, jujubejam. Ik heb een van Lolo's ongure loopjongetjes met vooruitstekende tanden naar de bazaar gestuurd om suiker te halen, en vanaf die tijd schil ik en ontpit ik, pluk ik, trek ik de harige velletjes eraf en pulk ik de zaden eruit. Een groot vat met gesuikerd vruchtvlees en sissend sap staat op de paraffinebrander te koken.

Ik ken mijn zusje beter dan wie dan ook hier. Wie zou beter dan ik kunnen inschatten achter welke boom ze misschien een schuilplaats heeft gezocht of in welke bouwval in de woestijn ze bescherming tegen de storm hoopte te vinden? O, maar mijn geest worstelt en is een warboel; herinneringen verdringen elkaar, herinneringen aan Lizzie en mij als kinderen in Saint-Omer, kruipend als muizen door de restanten van de oude vestingwerken in de *jardin public*. In onze oude Engelse familie komen heel veel excentrieke doordouwers en overlevers voor. Onze sterke wortels in Calais hebben ervoor gezorgd dat ze verscheurd zijn, met hun verstand in Frankrijk en hun hart in Engeland – of anders gezegd: ze voelen zich nergens thuis.

In elk geval werden ons genoeg familieverhalen verteld om het geloof kracht bij te zetten dat we een geslacht van taaihuidige, buitenissige figuren zijn. Terwijl ik maar door blijf gaan met het fijnsnijden van dat fruitige vlees denk ik aan kapitein Stanley en zijn katten; zijn voorouderlijke schaduw reikte zover terug als de Normandische verovering van Engeland in 1066. En ik denk aan een verre bloedverwant die een maîtresse van koning Louis Phillipe II ontvoerde en losgeld voor haar eiste. Onze familie is al meer dan tweehonderd jaar in oorlog met zichzelf omdat verschillende leden Spaanse, Franse en Engelse koningen hebben gediend en tussen katholieken en protestanten heen en weer zijn gehuppeld.

Waarom Lizzie, verdwaald in de woestijn, me aan deze vaandeldragers in de familie doet denken, weet ik niet. Het is alleen zo dat als ik aan ons denk terwijl we als smeerpoetsen oude familiegeschiedenissen naspeelden, het in me opkomt dat het centrale motief in onze spelletjes altijd dat van doordouwen en overleven was.

Geen nieuws. De manier waarop Lolo Ai-Lien oppakt alsof ze van hem is, irriteert me. En het eten dat hij op het ogenblik klaarmaakt is bedroevend. Alles is onuitstaanbaar. Ik snijd het bloedrode vlees van de pruimen in kleine blokjes en leg de pitten op een berg van bloederige doodshoofdjes.

Later betrapte ik Lolo erop dat hij de jongens toestond om onder Rebekah te zitten en melk van haar te drinken zoals een kalf zou doen. Met hun kleine gezichtjes omhoog zaten ze te zuigen, echt veel te veel. Ik nam Lolo onder handen, maar hoewel hij knikte en iets mompelde, zag ik ook zijn schaamteloosheid. Het is niet te geloven. Maar Millicent betaalt hem; ik zou dat niet moeten vergeten.

19 juli

Ze brachten haar helemaal onder het roze stof terug. Haar camera had ze in haar hand. Ik pakte haar arm en leidde haar langs Millicent, die opkeek van iets wat ze aan het lezen was. Haar lippen versmalden alsof ze van plan was wat te zeggen, maar ze zweeg en wendde haar hoofd af. In de kangkamer keek Lizzie alleen maar als een schuldbewust kind naar de grond. Ik probeerde haar camera uit haar hand te peuteren, maar ze wilde hem niet loslaten.

'Ik moet de film ontwikkelen.'

'Natuurlijk, schat.' Ik hield haar arm vast. 'Maar eerst moet je schoon worden en eten en slapen.'

Ik begon haar uit te kleden, alles stoffig en klam, en stukjes hout en steentjes vielen op de grond.

'Hoe was het? Kon je ergens schuilen?'

Ze deed haar ogen dicht, zei niets.

'Lizzie, heb je pijn?'

Ze bracht haar hand naar haar oor en hield haar hoofd schuin alsof ze er water uit liet weglopen. Op dat moment kuchte Lolo aan de andere kant van de kangkamerdeur, waaruit ik begreep dat het badwater klaar was. Ik hing een lange ochtendjas om Lizzie heen.

'Kom binnen.' Lolo schonk het water morsend in de gegalvaniseerde emmer die we als waskuip gebruiken – niet dat je erin kunt baden, je kunt alleen water over jezelf heen spetteren, meer dan wat zielig gepoedel is het niet. Stoom uit de emmer met opgewarmd water kringelde omhoog en verplaatste zich als rook door de kamer. Ik bedankte hem. Hij vertrok glimlachend en knikte naar Lizzie.

'Gansje, mijn kleine *oiseau*,' fluisterde ik. 'Ik zal je helpen je te wassen; daarna moet je wat slapen, je medicijnen innemen en dan zul je snel weer de oude zijn.'

Mijn zusje bleef lusteloos en onderdanig in haar ochtendjas staan toen ik de camera boven op Millicents hutkoffers zette, terugkeerde en haar een handdoek gaf. Ze doopte de handdoek in het hete water en begon haar gezicht af te boenen.

'Heb je ergens geschuild?'

'Nee, ik niet... Ik wilde in het hart van de wervelstorm foto's maken. Heb je die pilaar gezien?'

'Ja.'

'Ik stond naast een boom en toen kreeg ik een idee. Bij een omheining lag een stuk touw dat was gebruikt om de poort vast te binden, en toen ik die pilaar op me af zag komen, pakte ik het touw en bond mezelf vast aan een van de lage takken.'

'Dat meen je niet.'

'Ik bond mezelf vast aan een tak zodat als de storm de boom bereikte, ik niet alle kanten op zou worden geslingerd en ik mijn camera nog kon bedienen en foto's kon maken in het oog van de storm.'

'O, Lizzie.' Ik keek naar haar terwijl ze de handdoek zo vasthield dat het water in de emmer droop. 'Waarom?'

'Omdat Khadega nu dood is, vond ik dat ik haar toch minstens wat eer moest bewijzen.'

'Maar hoe kan het fotograferen van het oog van de storm een eerbewijs aan haar zijn?'

'Ik zocht naar... een middelpunt, voor haar.'

Ik kon er geen touw aan vastknopen. Dat is wat ik altijd zo frustrerend aan Lizzie vind: haar verwrongen ideeën. Ik wilde het liefst tegen haar uitvaren en schreeuwen: Maar je had een hekel aan Khadega! Maar ik hield mezelf in; wat zou zij of ik daarmee opschieten? Volgens mij drukt Khadega zwaar op ons geweten, maar niet op dat van Millicent. Het voelde benauwd in de kamer, bedompt.

'Waar zijn je medicijnen?' Ik stond op, keek rond in de kangkamer.

'Die zijn er niet.' Haar hoofd leek groot boven op haar mooie slanke lichaam.

'Pardon?'

'Ik heb ze weggegooid. Ze remmen me af.'

'Op wat voor manier remmen ze je af?' Geërgerd nam ik de handdoek van haar over, draaide haar om en trok haar ochtendjas uit. Water liep in stromen langs haar smalle rug, maar ze leek het nauwelijks op te merken.

'Op wat voor manier remmen ze je af, Lizzie-gansje?'

'De medicijnen remmen me af om met God te praten. Zonder die pillen kan ik rechtstreeks met Hem praten.'

'Spreekt hij tegen jou?'

'Ja.' Ze strekte haar nek. 'Samen met Millicent, in gebed.'

'Wat zegt Hij dan?'

'We hebben vragen voor Hem. Soms worden ze direct beantwoord en soms gebruikt Hij andere woorden, andere tekens.'

'Is Millicent daar meestal bij?'

'Ja. Ze is het ermee eens dat de communicatie zonder medicijnen duidelijker is. Ze heeft me altijd geholpen om Hem te bereiken. Nou ja, tot onlangs, of ik zou ook kunnen zeggen tot Khadega.'

Ik hield mijn adem in terwijl het water als regen op haar bleke huid viel. Ik liet het op haar haren druppelen en keek naar de blonde strengen die samenkleefden en in de war raakten terwijl ze nat werden.

'Maar Lizzie, je weet wat er gebeurt als je je medicijnen niet inneemt, je weet...'

Ze verschoof en keek over haar schouder naar me. 'Ik wist wel dat je het niet zou begrijpen. Ga weg.' Ze pakte de handdoek. 'Ik kan dit wel verder alleen af.'

Ik wist niet wat ik tegen mijn zusje moest zeggen. Dat gevoel dat we ooit hadden dat de wereld van ons was en dat we hem aankonden, hem konden veroveren en veranderen zoals wij het wilden, was verdwenen. Mijn warhoofdige, stoere zusje van vroeger was voor mijn neus in rook opgegaan en ik kon niet helder denken, was niet in staat haar bij me te houden.

Luister (tegen wie heb ik het? Tegen mezelf, neem ik aan), ik heb zojuist de steeds terugkerende droom over een vuurtoren midden in de woestijn begrepen. Het is vaders verhaal, maar ook het mijne. Bij de verhaaltjes voor het slapengaan, vertelde hij me dat mijn leven in Algiers was begonnen, dat ik werd geboren tijdens een zandstorm zo groot als Spanje, groot genoeg om een stad geheel te bedekken, als een vervloeking. Vader, een diplomaat, zei dat hij, nadat ik was geboren, op zoek ging naar een Franse dokter die in de Joodse wijk woonde, en dat hij zichzelf tegen het zand beschermde met een tulbanddoek die hij twee keer om zijn hoofd had gewikkeld. Hij was bang dat moeder dood zou gaan, of ik, of wij allebei. Hij liep in de wijk Mellah over stenen wenteltrappen, nauwelijks breed genoeg voor één persoon, en zocht in vele ondergrondse ruimtes, maar raakte al snel verdwaald. Het was zo warm dat zelfs de Franse ambtenaren in het Arabisch Departement de hele middag sliepen met hun stoffige laarzen boven op hun bureaus; en ondertussen kropen smokkelaars en handelaren onder het raam door, broekzakken en tassen uitpuilend van kif, huiden, messen en goud. Tegen de tijd dat hij met een medicijnman terugkwam, was mijn moeder buiten bewustzijn. Het duurde twee hele dagen voordat ze mijn vader weer aankeek en hem ook herkende. Met haar ogen kwam het ten slotte allemaal weer goed zodra de zandstorm was gaan liggen en de allochtone vroedvrouw, die mij in leven had gehouden, mij aan haar gaf, gewikkeld in een laken.

Daarna wilde hij weg uit Algiers. Het kostte weken onderhandelen, maar uiteindelijk kreeg hij toestemming om te verhuizen naar ons nieuwe huis, *La Phare du Cap Bougarou*. De vuurtoren van Bougarou. Mijn wiegje stond bij een raam, de lucht was zeefris. Mijn jonge oren stonden open voor het droeve geruis van de Middellandse Zee, alsof die eeuwig op zoek was naar een nog comfortabelere houding. Iedere nacht probeerde het lamplicht van de vuurtoren tot bij de schepen te reiken en 's morgens hield vader me tegen het glas van onze wachttoren, zwaaide met mijn arm naar het verre, ongelukkige Europa aan de overkant, waarvan de glorie al tanende was. Misschien heeft wonen in die vuurtoren mijn vader een zeldzame voldoening geschonken.

Hij hield van vuurtorens. Hij vertelde ons dat zijn Engelse gouvernante hem als jong jochie iedere week meenam naar het marktplein in Calais, waar ze dan in bewondering naar de nieuwe vuurtoren keken die de plaats van de oude wachttoren had ingenomen. Dat moet heel indrukwekkend zijn geweest, die vuurtoren die over de drukke markt regeerde, over de vissersboten die hun netten binnenhaalden, zijn signalen over het Kanaal zendend alsof hij zocht naar iets wat was zoekgeraakt.

Lizzie is in Calais geboren. Er volgde nog een baby die overleden is. Later, in Saint-Omer, kwam Nora. Nog later, in Genève,

lag ik vaak op mijn rug in het keurige Zwitserlandpark naar de
vinken en de mussen te luisteren, en voelde me nergens helemaal
thuis; en naast me lag mijn vriendin Vera, die sigaretten rookte
en het over het bolsjewisme, het anarchisme en het libertarisme
had. Onze fietsen lagen op de grond naast ons, de pedalen priem-
den in het groene gras. Daarna gingen we naar een 'thuis', naar
een Engeland dat niet op ons zat te wachten. Nu, na de grote afstand die we hebben afgelegd, na die enorm lange trein- en zee-
reizen, merk ik dat ik Lizzie niet goed kan plaatsen. Ze is als
licht, ze is als water.

25 juli

Vandaag vertelde Lolo me dat Rebekah geen melk meer geeft. Ik
weet zeker dat de melk stelende jongetjes daar meer van weten.
   'Maar waarom, Lolo?'
   'Ik weet het niet, memsahib.'
   'Alsjeblieft, noem me geen sahib.'
   Lolo is veranderd; hij glimlacht niet meer naar me, hij doet niet
eens alsof hij mijn orders opvolgt, hoewel hij wel voor Ai-Lien
zorgt. Hij laat duidelijk merken dat hij er is als hij zich door de
tuin en de kamers beweegt, en door de taalkloof die ons scheidt
is het onmogelijk om terloops het een en ander te weten komen.
Ik zou niet weten hoe ik de vragen zou moeten formuleren die
ik hem in onze primitieve mengelmoestaal wil stellen. Gefrustreerd liep ik hem achterna en wees naar de koe die er wanhopig
en droevig bij stond.
   'Waar is het kalf?'
   Hij haalde zijn schouders op, pulkend aan zijn tanden, en ik
was ervan overtuigd dat hij meer wist dan hij zei.

Ik legde mijn hand tegen zijn elleboog en keek hem in zijn ogen. 'Wat is er? Lolo, wat is er?'

Uiteindelijk veranderde zijn houding. 'Grijze dame slecht. Dood Mohammed dochter Khadega.'

'Lolo, ik begrijp je niet. Kom mee.' Ik nam hem mee om Lizzie met haar vaardige tong te zoeken. Ze stond in de keuken water te drinken.

'Lizzie, wil je Lolo alsjeblieft wat vragen stellen om erachter te komen wat hier aan de hand is?'

Na een paar minuten gebrekkig maar geanimeerd babbelen en zwaaien met armen, richtte ze zich tot mij.

'Hij denkt kennelijk, net zoals alle boodschappenjongetjes en de buren en de dorpelingen, dat de geest van Khadega een vloek over ons heeft uitgestort, uit wraak voor haar dood, en dat daarom Rebekah haar kalf is kwijtgeraakt en haar melk is opgedroogd.'

Ik staarde mijn zusje perplex aan, maar ze haalde alleen maar haar schouders op en dronk verder alsof wat ze zojuist had gezegd de gewoonste zaak van de wereld was. Ai-Lien begon te huilen. Ik liep weg om haar uit haar bedje te halen en Millicent te zoeken.

Zoals gebruikelijk verkeerde Millicent in het gezelschap van vader Don Carlo; ze waren enthousiast bezig met het opdrinken van zijn wijn. Kraaiend van plezier stonden ze over hun mimeograaf gebogen. Een poosje stond ik toe dat ze me uitlegden hoe het apparaat werkte en wat ze er allemaal mee konden bereiken.

'Mr. Steyning maakte er gewag van dat hij er ook zo een heeft, ja toch?'

'Inderdaad,' zei Millicent. 'Steyning heeft een drukpers, ietsje groter dan deze.'

Vader Don Carlo haalde een vulpen tevoorschijn, veegde de lekkende inkt eraf en schreef iets op in Arabisch schrift. Ik nam het doorzichtige vel papier van hem aan. Voor een beverige oude man was zijn handschrift opmerkelijk vast en zijn kalligrafie verbazingwekkend vaardig. Ik zei dat tegen hem en daarop glimlachte hij breed. Ik hield het vel om het later aan Lizzie te kunnen laten zien.

'Ik heb zowel Arabische als Chinese kalligrafie gestudeerd,' zei hij.

'Ik ben onder de indruk, vader. U bent een geleerd man. Millicent,' zei ik, 'ik zou graag even met je willen praten. Kan dat?'

Ze keek op. 'Natuurlijk.' Ze duwde de hefboom van het apparaat omhoog, liet haar vinger erlangs glijden, duwde hem daarna weer naar beneden.

'Het gaat over de dood van Khadega.'

Millicent keek weer op en wierp vader Don Carlo even een blik toe, haar hoofd bewoog nauwelijks.

'Ik hoop dat u het niet erg vindt dat ik u onderbreek, vader.'

'Nee hoor, helemaal niet.' Met zijn roodhuidige handen klopte hij tegen zijn ingevallen wangen.

'Er zijn mensen in de stad die ons verantwoordelijk houden voor haar dood, denk ik, en voor het veroorzaken van problemen in het algemeen.'

'Ach, kom nou.' Millicent had een neerbuigende uitdrukking op haar gezicht. 'Ze is verdronken. We waren niet eens in de buurt. Bovendien zijn er maar weinig mensen die echt weten wat onze band met haar was.'

'Rebekah geeft geen melk meer en ze denken allemaal dat Khadega een vloek over ons heeft uitgesproken.'

Millicent en Don Carlo staarden me allebei even aan, bijna zoals een kalf dat kan doen, en toen boog de pater zich naar voren en zei met glibberige lippen: 'Luister toch niet naar die oosterse waarzeggers, Eva.'

Ik wiegelde geagiteerd met mijn voet en schoof Ai-Lien omhoog tegen mijn schouder. Millicent stond naast de pater alsof ze zijn assistente was en zei:

'Nou ja, er moet wel iets aan de melksituatie worden gedaan. Voor Ai-Lien, zo niet voor onszelf.'

Het eigenaardige aan Don Carlo is dat hij je nooit recht aankijkt. Zijn ogen ontmoeten heel even de jouwe, maar dan schieten ze snel naar beneden en opzij, tenzij er wijn en voedsel in de buurt zijn, want dan valt hij gulzig aan, smakt en neemt en denkt niet aan wie er misschien ook nog iets zou willen eten. Ik houd niet van gulzigheid, vooral niet als die gepaard gaat met ogen die onophoudelijk in beweging zijn en geen redelijkheid blijven uitstralen tijdens de conversatie.

'Ik weet niet, Millicent, of Lizzie je dit ooit heeft verteld, en ik vertel het je nu in het volste vertrouwen omdat ik me zorgen om haar maak' – de pater begon ineens naarstig zijn papieren te bestuderen terwijl ik sprak – 'maar Lizzie heeft een ziekte. Die heeft ze al haar hele leven. Een dokter in Genève stelde uiteindelijk de diagnose, tot grote opluchting van mijn moeder. De ziekte kan in de hand gehouden worden met een ketogenisch dieet en haar medicijnen. Het gaat om een vorm van epilepsie. Ze durft het meestal niet aan andere mensen te vertellen.'

Millicent duwde geërgerd haar bril omhoog. 'Natuurlijk weet ik dat; Elizabeth heeft het er vaak over gehad.'

'O. Mooi,' sputterde ik. 'Het is beheersbaar. Wat erg helpt, is als ze voedsel krijgt dat rijk aan room en boter is, en stressvolle situaties vermijdt. Ik maak me ongerust dat het hier...'

Vader Don Carlo wreef over zijn baard. 'Ah, Lizzie, devote Lizzie, een fijngevoelige ziel. *Ella cammina con gli angeli.*'

Er viel even een stilte en toen zei ik: 'Lizzie heeft haar medicijnen niet ingenomen.'

Millicent duwde de hefboom van het apparaat naar beneden, snel, zodat het een geluid maakte als een sluis die plotseling vol water loopt. Haar neus glom. Ze keek naar beneden, naar het delicate handschrift van vader Don Carlo.

'De paden van hun loop kronkelen zich, zij gaan heen in de wildernis en raken verloren.'

'Ja, ja,' reageerde vader Don Carlo alsof ze midden in een theologisch debat zaten. 'Job,' zei hij terwijl hij zich tot mij wendde. 'De richtingen die we kiezen, de wegen zijn soms ondoorgrondelijk. In Samuel: *Gij hebt mij ruimte gegeven voor mijn schreden, en mijn enkels wankelden niet.'*

Ik was vastbesloten me niet van de wijs te laten brengen. 'Is het je opgevallen, Millicent, dat Lizzie nauwelijks eet? Dat ze haar medicijnen niet inneemt? Besef je wat de consequenties daarvan zijn?'

Millicent keek op, boos en uit haar evenwicht, als een half vertrapte kever.

'De meesten van ons zijn sterfelijk. De meesten van ons lopen op aarde rond met verankerde voeten die hen in bedwang houden, bekrompen, blind en strompelend. Zo zijn jij en ik, Evangeline,' ging ze door, 'maar sommigen van ons lopen op engelenvoeten, sommigen van ons kunnen vliegen als vogels.'

Vader Don Carlo's tanden waren bessenrood gevlekt zodat zijn glimlach er bedroevend akelig uitzag. Hij hield ons allebei angstvallig in de gaten.

Millicent vervolgde haar verhaal: 'Sommigen van ons die op de manier van vogels praten, zijn in staat om met God te praten. Moderne medicijnen houden daar niet altijd rekening mee en kunnen dat in de weg staan.'

Millicent wendde zich tot vader Don Carlo, wees naar de afschriften. Ik begreep dat ik geacht werd te vertrekken. Terwijl ik naar buiten liep, zei Millicent: 'Het verbaast me dat je die duivelse bijgelovigheden van de plaatselijke bevolking hier gelooft.'

Dus weet ik niet meer wat ik moet doen. Ik denk aan onze arme moeder. Ik heb de kangkamer afgezocht naar de verpakkingen medicijnen, maar ik kon niets vinden; ik weet niet of ze die echt heeft weggegooid of niet. En ondertussen hebben we geen melk, alleen maar spoken. Millicent en de pater zijn van plan om morgen de hele dag pamfletten uit te gaan delen. Ze willen ze geven aan de mensen die samenkomen bij de Id Kahmoskee.

Londen, heden

Norwood

Een foto kan dat doen, de tijd ongedaan maken.
In Irene Guys keuken zat een achterdeur, maar geen van beiden waren ze eerder op het idee gekomen om daar een kijkje achter te gaan nemen. De sleutel zat in het slot en Frieda ontdekte dat de deur uitkwam op een klein, omsloten binnenplaatsje dat duidelijk met veel zorg onderhouden was. Ze zag emmers vol bloemen, een victoriaans parkbankje en woekerende klimop aangemoedigd door de muren. Een middelgrote esdoorn stond in een in de zon gedroogde terracotta pot en verschillende rozenstruiken werden verleid de hoogte in te groeien langs ondersteunende bamboestokken. De klimop, en de stukken lei en stenen op de grond die hier en daar bedekt waren met natuurlijke mossen, gaven het gevoel van een ingesloten stukje wildernis, of een geheim heilig bos. Met de foto nog steeds in haar hand, ademde Frieda de drukkende

stadslucht in. Ze voelde druppeltjes van de nog aarzelende regen op haar hand.

Terwijl ze weer naar de foto keek, viel ze bijna letterlijk achterover. Familiefoto's zijn verwrongen tijdsbeelden, valdeuren naar het verleden, en ze was nog niet zover om haar moeder onder ogen te komen. Ondanks wanhopige pogingen om het niet te doen, werd ze meegesleept, helemaal terug naar het Isle of Sheppey, waar het zeewier eruitziet als dood haar en hondshaaien in visnetten verstrikt raken, terug naar de Frieda van veertien jaar: haar vader, die over de plastic tafel leunt, waardoor zijn overhemdmanchet in gemorste koffie hangt en die zegt: 'Hartelijk gefeliciteerd met je veertiende.' Twee borden patat, vegaworstjes en bonen, met een klap op de tafel gezet door een meisje met staalblauwe mascara. Ontbijt in het warenhuis is traditie, 'zo bijzonder', en het ontbijtende winkelpubliek zit om hen heen, allemaal afgezonderd aan hun eigen plastic-tafel-eilandje met hun eigen dienblad met eten. Arme Arthur achtergelaten in de auto, op de verlaten parkeerplaats, en Frieda die zonder te kijken weet dat hij zijn natte, zwarte neus tegen het raam drukt, in die hartverscheurende houding.

'Het regent altijd op je verjaardag.'

Frieda geeft geen antwoord, omdat ze aan haar moeder denkt, denkt dat dit is wat moeders doen die zijn verdwenen, of vervangmoeders: ze werpen een schaduw over je verjaardag, zorgen dat het regent, zorgen dat je zin krijgt om te huilen. Het restaurant zit vol verveelde oude mensen. Ze kan alle gesprekken onafhankelijk van elkaar maar ook tegelijkertijd horen, een ochtendorkest: deze thee is koud. Zo'n winderige dag. Wat een afschuwelijke kleur. Haar Karen heeft de kinderen bij de vader gedumpt. Ik haat die wind echt.

Frieda op haar zevende: haar favoriete boek is *In den beginne*

– *Scheppingsmysteries van over de hele wereld.* Hoewel dat niet helemaal was wat ze had gevraagd. In feite had ze specifiek om de Bijbel gevraagd (en niet een voor kinderen verklaarde versie), maar haar moeder had haar in plaats daarvan de *Scheppings-mysteries* gegeven, en zoiets gezegd als: 'Op deze manier kun je ze allemaal lezen, en als je nog steeds liever de Bijbel wilt hebben dan de Up-ani-shads, dan, nou ja, dan moeten we dat maar doen.'

Het boek was prachtig. Indiërs geloven in de bergleeuw, Nigerianen in de levensrivier. Er was een oude spin, een Vikinggod en de zeven dagen van de schepping, ondergronds levende mensen in Australië, de dans van het leven, de Japanse tweeling. Hieruit leerde Frieda dat ze ooit ergens was begonnen. Ze was geschapen en begonnen, had de naam Frieda gekregen omdat haar moeder dacht dat die 'vrijheid' betekende. Haar moeder in het caravan-keukentje, ze schept groene linzen op en zegt: 'Ik kan niet vrij zijn, maar jij misschien wel.' Sentimenteel gewauwel. Gewauwel. Gewauwel. Maar zoals Frieda ook weet, hoef je maar even de tijd te nemen en in een boek te kijken om te ontdekken dat Frieda 'vrede' betekent, niet 'vrijheid'. Maar waar was die vrede dan? Ze zou wat zorgvuldiger met namen hebben moeten omgaan.

Frieda op haar zevende: zittend in de tuin, naast de schommel. Vanuit het huis met tussenpozen het geluid van een laag, zacht ommmmm. Het werd de Kennis genoemd, met een hoofdletter K, en als je genoeg zaden at, genoeg satsangs deed, de hand van de Margarine aanraakte en je haar liet groeien, dan was je er, volgens Bill, de Arthurspecialist die samen met zijn vrouw Stacey in een caravan woonde. Ze hadden de Kennis veel langer dan Frieda's moeder en vader bestudeerd. Bill had de Margarine zelfs twee keer ontmoet.

'De Maharaji, Frie, niet de margarine. Goeroe Ma-ha-ra-ji.'

In de keuken hing een foto van de goeroe: zwart haar, Indiër, jong. Hij zag er niet uit als God, de duivel of Krishna, geen van hen. Hij zag er normaal uit, zoals Raj uit de winkel. Stacey, wier haar tot op haar billen kwam als het los hing, zei: 'Als je de hand van de Margarine hebt aangeraakt, dan krijg je de vaardigheden en als je die hebt gekregen, word je God.' Maar Stacey was volgens Frieda's vader een fantast en dus moeilijk op haar woord te geloven. Stacey bleef niet al te lang; ze ging naar Australië om over wijn en de agro-industrie te leren, maar Bill bleef en Frieda's moeder zei dat ze voor de huur wel een oplossing zouden vinden. Zijn vrouw en hij hadden een sab-ba-ti-cal genomen, van hun huwelijk.

'Ga iets doen, Frieda, laat ons even met rust.'

Frieda weer op haar veertiende verjaardag: ze schuift de fles HP-saus naar haar vader toe terwijl hij een sigaret opsteekt. Hij zuigt eraan en blaast de rook niet haar kant op, maar naar de andere mensen.

'Mooi is het buiten, hè?' zegt Frieda, om maar iets te zeggen. Sarcasme is niet aardig. Als hij glimlacht, ziet hij eruit alsof hij zichzelf pijn doet.

'Het spijt me dat ik niks beters voor je heb kunnen verzinnen voor je verjaardag.'

'Het is oké.' Soms ziet hij eruit alsof hij niet klein te krijgen is. Andere keren lijkt hij totaal in zichzelf gekeerd of alsof zijn binnenwereld open en bloot ligt.

'Frieda...'

O, o. Ze vlakt hem uit, wordt voor hem weer een tiener, alsof het een draaiboek is dat ze volgt. Ze wil het helemaal niet horen, die bekentenissen. Ze sluit haar oren voor hem, voor 'je hebt het aan mij te danken' en al die blikken die smeken om bevestiging. Vooral omdat hij, sinds kerst dit jaar, regelmatig 's avonds haar kamer in komt, dronken, slingerend rondloopt, haar boeken om-gooit, overal op leunt, ook op haar wereldbol van papier-maché en hem kapotmaakt. Eén keer (en ze gelooft niet dat hij zich dat nog kan herinneren) heeft hij aan het voeteinde van het bed zijn broek losgemaakt en gepist: een lange straal urine die helemaal tot aan haar bureautje kwam en de metalen prullenbak op de grond raakte. Ze wil niet meer horen: 'Frieda, vergeef me dat je moeder vanwege mij is weggegaan,' alsof zij een rechter is die hem zijn schuld kan kwijtschelden of hem kan redden.

Om de zeven jaar worden alle cellen in ons lichaam vernieuwd. Daar bestaat een gedicht over, maar ze kan zich niet meer herinneren wie het heeft gemaakt. Dat betekent dat we iedere zeven jaar een nieuw individu zijn en de zeven-jaar-oude-Frieda is verdwenen. Op een nacht, toen die allang verdwenen zeven-jaar-oude-Frieda diep onder de dekens lag, klonk het zich lang ontrollende geluid van haar vaders stem door de vloerplanken heen en liet haar ontsnappen uit een droom waarin ze in het nauw gedreven in een deel van de tuin stond en haar werd verteld dat ze daar voor altijd moest blijven. Zijn stem klonk boos. En Bill, de Arthurspecialist, was er ook. Ze waren er allemaal bij.

Frieda's moeder schreeuwde: 'Wat kan jou het schelen, ik dacht dat we allemaal voor de vrije liefde waren, ja toch?'

Haar vader schreeuwde terug: 'Het zou wel fatsoenlijk van je zijn geweest als je me dat even had laten weten.'

De stemmen vermengden zich met het geluid van de in de wind bewegende bomen buiten totdat het als één geluid klonk, als een geluidscaleidoscoop. Frieda rolde zich op tegen de muur en viel in slaap alsof de muur en zij één geheel waren. De volgende dag leken alle ruziënde stemmen te zijn verdwenen.

Er zijn bepaalde dingen die Frieda zich over haar moeder zou herinneren – als ze daarvoor zou kiezen. Bijvoorbeeld dat ze

over de stenen in de getijdenpoeltjes op haar af loopt, de zon
glanzend in haar zwarte haar waardoor het bruinrood lijkt, en
schreeuwt: 'Hallo, boekenwurmpje.' Of in de keuken terwijl ze
zingt: 'Vandaag maak ik een heet boletensoepie de la poepie. Jij
ook wat?' Of Frieda, achter haar lopend op het strand terwijl ze
haar kleine voeten in de voetafdrukken van haar moeder in het
zand zet: de ene platvoet gevolgd door een andere platvoet. Val
niet, blijf in een perfect rechte lijn lopen. Frieda zet haar voeten
steviger neer. Ik ben hier. Ik ben hier. Tenen, voetholtes, hielen,
diep in het koude zand geduwd, maar altijd onmiddellijk uiteen-
vloeiend, geen spoor achterlatend. Boterhammen. Bij de lunch
waren er alfalfa- en tofoeboterhammen. Al-fal-fa, stro-ga-noff.
Helemaal terug naar haar moeders boterhammen, alfalfa en honing, nootmuskaat en cottagecheese. Handjes vasthoudend.

Het gekraak van een deur en daar staat Tayeb achter haar.
Even weet Frieda niet wie hij is: hij is een Arabische man en hij
kijkt naar haar, ogen groot en bruin en op haar gevestigd, dan
een frons op zijn gezicht. Waar is ze? Het contact met de werkelijkheid is verdwenen, het touwtje van de ballon is eindelijk door-
gesneden, en hup, daar stijgt ze op.

'Hé, ik had helemaal niet in de gaten dat dit hier was,' zei hij.

'Ik weet het,' was Frieda's reactie. 'Het ziet eruit of ze er heel
goed voor zorgde.'

Hij knikte, en boog zich naar voren om aan de gele rozen te
ruiken.

Een dame op de fiets in Kashgar – aantekeningen

24 juli

Er is iets met Elizabeth gebeurd. Ze is in de kangkamer en Millicent wil me niet binnenlaten, beweert dat ze iets besmettelijks heeft opgelopen.

Lolo beschreef het als volgt: 'Ze was helemaal gééék, memsahib, ze was in de tuin en deed toen dit...' Hij legde zijn handen tegen zijn hoofd en begon als een idioot rond te tollen.

'Wat bedoel je, Lolo? Wat deed ze?'

Hij deed het nog een keer, zijn handen grepen zijn eigen hoofd vast en hij draaide als een derwisj in het rond.

O, ze had een van haar aanvallen gehad. Ik duwde hem opzij en rende naar Millicent, die in de werkkamer zat te bidden.

'Millicent,' zei ik, haar gebed verstorend.

Geschrokken draaide ze haar hoofd om, maar toen ze naar me keek, waren haar ogen rustig. 'Evangeline,' zei ze, 'je zus heeft een infectie opgelopen, je mag niet naar binnen.'

'Het is geen infectie, Millicent. We moeten een paar maatregelen nemen. We hebben een dokter uit Urumqi nodig. En wat het allerbelangrijkste is: ze moet haar medicijnen innemen. Wat heb je met de doos gedaan?'

Millicent zuchtte. 'Ze heeft iets besmettelijks en moet in quarantaine worden gehouden. Eva, laat het aan mij over, ze is er het meest bij gebaat als je doorgaat met het bestieren van het huishouden.'

'Maar Millicent, ze is mijn zusje, ik moet haar zien.'

'Nee.'

'Het moet. Als ze echt ziek is, moet ik onze moeder op de hoogte brengen.'

'Nee.' Millicent kwam langzaam overeind, met krakende knieën, en keek me recht in de ogen.

Ik deed een stap opzij om langs haar te kunnen lopen, naar de kangkamer, maar toen ik dat deed, pakte ze met haar magere, verbazingwekkend sterke hand mijn pols vast. Ze hield hem erg stevig vast. Toen gebeurde er iets eigenaardigs. Ze verslapte haar greep, een beetje, en liet haar duim langzaam over het paarse spoor van een van mijn aderen glijden, en toen was het alsof ze me had gedrogeerd. Ik zei niets, stond er als een zielig hoopje bij, keek haar aan.

Ineens hoorde ik Lizzie roepen. Ik trok mijn pols los en stond op het punt om de kangkamer in te rennen toen Millicent haar gezicht heel dicht bij het mijne bracht. Haar bril was zo smerig dat ze er vast niet goed doorheen kon kijken. Ik boog me naar achteren, weg bij haar, tot ik iets nats voelde: haar speeksel op mijn gezicht.

'Millicent. Jij...' Haar mond was strak gespannen, haar lippen met witte randen waren zo dun geworden dat ze bijna waren verdwenen.

'Elizabeth wordt verteerd door een koorts, Satan heeft haar in hoogsteigen persoon te pakken gekregen. Je mag haar niet aanraken.' Ze liep weg.

De deur zat op slot. Het was nog nooit tot me doorgedrongen dat er van alle kamers sleutels waren, maar dat is dus toch zo. Ik heb gezien dat Millicent water mee naar binnen neemt, maar geen voedsel. Ik zou een gat in de papieren ramen kunnen maken, maar ze zijn te klein voor me om erdoorheen te kruipen en ik kan er ook niets doorheen aan Lizzie aanreiken, omdat Millicent daar voortdurend rondhangt. Ik heb Lolo uitgehoord, maar Millicent heeft hem niet gevraagd iets voor Lizzie klaar te maken.

25 juli

Ik ben door Kashgar naar het hoofdpostkantoor in de Chinese wijk van de stad gefietst en heb, zonder dat Millicent het weet, een telegram aan Mr. Steyning gestuurd waarin ik hem om hulp vraag.

28 juli

Ik legde Ai-Lien op de grond in de divankamer om haar te gaan verzorgen en keek om me heen of ik Lolo ergens zag zodat hij ons wat te drinken kon brengen.

'Je zult hem niet vinden.' Millicent stond achter ons, haar bril nog steeds smerig. In haar Chinese jak zitten een paar kleine scheurtjes die ze nog steeds niet heeft gerepareerd.

'Waar is hij?' Het kwam ineens bij me op dat de boodschappenjongetjes ook nergens te bekennen waren.

'Ze zijn allemaal weg.'

Millicent keek van boven op me neer, haar ogen klein alsof ze
tot rode geïrriteerde plekken achter haar bril waren gereduceerd.

'Ik heb een boodschap van vader Don Carlo gekregen,' ging ze
verder. 'Hij probeert voor ons te bemiddelen. De rechtbank eist
nu geld. Ze zeggen dat de uitkomst van het proces anders de
doodstraf zal zijn.'

'De doodstraf?'

'Ja, voor mij. Misschien ook voor jou.' De kwaliteit van het
middaglicht was vreemd, alsof die haar huid met geweld be-
dreigde, de jaren in haar daardoor naar de oppervlakte dreven.

'Kunnen we geen telegram zenden waarin we om geld vragen?'

'De missie heeft geweigerd het te geven, maar Mr. Steyning
heeft beloofd ons te helpen. Ik heb niets meer van hem gehoord.'

Ik vertelde niets over mijn telegram naar hem dat ik met mijn
laatste beetje eigen geld had betaald.

'Ik heb vader Don Carlo opdracht gegeven om hun de baby
aan te bieden, als een tegengeschenk waarmee ze kunnen doen
wat ze willen. Ik zal mezelf in de rechtbank verdedigen.' Ze keek
naar Ai-Lien, die naakt op de grond lag te trappelen met haar
beentjes in de lucht. Ik pakte Ai-Liens voetje vast en kneep erin,
concentreerde me om te zorgen dat Millicent zo min mogelijk
van mijn gezicht kon aflezen.

'Kom mee.' Ze rolde met haar ogen, duwde erop met haar duimen, en liep naar de deur die naar de binnenplaats leidt.

Ik pakte Ai-Lien op en ging haar achterna, liet Ai-Lien me vasthouden met die verbazingwekkend sterke greep die baby's hebben, een instinct dat belet dat ze alleen worden achtergelaten.

De grond van de binnenplaats flakkerde door de schaduwen

van de vijgenboom en de rozen, en de heldere middagzon vocht om ruimte om te verbranden. Tot mijn verbazing zag ik dat Millicent Ai-Liens bedje naast de fontein op de grond had gezet en met rode linten had versierd.

'Ze willen haar hebben,' zei ze knikkend naar het bedje. Het was duidelijk dat dit een vooraf geplande vertoning was.

'Wie?'

'De plaatselijke bevolking daarbuiten. We moeten haar teruggeven.'

'Ze geven helemaal niets om Ai-Lien,' zei ik. 'De oorzaak van de problemen zijn die pamfletten die je hebt verspreid, het heeft niets met de baby te maken.'

Het was duidelijk aan haar gezicht te zien – aan de gêne – en aan die lelijke ader in haar nek, dat ze uit haar evenwicht was, en deze keer niet van de wijn. Ik moest voorzichtig zijn. Lizzie en ik zijn kwetsbaar, evenals de baby. Het is alsof de dunste stukjes huid van ons blootliggen, onze polsen en onze nekken en onze slapen, allemaal voor Millicent om er een mes in te zetten.

'Ze hebben een soort grote pop gemaakt,' zei ze. 'Van mij. Hij hing in de hoofdstraat.'

'Hoe weet je dat die jou moest voorstellen?'

'Het haar was grijs. Van geitenhaar gemaakt, denk ik. De pop hing aan een stuk touw aan de tamariskboom net buiten de poort. Het was de bedoeling dat ik hem zou ontdekken.'

'Belachelijk, Millicent. Je verbeeldt het je, waarom zouden ze dat doen?'

Millicent staarde alleen maar omhoog naar de hemel en blies rook uit die zich niet verspreidde. Ik trok Ai-Lien naar me toe, veilig dicht tegen me aan, en zonder wat te zeggen pakte ik het bedje met zijn versiering van rode linten op en bracht het terug.

Ze laat me nog steeds niet dicht bij Lizzie komen. Ik moet rustig blijven en wachten op een antwoordtelegram van Mr. Steyning. Ik weet niet wat ik moet doen. Ik wil Ai-Lien niet te slapen leggen.

Londen, heden

Norwood

Ze zat op een keukenstoel met het licht als een heldere vlek om haar voeten, haar gezicht in de schaduw. Tayeb was verbaasd over de kracht van zijn verlangen om haar eten te geven, maar geen fish-and-chips. Op de keukentafel lagen stapeltjes papieren, het bijbeltje dat hij had gevonden, twee boeken, de foto en een dik, zwart aantekenboek, waarin Frieda zat te lezen. Hij aarzelde bij de deur. Hij had geprobeerd zich nuttig te maken door één grote stapel te maken van alle tijdschriften en oude kranten in de woonkamer, voorwerpen uit kasten te halen die interessant leken, of in een zwarte vuilniszak te stoppen als ze overduidelijk waardeloos waren.

Ze zat dat aantekenboek met een intense concentratie te lezen. Hij kon de botten van haar hoofd onder haar huid zien en de lijn van haar kaak. Onder haar ogen zaten zwarte vlekjes. Naar zijn smaak was ze te mager. Hij liep de keuken in, maar ze keek niet op. Zonder iets te zeggen, begon hij te onderzoeken wat er gekookt zou kunnen worden. In de kastjes stonden kruidenpotjes, peperkorrels, karwij, kardemom, kurkuma en zelfs saffraan. Koken zou hem kalmeren, hem helpen bij de kortstondige maar regelmatig opkomende jeuk op zijn rug en armen. Terwijl hij kookte, zou hij een plan kunnen bedenken en uitwerken.

'Zal ik iets klaarmaken?' zei hij, terwijl hij aan zijn snor draaide. Ze keek van het aantekenboek naar hem op. 'Wil je dat?'

Hij knikte. Het was elf uur 's morgens. Hij had geen trek, maar hij wilde iets maken dat luxueus smaakte, iets geraffineerds. Tayeb liet zijn vingers langs de kruiden glijden. Ja. Er was genoeg om iets goeds te maken. Hij zou haar het verrukkelijkste voorzetten dat hij kon bedenken, *akwa,* als hij zich kon herinneren hoe je dat moest klaarmaken.

'Is hier ergens in de buurt een slager?' Zijn stem kwam met te veel kracht naar buiten voor de stille sfeer in dit vreemde huis, maar Frieda leek er niet door verstoord. Hij had moeite haar te doorgronden en hij begon zich af te vragen of ze wilde dat hij vertrok, of ze zich misschien ergerde aan zijn aanwezigheid; maar misschien was ze wel meer bezig met die dronken man van gisteravond – haar vriend, nam hij aan. Toch leek ze eigenlijk vooral geïnteresseerd in het aantekenboek.

'Dat zal wel.' Ze glimlachte naar hem.

Het was goed om een doel te hebben.

Bij de bushalte stond een lange rij ongelukkig ogende mensen heen en weer te schuifelen om uit de regen te blijven. De meeste winkels in het winkelcentrum waren dichtgetimmerd, en eerst zag hij alleen een *7-Eleven* waar ze hoogstwaarschijnlijk niet verkochten wat hij wilde hebben. Maar toen hij in de regen doorliep, zag hij ineens een rood uithangbord: KWALITEITSSLAGER.

Ze hadden het, ossenstaart. Ze hakten hem zelfs voor hem in stukken en hij was niet eens zo duur.

Hij kookte terwijl Frieda las, zo nu en dan even ophoudend om thee te zetten of een sigaret te roken. Hij haalde een kasserol uit een kast. Hij bracht de ossenstaart aan de kook. Hij voegde kruiden toe, daarna tomaten en uien. Hij deed de deksel erop en liet hem staan.

'Drie uur,' zei hij.

'Wauw. Dat moet lang pruttelen.'

'O, dat is pas de eerste fase.'

'Echt waar?'

'Ja, daarna haal ik de deksel eraf en dan moet het nog vijf uur opstaan, of misschien wel zes uur.'

Tayeb keek naar de koekoeksklok. 'Tegen negen uur is het klaar.'

De geur van het pruttelende vlees bracht het huis tot leven. Door het openen van de kruidenpotjes en het opwarmen van haar pannen was het alsof Tayeb de oude dame met voodoo weer tot leven had gewekt. Hij voelde haar om zich heen, dacht te voelen dat ze haar goedkeuring gaf.

Hij vond het prettig om met zijn handen bezig te zijn. In de kast stond een prachtige fijne rijst die hij bij het vlees wilde serveren. In een keuken staan – of preciezer gezegd, koken voor iemand anders dan alleen voor hemzelf – deed hem denken aan de smaak van *hurs* en *tawa*, en hij merkte dat hij die broodsoorten uit zijn jeugd er eigenlijk bij wilde hebben.

Frieda keek op, snoof de lucht op en glimlachte. 'Dit is ongelofelijk.' Ze zwaaide met het dikke zwarte aantekenboek naar hem.

'Wat lees je?'

Frieda rechtte haar rug, hield het boekje ongeveer vijftien centimeter voor haar gezicht, bladerde snel naar het begin en las hardop: '*Een dame op de fiets in Kashgar – aantekeningen.* Het is een dagboek of zoiets van iemand,' zei ze. 'Van een vrouwelijke missionaris.'

'O? Die mevrouw Irene?'

'Nee, het kan niet van haar zijn, het is uit 1923... Ze kan toen nog niet oud genoeg zijn geweest om dit dagboek te schrijven.'

Ze las hem gedeeltes voor terwijl hij kookte:

Zo langzamerhand begin ik grip te krijgen op de ritmiek van deze herberg. Wij met z'n drieën, Millicent, Lizzie en ik – nou ja, met z'n vieren als ik de baby meetel – slapen samen op een kamer waarin de kangs als doodskisten in een rij staan opgesteld.

Tegen de tijd dat het eten klaar was, 's avonds laat, had hij een ontzettende trek, en het was een genoegen om haar te zien eten. Ondanks haar magere figuur en kennelijke gebrek aan belangstelling voor voedsel, liet ze het zich uitstekend smaken. Tayeb kon zien dat ze van de volle smaak van het vlees genoot.

'Tayeb,' zei ze terwijl ze tegenover elkaar aan de keukentafel zaten, 'dit is de verrukkelijkste maaltijd die ik ooit heb gegeten.'

O, wat was hij blij, maar hij liet het niet merken. 'Ik geloof er niks van.'

Ze stopte haar haar achter haar oren en duwde haar bril omhoog. 'Ja, echt waar! Ik verzeker het je. Het vocht in deze stoofpot is goddelijk.'

Hij kon het niet laten om te grijnzen.

'Die foto die je hebt gevonden.' Ze keek hem aan.

'Hmmm.'

'Die is van mijn moeder.'

Tayeb knikte, nog steeds inwendig zinderend van haar complimenten over zijn kookkunsten. Maar toen fronste hij zijn voorhoofd. 'Waarom zou hier een foto van je moeder liggen?'

'Dat is nou precies waar ik probeer achter te komen.'

Tayeb voelde een beetje maagzuur omhoogkomen, maar hij slikte het weg. 'Je zei toch dat je Irene Guy niet kende?'

'Ja. Ik heb nog nooit van haar gehoord.'

'Maar er moet een of andere band zijn.'

Ze concentreerde zich.

Hij wist niet of dit het juiste moment was, maar hij besloot dat hij moest praten over zijn plannen, voor het geval ze zou denken dat hij... op iets uit was, een oplichter was. 'Ik heb op een rijtje gezet wat ik ga doen.'

'O ja?' Ze leunde achterover in haar stoel.

'Nou ja. Alleen maar in de nabije toekomst, ik heb geen idee wat ik op de lange termijn ga doen, snap je?'

Ze glimlachte. 'Dat kan ik me voorstellen.'

'Ik ga mijn oude werkgever in Eastbourne opzoeken, hij zal me wel willen helpen.'

'Eastbourne,' herhaalde ze. Haar hand schoof in de richting van zijn pakje sigaretten. 'Mag ik?'

'Natuurlijk.'

Ze zag er ouder uit zodra ze een sigaret had opgestoken. Terwijl hij naar haar lippen om de sigaret keek, zag hij een glimp van nachten vol drank, gesprekken en sigaretten voor zich. Hij zag een decennium van praten en drinken in de vage lijntjes rondom haar lippen, en ook al zag ze er wat onverzorgder en minder ingehouden uit als ze rookte, het beviel hem eigenlijk wel. Hij vond het fijn dat de rook uit haar mond zich met de zijne vermengde.

'Ik denk dat ik mijn moeder moet gaan opzoeken,' zei ze. 'Ze zit in Sussex in een commune of zo.'

Hij knikte. Iets in haar geheimzinnige, ingehouden kalmte, maakte hem ervan bewust dat ze in parallelle universums opereerden. Het leek onmogelijk om haar ruimte binnen te dringen. Misschien vanwege de vreemde situatie, dat ze hier waren, samen, in dit huis, en zich allebei een beetje verloren voelden. Eigenlijk was het alsof ze allebei tegen zichzelf praatten.

Ze ging rechtop zitten en glimlachte naar hem. 'We gaan samen,' zei ze. 'Jij moet naar Eastbourne, ik moet mijn moeder in Sussex zien te vinden. Ik leen een auto van een vriend en rijd ons erheen.' Ze blies rook in de lucht, alsof ze het bewust niet Tayebs kant op wilde sturen, maar het mislukte; een deel veegde als een fluistering langs zijn gezicht.

'Wat doe je dan met dit huis?' vroeg hij.

'Ik voel me een indringster. Ik hoor hier niet te zijn.' Ze keken allebei naar de camera. 'Maar ik neem wel wat spullen mee.'

'O, ja?'

Ze legden ze allemaal op de tafel: de mimeograaf in zijn houten kist, het speelgoedstraatje in de glazen stolp, het aantekenboek, bijbeltje, de camera, wat boeken die Frieda had ontdekt, alles op een hoop en samengebonden met een lange lap, geborduurd en van een gladde, geweven stof.

'We nemen die boeken mee,' zei Frieda, 'en het aantekenboek en de foto uiteraard.'

Ze vertelde hem niet hoe nieuwsgierig ze was naar de pennenvruchten in dit aantekenboek. Ze keken elkaar aan.

'Ik zou niet weten of dit stelen is,' zei Frieda. 'Het voelt raar.'

'Volgens mij niet. Het is bijna alsof deze spullen hier lagen te wachten, op jou, om ze te redden, om ze mee te nemen.'

Ja, zo voelde ze het ook. Het was alsof alle spullen in dit huis hun eigen herinneringssporen een schuilplaats boden, maar dat ze zonder hun eigenaar, Irene Guy, apathisch en tot de ondergang gedoemd zouden zijn. Als Frieda ze moest meenemen om ze weer tot leven te wekken, zouden de ingesloten herinneringen misschien weer worden bevrijd. Het was alsof alles hier in het huis een getuige was die toekeek terwijl zij het huisraad uit het leven van iemand anders naar de toekomst navigeerde. Ze draaide zich om om dit tegen Tayib te zeggen, maar hij was verdwenen en scheen een onderonsje met de uil te zijn aangegaan.

EEN PROBLEEM OPLOSSEN. *Als u een fiets uitzoekt, moet u weten wat u wilt en waarom u dat wilt.*

Een dame op de fiets in Kashgar – aantekeningen

1 augustus

Ze kwamen haar halen en zo ontdekte ik welke namen de plaatselijke bevolking voor ons had verzonnen. Millicent is 'de grijze dame', ik ben 'de rode dame' en Lizzie is 'de witte dame'. Dat weet ik omdat mijn gebeden, bij wijze van spreken, bij het ochtendgloren werden verhoord met opschudding bij de poort: twee Chinezen die luid schreeuwden: 'Grijze dame, grijze dame!'

Ze drongen zich door de poort naar binnen en een hond op het pad begon te blaffen. Millicent kwam tevoorschijn in haar verschoten katoenen nachtpon, haar haren stonden alle kanten op. Ik rende naar buiten. Een van de Chinezen trad naar voren en wees naar Millicent.

'Millicent, wat gebeurt er?'

'Ik word ontboden, waarschijnlijk bij de maarschalk,' zei ze, waarna ze begon te hoesten, een verwoestende hoestbui waarbij bloed naar boven dreigde te komen.

'Laat haar gaan zitten,' zei ik, maar beide mannen bleven agressief staan. Ze spraken Millicent rechtstreeks aan in een snel Chinees met een zwaar accent. Ik verstond niet wat ze zeiden. Ze zuchtte en wendde zich toen tot mij.

'Ik moet met ze mee.'

'Niet doen, neem haar niet mee.' Terwijl ze met hen mee liep, duwden ze haar volkomen overbodig voorwaarts, en even later gaven ze haar allebei ook nog een grove duw, gemener dan eerst.

'Doe haar geen pijn.'

Ze dwongen haar om snel naar de poort te lopen. Millicent heeft me de laatste tijd nogal in de war gebracht, maar plotseling was ik doodsbang omdat ze haar weghaalden. Ik stond er verloren bij, als een imbeciel, als verlamd.

'Wat moet ik doen, Millicent?'

Toen ze bij de poort aankwamen, viel haar bril op de grond. De bewaker links van haar trapte erop en brak het glas. Ze draaide zich knipperend met haar ogen naar me om. 'Zodra het even kan, stuur ik jullie een berichtje.' Ze gooide de bos sleutels naar me toe en bukte zich om haar bril op te rapen, maar de mannen duwden haar hardhandig door de poort.

Ik pakte de sleutels van de grond op en gebaarde naar de bril. 'Alstublieft,' zei ik, 'ze ziet erg slecht... Neem hem mee.' Ze negeerden me. Ik raapte het gebroken montuur op.

'Millicent!' riep ik. Ze probeerde zich los te wringen en keek om zich heen, maar haar gezicht zag er eigenaardig wezenloos uit. Ze kon helemaal niets zien, besefte ik. Een hagedis schoot langs mijn voet weg en ik stond met de bril in mijn hand bij de poort en dacht: nu is iedereen weg.

Lizzy lag op de kang onder een van de dikke, met zijde overtrokken, gewatteerde dekens die we voor de wintermaanden hadden meegenomen. Over alle papieren raampjes hingen Kashgaarse zijden sjaals, zodat je in de kamer het gevoel kreeg alsof je je ondergronds bevond, met het licht dat door lappen met vloekende kleuren werd gefilterd.

'Elizabeth, ik mocht van Millicent niet bij je komen. Ze is meegenomen. Lolo is ook weg.' Ik boog me over haar heen om naar haar te kijken en praatte te snel. De lippen van mijn arme zusje waren droog, gebarsten, in haar mondhoek zat een beginnende zweer en haar huid was vaal. Ik ging naar de keuken om water voor haar te halen.

'Drink.' Ze schudde haar hoofd en wilde me niet aankijken. In plaats daarvan staarde ze naar de missieprent aan de muur, naar de rivier met zijn zijrivieren.

'Ik vast,' fluisterde ze.

'Voor de ramadan? Dat is een islamitische traditie, geen christelijke.'

'Nee. Om mezelf te reinigen.'

'Maar je moet wel water drinken.' Ik hield de beker tegen de lippen van mijn zusje en ze stond toe dat ik het water in haar mond liet lopen. 'Waarom vast je?'

'Millicent helpt me.'

'Maar ze heeft je uitgehongerd,' zei ik verbijsterd. 'Ze heeft je toch wel water gegeven?'

'Ja,' zei ze zodra ze een beetje had gedronken. 'Ik wil het gewoon vasthouden... de liefde.'

'Ik kan je niet volgen.'

'Natuurlijk niet.' Ze wendde zich van me af alsof ze genoeg had van mijn aanwezigheid, maar ik pakte haar hand vast. Ik dacht aan ons als kinderen, lopend door de Rue Thérouanne op een lenteochtend en herinnerde me hoe ontdaan we waren toen we zagen dat onze favoriete bomen waren geveld. Ze waren omgehakt om te voorkomen dat er een of andere ziekte zou worden verspreid. Nu stonden er alleen nog maar kale, grof afgekapte stronken. Kleine Lizzie pakte mijn hand. 'Niet verdrietig zijn, Eva, kijk, zonder de bomen is het makkelijker om de rivier te zien.'

'Natuurlijk kun je me niet volgen,' herhaalde ze. Ze begon te praten, onsamenhangend, over Khadega in de rivier, en het was moeilijk te volgen; dat zij haar had moeten vinden en foto's had moeten maken, omdat er iets moest zijn wat ons eraan herinnerde dat ze echt had bestaan.

'Maar je mocht Khadega helemaal niet.'

'Nee.'

Ik wist dat we allebei hetzelfde dachten: schuld. In de drukkende hitte in de kamer werd ik misselijk en doodmoe.

'Het is belangrijk om de beelden te bewaren, ze vast te houden.' Ze draaide zich om in de kang, maar bleef tegen me praten: 'Ik kan ze op heel mooi papier afdrukken. Monochroom. De afdruk op een houten lijst vastspijkeren, de gewichtloosheid van het papier. De rand van het papier die omhoogkomt als een insectenvleugel. Een eenvoudig poederlaagje eroverheen, het licht en de schaduw. Ik kan het met de hand op de afdruk schrijven.'

'Ik begrijp niet wat je zegt, Lizzie.'

Ze ging rechtop zitten, was ineens heel alert. 'Millicent zegt dat ik mooi en heilig ben, zoals Sint-Wilgefortis.'

Weer dat beeld van Millicent en mijn zusje samen in de kangkamer. Toen herinnerde ik me de lange middagen in Southsea waarop Millicent vreselijk haar best deed om moeder van het belang van onze reis te overtuigen. Kaarten werden uitgespreid en boeken neergelegd; we voerden eindeloze gesprekken over reizen. Dit was meer dan een fysieke reis, eerder een pelgrimstocht. Er werd gesproken over bekeringen, godsdienstige overtuigingen, over een soort ambassadeursrol, over vooruitgang boeken voor Engeland en de kerk. De hele nacht werd er gesproken, tot moeder uiteindelijk was platgewalst en ermee instemde.

'Millicent is weggehaald,' zei ik weer. Lizzie keek me alleen maar aan. 'En Lolo is weg.'

'Weg?'

Ai-Lien, die ik mee naar binnen had genomen en in de omslagdoek gewikkeld op de grond had gelegd, begon te snuiven en te snurken. Lizzie ging rechtop zitten, duwde zichzelf omhoog en naar voren, als een lerares die in een klas vol leerlingen uit een dagdroom ontwaakt, plotseling bewust van haar omgeving en helder.

'Ik heb ook van een baby gehouden,' zei ze. Ze keek me niet aan.

Ik stond doodstil. IJlde ze?

'Het kindje heeft nooit de kans gehad om te groeien, maar het zat binnen in me. Millicent heeft me geholpen het terug naar de hemel te sturen. Zo hebben we elkaar ontmoet. Ik ging naar de kerk om hulp te vragen.'

Ineens werd ik door de hitte bevangen, heel even, terwijl ik naar de achterkant van mijn zusjes hoofd keek en naar haar blonde engelenhaar, dat dof was geworden. Ik verlangde naar regen of een grijze dag. Het effen grijs van Genève, of zelfs van Southsea. Ik had heimwee naar een plek die zelfs geen thuis voor me was. Ik wilde dat Lizzie ophield met praten, maar tegelijkertijd moest ik het horen, omdat ik het graag wilde afdoen als een koortsdroom, al wist ik dat dat niet kon.

'Wil je weten wie de vader was?'

'Ja, natuurlijk.'

'Mr. Wright.'

Het duurde even voordat ik me hem herinnerde, die lange

gentleman met krulhaar en een uitgezakt gezicht en de te luide stem van een tollenaar, en die erop gebrand was ons een bezoek te brengen zodra we uit Genève in Engeland waren aangekomen. Hij was een kennis van tante Cicely.

'Herinner je je nog dat we naar Kew gingen om de palmen te fotograferen?'

'Ja.'

'Het lukte hem om de chaperonne af te schudden. Hij drong zich aan me op, tegen een ahorn.'

Ik hield de beker water tegen mijn mond, niet om eruit te drinken, maar om mijn mond te bedekken, om iets te hebben om mijn lip tegen te leggen. Ik was jaloers geweest op haar vriendschap met Mr. Wright. Hij zag mij nooit staan, hij gaf me het gevoel dat ik lelijk was. Als hij naar me keek, nam hij me met een hatelijke blik op; zijn uitdrukking veranderde in medelijden voordat hij zijn aandacht weer op Lizzie vestigde. Ze begon te huilen, mijn gansje.

5 augustus

Ik ben verpleegster en moeder en zus, belast met de zorg voor Ai-Lien en Lizzie. Schoonvegen, wassen en voeden – en met iedere handeling hol ik mezelf uit. Ik ben een vat voor alles wat ze nodig hebben, en dit niet-aflatende geven begint een nieuwe gedaante binnen in me uit te hameren. Het is de onbaatzuchtigheid van moeders en echtgenotes, neem ik aan, die ruimtes binnen in je uithouwt en je toestaat om de liefde als water in je te laten stromen. Het gevaar bestaat dat het water me volledig overspoelt en wegvaagt. Maar toch heb ik medelijden met degene die zo'n aanpassing vanuit een eenvoudig doe-zoals-gij-wilt-dat-ugeschiedt-gevoel uit eigenbelang niet heeft ervaren. Maar rust brengt het me niet.

Tot nu toe heeft Millicent niets van zich laten horen. Iedere keer als de poort rammelt, spring ik op. Het is nog heter geworden. Drukkend weer is het, en dat werkt verdovend. De plaatselijke bevolking die lanterfanterend over het pad loopt, ziet er smerig en kwaadaardig uit. Ik weet niet waar ik heen moet gaan of met wie ik moet gaan praten. Lizzie slaapt het grootste deel van de dag, maar ik doe bijna geen oog dicht. En als ik even wegdoezel, in plotselinge hazenslaapjes van uitputting met mijn hoofd op mijn knieën, dan droom ik over Khadega, haar lichaam slepend over de rivierbodem of als een barrière in het smerige water.

Ai-Lien huilt de hele nacht door, ze houdt mijn haar vast en trekt eraan, zuigt op de huid in mijn hals. Ze wordt 's nachts om de een à twee uur wakker en ik raak afgestompt en versuft van vermoeidheid. De enige manier om haar te kalmeren is zingen, maar als ik zing, klinkt mijn stem verschrikkelijk. Hoewel niemand anders het hoort.

Het is augustus. Heel veel fruit in de boomgaard rot weg. De muren van dit huis verzakken en kermen, lijdend onder de hitte. De bladeren op de binnenplaats en in de tuin zijn groot geworden, ranken slingeren ongehinderd alle kanten op; de klimplanten zijn overal, ze verplaatsen zich snel over de binnenplaats, verstikken alles wat ze op hun weg tegenkomen. In het paviljoentje is het te heet. De insecten klinken schel, luider dan anders, en ik denk aan het voelen van leven in je baarmoeder, dartelend als een lammetje in de wei. Van die dingen – en andere – heeft mijn zusje geproefd, terwijl ik als botten in de woestijnzon opdroog. Ik breng Lizzie dumplings en deegreepjes, want ik wil niet dat ze zichzelf uithongert op haar kang. Hoewel ze zwak is, word ik door jaloezie besprongen. Ik ben bang dat Millicent Lizzie van me zal afpakken of dat Lolo Ai-Lien van me zal afpakken, maar dan herinner ik me weer dat ze er allebei niet meer zijn. Ik moet slapen. Ik weet niet wat ik moet doen.

De A21, heden

Onderweg naar Sussex

De uil was stil. Hij leek zich niets aan te trekken van de auto-
rit – of althans, hij had niet geprotesteerd; maar hoe uilen
precies hun protest uiten, wist Frieda niet. De kooi stond naast
haar op de achterbank van de auto. Tayeb had aangeboden te rijden en Frieda vond het goed. Ze had zich overgegeven aan de sta-
tus van passagier, liet de grijze lijnen langs de kant van de weg en
de met struikgewas begroeide omgeving tot een wazig beeld ver-
vagen. Ze las het aantekenboek. Eerlijk gezegd kon ze niet ophouden met lezen. Het sterk naar rechts overhellende handschrift
was fascinerend. Voor het overgrote deel was er geschreven met
zwarte inkt, maar sommige bladzijden bevatten vervaagde pot-
loodaantekeningen. In het begin stonden er data en citaten van
Marco Polo of Bunyan in. Het was alsof je erin werd ondergedompeld. Je nam als het ware een duik in een andere wereld, hoewel niet in water; nee, je kwam terecht op een droge, hete plek.

De beschrijving van de woestijnhitte nam Frieda zo in beslag dat ze schrok toen ze ten slotte na een uur of zo opkeek. Buiten hingen Engelse luchten: lagen grijs die zich door staal- en ijzerkleurige tinten heen werkten om dicht te slibben. Een stem in haar hoofd zei: je zit in een auto met een man die je nauwelijks kent, onderweg naar je moeder die je sinds je zevende niet meer hebt gesproken. Deze stem vermengde zich met de sonore tonen van een tuinexpert op Radio 4 die het over geraniums had en naaktslakken en de problemen van het kweken van tuinbonen in de sneeuw. Het leren aantekenboek in Frieda's hand rook sterk naar een wereld ver weg.

Bij een benzinestation ging ze in de rij staan om water te kopen. Ze dacht aan Nathaniel, vooral als hij met zijn duim afwezig aan zijn onderlip trok als hij met haar praatte, een gewoonte waaraan ze zich altijd had geërgerd. Terug in haar auto telde ze de bomen; ze stond zichzelf toe om zich bewust te zijn van de langsglijdende autoweg, de regen en de besnorde man op de voorbank. Ze wilde hem eigenlijk wel graag het een en ander vragen, zoals waarom hij hier was.

Waarom in dit land? Maar het was moeilijk om zulke persoonlijke dingen te vragen. Wat zou hij denken, vroeg ze zich af, van het project waar ze onlangs aan had gewerkt voor de denktank: 'Geloof in de dialoog tussen West en Oost', en hoe zou ze ooit kunnen toegeven dat het die titel had? Ze wist niet of ze er nog veel langer tegen kon, tegen dit werk, dat oppervlakkige gedoe, het platvloerse eraan, de handhaving van de koloniale machtsverhoudingen onder het mom van een dialoog. Het was net zoals ooit vroeger in Saudi-Arabië, toen jonge vrouwelijke studentes haar hadden uitgenodigd in hun deel van het koffiehuis, het achtergedeelte, of de gezinsruimte. Omdat er geen mannen bij waren deden ze hun hoofdabaja's af, maar zij drong erop aan dat ze die weer om zouden doen. Buitenkanten zijn vaak te prefereren; we willen er niet altijd achter kijken.

'Dat is 'm.' Tayeb zette de radio zachter en keek over zijn schouder naar Frieda. 'Die weg daar.'

Hij reed te hard om de bocht te maken, dus trapte hij snel op de rem en Frieda schoot naar voren. Vlug zette ze haar hand tegen de rug van zijn stoel om steun te zoeken. Daarna ging ze weer achteroverzitten en haalde een stukje papier uit haar tas. Haar vader had haar een adres gegeven, een soort dorp op het platteland van Sussex.

Op een bord stond de A21 richting Battle en Hastings aangegeven. Daaronder hing een kleiner bord met de aanduiding PRIMA VILLAGE. Ze sloegen af en reden langzamer door de bochtige landelijke contouren. De heggen waren dicht en zwaar van de trossen vlierbessen. De weg maakte een scherpe bocht naar links en toen verscheen er plotseling voor hen een driehoek van gras, omringd door cottages als speelgoedhuisjes. Bij een punt van de driehoek stond een uitnodigende pub en in een van de ander hoeken een keurig Normandisch kerkje.

'Yalla,' zei Tayeb, 'zo ziet het Engeland eruit zoals ik me dat als kind heb voorgesteld. Dus het bestaat toch.'

'O ja.'

Die witgekalkte cottages waren zo totaal anders dan de caravans op Sheppey. Hier stond nergens een dode plant achter de ramen. De complexe opstelling van recyclingbakken op garagepaden, allemaal met kenmerkende, verschillend gekleurde deksels, wees erop dat de regels voor het verzamelen van afval in alle huishoudens strikt werden nageleefd, en achter alle ramen hingen vitrages met volmaakt verzwaarde zomen.

'Ik word er kriegel van.'

'Wat is dat?' vroeg Tayeb. 'Kriegel?'

'Ach, je weet wel,' zei ze terwijl ze een nagel tegen het autoraam zette en hem langzaam over het glas liet krassen, 'de kriebels.'

'De kriebels?'

'Het is verschrikkelijk, Tayeb. Moet je nou toch zien. Kun jij je voorstellen dat je hier ooit zou wonen?'

Tayeb bracht de auto op een van de hoeken tot stilstand. 'Ik vind het mooi. Rustig. Vredig. Ik zou hier heel gelukkig tot op hoge leeftijd kunnen wonen en thee drinken en tevreden sterven.'

'Nee, niet waar. Je zou gek worden. Moet je je al die mensen voorstellen die allemaal weten wat je uitspookt en bij je naar binnen kijken.'

'Ik zou beleefd naar iedereen glimlachen en vriendschap met hen sluiten.'

'Maar zij zouden helemaal geen vriendschap met jou willen sluiten, Tayeb. Je bent veel te buitenlands en te eng.'

Tayeb lachte. 'Ik zou hier voor altijd kunnen wonen, zelfs als de buren me allemaal zouden haten.' Hij sloeg twee keer zachtjes op het stuur.

'Waar nu heen?' De aanwijzingen van haar vader waren: rand van het dorp. *Prima Foundation*. Tayeb reed langzaam langs één zijde van de dorpsweide.

'Ik geloof dat we aan deze kant niet verder kunnen.' Hij schoot zijn peuk uit het raam. 'Dit loopt dood.' Hij begon achteruit terug te rijden en botste bijna tegen de achterkant van een geparkeerde grijze Citroën.

'Voorzichtig, Tayeb, anders komen ze met hun breinaalden achter ons aan.'

Tayeb reed nog twee keer in driehoeken rond de dorpsweide, telkens weer afslaand en vastlopend. 'Het is net een doolhof,' zei hij. 'Groter dan het lijkt.'

'Zullen we het maar aan iemand vragen?' Frieda liet het raampje zakken en leunde enigszins naar buiten. Tayeb begon langzamer te rijden naast twee oudere dames die zo dicht bij elkaar liepen dat het leek alsof ze elkaar overeind hielden.

'Pardon!' riep Frieda naar ze. Ze keken naar Frieda alsof ze in hun beeld van de werkelijkheid weerzinwekkend was.

'We zoeken de Prima Foundation. Hebt u enig idee waar die is?'

Een van de dames fluisterde iets in het oor van de andere en keek Frieda toen strak aan, waarna de twee haar tegelijkertijd kwaad aankeken, hun zachte grijze krullen afwendden en wegliepen, 'ts, ts, ts' mompelend.

'Nou dan niet.' Frieda ging weer normaal zitten. De auto reed een stukje rustig door.

'Laten we hem proberen,' zei ze, toen ze een man van middelbare leeftijd in een groene broek zag. Hij liep met een klein hondje aan een riem.

'Pardon.' Ze was een en al glimlach. De man keek naar haar op, niet glimlachend, en tilde zijn kin op alsof hij haar op die manier wilde afweren.

'Hallo, we zijn een beetje verdwaald. Zou u ons misschien kunnen helpen?'

Hij liep op de auto af. 'Waar moet u heen?' vroeg hij, terwijl hij met een ruk het trekkende hondje naar zich toe trok.

'We zoeken de Prima Foundation. Enig idee waar die is?'

De man fronste zijn voorhoofd en schudde daarna zijn hoofd. 'Neuh.'

'Oké,' zei Frieda snuivend.

'O, wacht even, is dat die commune?'

'Ja, die.'

Het gezicht van de man betrok. Hij keek eerst naar Tayeb, daarna weer naar Frieda, daarna naar de uil in de kooi. Frieda voelde haar adem vanuit haar longen in haar keel schieten en een moment lang had ze de aanvechting om uit de auto te springen en Tayeb daar gewoon achter te laten. Het vertrouwde en niet-vertrouwde ontmoetten elkaar en werden één, als licht op water. Heel even had ze geen flauw idee meer wie ze was.

De man kuchte. 'Die mafkezen,' zei hij snerend.

'Hmmm, dat zullen ze vast wel zijn,' zei Frieda, die instemming veinsde. De man keek Tayeb weer onderzoekend aan, waarbij hij zijn neusvleugels opensperde. Met tegenzin wees hij terug in de richting waaruit ze waren gekomen.

'U moet terug over de hoofdweg, zo'n honderdvijftig meter, en dan de eerste afslag nemen. Blijf dat pad volgen. Het is geen geweldige weg. Ze zitten aan het eind.' Fluisterend voegde hij er nog aan toe: 'Smerige lulhannesen.'

'Dank u wel,' zei Frieda. Ze glimlachte naar hem alsof ze een jongen van de fotokopieerafdeling bedankte voor het afdrukken van een grote hoeveelheid documenten. 'U hebt ons geweldig geholpen.'

De reactie van de man was een gebrom, terwijl hij met zijn hondje wegliep.

Tayeb stak een sigaret op terwijl hij wegreed terug naar de hoofdweg.

'Snap je nou wat ik bedoel, Tayeb? Vriendelijk, hè, die lui?'

Hij glimlachte. Frieda zag een torenvalk een duikvlucht maken boven een groot, onlangs omgespit veld.

'Dat moet het zijn.' Tayeb knikte naar een zijpad en sloeg het in. Vrij lang slingerde het pad zich omhoog, tot ze ten slotte een bocht om kwamen en een panorama van gele koolzaadvelden en golvende heggen voor zich zagen liggen.

'Wat is dat?' vroeg Tayeb. Hij wees. Frieda keek. Er stond een of andere hoge constructie, als een totempaal.

'Ik ben bang dat het een kunstwerk of een installatie is.'

Midden in het veld stond een paal van ruim drie meter hoog, die was versierd met een vlechtwerk van benen, borsten, monden en andere losse lichaamsdelen. De hele creatie was in kauwgomroze en weerzinwekkende schakeringen van groen en geel geschilderd.

'Afgrijselijk.'

Verder langs het pad doken nog meer kunstwerken op. Er was een onderstebovenliggende auto met een ladder die uit het chassis stak en naar de hemel leidde, of nergens heen; een gigantische vis van roestend ijzer met een kip die boven op zijn vin balanceerde; abstractere vormen vooral gemaakt van afgedankte auto's. Als laatste stond er een poort die vol hing met papieren bloemen en lintjes, bellen, windorgels en vredessymbolen. Tayeb parkeerde de auto naast een enorm bord waarop stond: WELKOM OP DE PRIMA FOUNDATION, met drie reusachtige lieveheersbeestjes onder de letters geschilderd. Frieda duwde haar bril weer goed voor haar ogen en tuurde naar het citaat onder de lieveheersbeestjes: ALS HET KENBARE EN DE KENNIS BEIDE GELIJKELIJK WORDEN VERNIETIGD, DAN IS ER GEEN TWEEDE WEG MEER.

'O, mijn god,' zei Frieda, 'misschien worden we wel tot een zangworkshop gedwongen, of nog erger, een percussiegroep.'

Hij lachte en keek haar toen aan. 'Alles oké met je?'

'Natuurlijk, hoezo?'

'Nou ja, je moeder. Je zei... dat je haar al heel lang niet meer had gezien.'

'Zou ik haar nog wel herkennen?'

Zonder aarzeling zei hij: 'Natuurlijk wel. Zeker weten.'

Hij was gevoelig, deze vreemdeling uit Jemen.

HULP EN LEREN. *Als er iets kapotgaat, is dat niet noodzakelijk uw schuld; als iets niet goed vastzit, geef dan niet iemand de schuld dat hij of zij niet goed heeft gelet op iets waar u zelf goed op had moeten letten.*

Een dame op de fiets in Kashgar – aantekeningen

9 augustus

Vanmorgen arriveerde er een telegram, afgeleverd door een Hindoestaan te paard:

VAN Mr. Steyning – Uw boodschap ontvangen. Kan niet bij u komen vanwege oplaaiende ongeregeldheden. Uzelf & E moeten onmiddellijk zonder Millicent vertrekken. Ga naar Kucha, waar ik u zal ontmoeten en u daarna naar Urumqi brengen. Millicent is van haar missiewerk ontslagen.

Ik gaf de Hindoestaanse postbode wat thee en brood. Pas toen hij in een stofwerveling was vertrokken, ging ik met trillende handen op de grond zitten.

Millicent is ontslagen en ik heb geen idee waar ze is. Ondanks mijn woede over haar gedrag voelt het vreselijk dat ze er niet is; ik word verscheurd door de vraag wat me nu te doen staat.

Eerst had ik het plan om de stad in te gaan om haar te zoeken, maar nu... ik weet het niet. En Kucha? Ik weet niet eens waar Kucha ligt. Ik weet ook niet of vader Don Carlo ons zal willen helpen, maar ik heb niemand anders. Ik moet bij hem langsgaan.

Ik heb wat voedsel uit de tuin verzameld, maar we hebben geen melk, room, boter of vlees meer en vanmiddag heb ik geprobeerd met Elizabeth te praten. Het licht sneed door de vele scheurtjes in een van de papieren ramen.

'Lizzie,' zei ik, 'ik denk dat we gevaar lopen.'

'Job 11:19... Gij zult nederliggen zonder dat iemand u opschrikt, en velen zullen naar uw gunst dingen.' Ze wendde haar hoofd af zodra ze het had gezegd.

Ik dacht er even over na. 'Wat bedoel je daar precies mee?'

'Er is niets om bang voor te zijn, Eva.' Ze strekte haar dunne nek.

'Maar Lizzie...'

Ze had een van vader Don Carlo's vellen met kalligrafie in haar hand.

'Ik zal deze voor je vertalen: *Vrees niet voor plotselinge schrik, noch voor de ondergang der goddelozen, als hij komt...*'

'Lizzie, schat,' onderbrak ik haar, 'denk je dat je kunt reizen?' Ze draaide zich langzaam om op de kang, haar ogen hol en meelijwekkend. Haar hand trilde terwijl deze naar haar lip bewoog. Ze glimlachte en zei: 'Natuurlijk.'

'Lizzie, schat.' Ik moest mijn best doen niet te gaan huilen.

'Zoals de kraai vliegt.' Ze wees naar de prent aan de muur. 'Ik kan de andere kant van die prent bereiken als ik de kraaien volg.'

'Ja, Lizzie.'

Terwijl ik Ai-Lien dicht tegen me aan hield, klom ik op Lizzies kang en ging naast haar liggen. Ze rook ergens naar, een scherpe, bittere geur.

Ik moet in slaap zijn gevallen, omdat ik wakker werd met een tinteling in mijn arm op de plek waar Ai-Lien met haar volle gewicht op had gelegen. En mijn hoofd werd geheel in beslag genomen door een droom over mijn moeder die me een uitbrander geeft: Het is jouw plicht, Eva, om voor je zusje te zorgen. Ze is broos, in tegenstelling tot jou; zij is degene van wie we allemaal houden. In tegenstelling tot jou.

10 augustus

Instinctief pakt een mens in voor een langere reis. Terwijl ik de boeken sorteerde, stopte ik even om het stukje te lezen dat sir Burton had geschreven over de tuinen op de binnenplaatsen van moskeeën, die van mindere klasse waren: smakeloos afgewerkt met knalgroene tegels en gebloemde tapijten, de enige bewonderenswaardige elementen de gebrandschilderde ramen. Wacht, ik schrijf het even over: *Het tafereel moet met de vooringenomenheid van een moslim worden bekeken, en pas als een man volledig doordrongen is van de ziel van het Oosten, dan zal de laatste plek waar de Rauzah hem aan zal doen denken, oftewel wat in eerste instantie de bedoeling van de architect was waar het op moest lijken... een tuin zijn.*

Het zou op onze binnenplaats hier kunnen slaan. Iedere dag voelt het minder als een tuin en meer als een gevangenis. Inpakken, maar wat moet ik in hemelsnaam meenemen? En dan is er ook nog mijn fiets, die oude dame die tot en met het zadel onder de modder en het stof zit. Maar dat is uiteraard allemaal afleiding, omdat ik niet weet wat ik met Lizzie aan moet. Ze gedraagt zich als een oude vrijster die opgesloten zit en maar één keer per jaar naar buiten mag; ze is bleker en stiller. Ze zegt dat ze nog niet kan opstaan, maar ze eet ook nauwelijks. Moet ik haar hier achterlaten en naar de bazaar gaan om een voerman te zoeken, terug te keren, en haar meenemen naar de pater? Ik kan geen boodschappen meer sturen doordat de jongens allemaal zijn vertrokken. O – waarom is Lolo toch weggegaan? Ik vraag me vaak af of het Lolo is geweest die aan Millicent heeft laten zien waar ik dit dagboek bewaar.

Na de kaarten bestudeerd te hebben, zie ik dat Kucha een heel eind weg, ver achter het Tarimbekken ligt – ik weet niet of het wel goed is om Millicent bij die mensen hier achter te laten. Ik ben helemaal ondersteboven nu; wat ik moet onthouden is dat ik meer dan genoeg in mijn mars heb. Ik zal niet in deze woestijnstof tot zwijgen worden gebracht. Toch, o lieve hemel, hoe moet ik Lizzie meenemen?

11 augustus

In elk geval doet dat er nu helemaal niet meer toe.

Ik bracht haar een beker chrysanthenthee, maar toen ik op haar kang af liep, zag ik dat er iets mis was. Haar hand zag er onwerkelijk uit in de manier waarop hij lag en ik wist onmiddellijk dat ze dood was. Ik schoof de engelachtige blonde haartjes uit haar gezicht, dat er vreemd uitzag. De onderste helft van haar gezicht, haar kin, mond en kaak, hing scheef verwrongen alsof die niet met de bovenste helft verbonden was, niet met haar neus en ogen. Ik legde mijn hand op de rand van haar kin, duwde zachtjes, probeerde de symmetrie te herstellen, maar zodra ik mijn hand wegtrok, viel haar kin terug.

Even bleef ik naast haar bed zitten, met Ai-Lien slapend tegen mijn schouder, voelde het bons-bons van haar hartje. Ik dacht niet na, liet blanco ruimtes mijn gedachten vullen; bleef roerloos zitten, onzichtbaar, alsof er niets was gebeurd, of ooit nog zou kunnen gebeuren. Dit werkte even, waarschijnlijk nog minder dan even, hoe lang dat ook mag duren. Maar toen herinnerde ik me de waarschuwing van Mr. Mah dat er een vloek op het Paviljoenhuis rustte en dat iedereen die daar woont een verwrongen gezicht krijgt, en ik dacht aan Lizzie als kraai op school, staand boven op het muurtje, de armen uitgestrekt als vleugels.

Niet voor het eerst wilde ik dat Millicent hier was.

In de tuin was de hitte een verderfelijke beul, volledig ingesteld op het wreed behandelen van anderen. Ik liep naar het bijgebouwtje van Lizzie, die stoffige bouwval waar ze een groot deel van haar tijd doorbracht. Over de ingang was een grote deken gehangen. Binnen hingen verschillende van haar fotoafdrukken aan een stok die ze tussen de ene kant van de ruimte en de andere had bevestigd. Ik raakte de foto's aan. Daar lag Lizzie in het gras: een wazige lichtvlek had haar vervormd zodat ze in de bladeren leek over te lopen; een hand met een ring met een grote robijn tegen de stengel van een orchidee; een populierentak, ingenieus verbleekt overlopend in een arm van een geraamte. Iedere foto was een liefdesbrief. Op de grond in een hoek lag een nest van stukjes papier, notities die ze voor zichzelf had opgeschreven, de meeste onleesbaar. Ik raapte ze op, streek ze glad in mijn handpalm en probeerde ze te lezen. Slechts één was te ontcijferen, geschreven in zwarte inkt, in haar eigen bekoorlijke handschrift.

– o om de ziel te bevrijden... ######### vrij als een duif. – dat gezicht dat alleen voor mij bestemd is om te begrijpen en te kennen, beminde: de andere kant van je zorgvuldig geconstrueerde leven, de andere kant van de landkaart: een tegenovergestelde – ja, zo ver gaat mijn liefde. Zo tijdloos is die.

Mijn zusje, verliefd. En ik denk dit: Millicent, je bent deze liefde niet waard, een liefde die zo ver gaat.

Er zijn meer hagedissen dan ooit. Ze glippen door de spleten als een ziekte. Beweeg niet en het is alsof er niets is veranderd: de baby haalt adem, haar ogen helder vochtig, haar perfecte voetje in mijn hand als een speelgoedje, en mijn zusje is misschien wel niet dood. Deze bedotterij heb ik de hele nacht volgehouden en daarna bracht deze inkt die tot staan, en nu verschijnt het ochtendlicht; de bezweringsformules komen huiverend aan hun einde. Met het woestijnlicht ontwaakt ook het verdriet. Het verscheurt me als een wolf.

Ik moet niet aan moeder denken met haar rode haar losjes opgestoken en haar gezicht vol schaamte, de schaamte die wordt gereflecteerd in de brandende vlammen vlak bij haar in de haard. Ik heb haar niet beschermd. Ik was nalatig, druk bezig mijn liefde te geven aan een ondergeschoven kind. Ik liet Lizzie achter in de stormen met de grillen en holle frasen die om haar hoofd speelden.

Sussex, heden

De Prima Foundation

Er hing een rooster of programma aan de muur van de prefab-ruimte met daarop een reeks activiteiten in pastelkleurige vierkantjes: Shakti Chalana Mudra, Mula Bandha, Yoga Mudra. Tayeb nam een groene beker met water aan van een opzienbarend aantrekkelijke jonge vrouw met helderblauwe ogen als van een pop. Hij strekte zijn been; er klonk een luide krak en een schok ging door zijn kuitspier. De blonde vrouw keek net als hij naar zijn been. Hij stond op, stampte met zijn voet op de grond en maakte een paar huppelsprongetjes.

'Kramp,' zei hij. De engel met poppenogen zei niets terwijl hij bleef stampen.

De spieren in zijn kuit spanden zich aan en tegelijkertijd schreeuwde de droge huid op zijn rug het uit in jeuk – om niet vergeten te worden?

Na een minuut nam de pijn af, maar onder de huid bleef een

restant achter. Hij ging weer op de plastic stoel zitten, wreef over zijn been en keek uit verlegenheid niet naar de vrouw.

Frieda kwam terug van het toilet en terwijl ze op Tayeb af liep, veegde ze haar natte handen af aan haar spijkerbroek. Typisch iets voor Engelse vrouwen, dacht hij, natte handen buiten het toilet afvegen. Ze ging naast Tayeb zitten, op een identieke rode plastic stoel. Hij kende haar niet erg goed, dit serieuze, brildragende, donkerharige meisje, maar hij kon zien dat ze zenuwachtig was. Uit wat ze hem had verteld, begreep hij dat ze haar moeder niet meer had gezien sinds ze heel jong was. Ze pulkte aan de huid rond haar nagels. De engel bood Frieda water aan. Tayeb schrok omdat hij ineens werd overvallen door een immens verlangen naar haar, naar die pop van een bleke kleine vrouw die niets zei, alleen maar glimlachte. Ze deed hem denken aan affiches van westerse vrouwen die zijn broers op hun kamers hadden hangen.

'Op mijn school hadden we ook zulke prefablokalen,' zei Frieda, die om zich heen keek en daarna omhoog naar het plafond. Tayeb draaide zich naar Frieda om en keek naar haar, verbaasd dat hij zich schuldig voelde omdat hij naar die andere vrouw had gekeken. Als het had gekund – hij keek uit het kleine, vierkante raam naar een gevaarlijk overhellende boom – had hij Frieda graag gerustgesteld. Hij wilde een vinger van haar pakken en tegen haar zeggen dat ze moest ophouden om de velletjes eraf te trekken. In tegenstelling tot zijn huid, die vol schilfers en barstjes zat, was de hare elastisch en in een goede conditie; ze zou er niet aan moeten zitten. Tayeb nam ineens iets over westerse vrouwen voor waar aan dat hij nooit helemaal tegenover zichzelf had toegegeven. Hij was ervan overtuigd dat ze er behoefte aan hadden dat iemand, nee nog belangrijker, dat ze iemand hádden die tegen hen zei wat ze moesten doen; iemand (een man) die tegen hen zei dat ze moesten ophouden met praten en zich zorgen maken. Het was de enige gedachte die hij had waar zijn vader het mee eens zou zijn.

De mooie jonge vrouw keerde terug, nog steeds zwijgend, niet glimlachend, maar deze keer trok ze een plastic stoel bij voor zichzelf, ging zitten en keek hen verwachtingsvol aan. Frieda begon te praten: 'Ik ben hier voor mijn moeder. Ze verwacht me niet.' Er viel een stilte en toen opende het meisje haar tas, haalde een notitieboekje en een pen tevoorschijn en schreef iets op in een keurig rond schoolhandschrift. Toen ze klaar was, duwde ze het boekje in Frieda's richting.

Welkom bij de Missie van de Prima Foundation. Wat kunnen we voor u doen?

'O, oké,' zei Frieda. 'Sorry, dat had ik niet door.' Er volgde een lang gesprek – verbaal door Frieda, geschreven door het meisje – om vast te stellen wie haar moeder precies was. Ze had kennelijk verschillende namen gehad; ooit werd ze Ananda genoemd, of Grace, en na enige discussie kwamen ze erachter dat ze nu gewoonweg Amrita heette.

Als u mij even wilt excuseren, dan zal ik iemand zoeken om te laten weten dat u hier bent om uw moeder op te zoeken. Ik ben zo terug.

Ze glimlachte en verliet de ruimte.

Frieda draaide zich om en keek Tayeb aan. 'Was het tot jou doorgedrongen dat ze doof was?'

'Nee.'

'Ze moet hebben kunnen liplezen.'

Tayeb nam een slok van het lauwe water. Aan de muur tegenover hen hing een poster van een grote schedel, waarin de hersenen en de binnenkant van het hoofd in detail waren afgebeeld. Een knalgele lijn drong aan de bovenkant van de hersenen naar binnen, liep door de achterkant van de mond de keel in. Tayeb las wat eronder stond geschreven:

Deze gouden lijn is het symbool van de nadi terwijl deze zich door het midden van de tong beweegt. Kechari Mudra wordt alleen bereikt door het praktiseren van talavya kriya.

'Het is een soort opleidingscentrum, denk je niet?' opperde Frieda.

'Ik weet het niet.' Hij had zin in een sigaret, maar het leek hem niet dat hij hier kon roken. Wat doe ik hier, dacht hij. Zijn geest dreef weg naar Nidal en zijn kamer met de vliegtuigen aan de muur. Tayebs rechteroog begon te steken in zijn kas. Hij zou Nidal nooit meer zien. De deur ging open en een lange, magere, kale man kwam binnen, gevolgd door de jonge blonde vrouw. De man had een uitgemergeld hoofd en de aderen in zijn slapen waren zichtbaar. Hij liep op Frieda af en schudde haar de hand.

'Hallo,' zei hij glimlachend. 'Dus jij bent Amrita's dochter?'

'Dat klopt.' Het handen schudden ging nog een tijdje door.

'Mijn naam is Robert Barker. Welkom.' Een grote ader op zijn slaap was nu behoorlijk opgezwollen, roodblauw, als een tatoeage.

'Zo, Frieda?' Hij trok een plastic stoel bij en ging tegenover hen zitten, knikte naar Tayeb, ook al bood hij hem niet zijn hand aan. 'Je hebt dus besloten een bezoek aan je moeder te brengen?'

'Ja, dat klopt...'

'En is het juist dat je al heel lang geen contact met haar hebt gehad?'

Frieda knikte en liet toen een vreemd geluidje horen. Een halve kuch. Tayeb vatte moed, pakte haar hand vast en kneep er even in. Hij was opgelucht dat ze haar hand niet terugtrok.

'Ik hoop dat u het niet erg vindt dat ik het vraag,' zei Tayeb, 'maar bent u...' – hij zei even niets – 'hier de leider?'

Robert Barker keek naar Tayeb met een uitdrukking van gigantische verveeldheid op zijn gezicht.

'Léíder... eh... nee, nee, we hebben hier geen leider. We zijn een meer... egalitaire en democratische instelling.' Hij keek Frieda weer aan en het was duidelijk voor Tayeb dat de man maling aan hem had.

Robert Barker zei: 'We willen je graag op onze missie rondleiden en je de originele victoriaanse keukentuin laten zien. We zijn op dit moment op zoek naar je moeder. Ze zal even tijd nodig hebben om zichzelf voor te bereiden, voordat ze jou kan ontvangen. Normaliter vragen we om een verwittiging vooraf, maar...'

Robert Barker sprak snel en had een beleefd inleidend babbeltje kennelijk niet nodig gevonden. Hij stond op en wendde zich tot het meisje met de poppenogen dat als een beschermengel bij de deur stond.

'Kun jij ze een rondleidinkje door het woongedeelte, de tuin en de boerderij geven, dan ga ik met Amrita praten, oké?'

Het meisje knikte en Robert Barker hield de deur voor hen open om de prefabruimte te verlaten.

Een karige bestrating van leitegels slingerde zich tussen een complex van identieke trailerachtige prefabruimtes door. Ze waren in felle kleuren geschilderd en op de deuren hingen bordjes met namen als Bharathi, Gayathri, Hamsini en Kadambari. Een andere jonge en mooie vrouw stapte vlak voor Tayeb een deur uit. Ze had lang lichtbruin haar en een onrustbarende neuspiercing – een scherpe, agressieve, metalen punt, die als een kling uit haar neusvleugel stak.

'Hallo,' zei Tayeb.

Ze knikte, zei niets, maar staarde hem wel recht in zijn gezicht aan. Maar toen wendde ze zich abrupt af alsof ze genoeg had gezien en vastgesteld.

Achter het woongedeelte lag een bosrijk stuk land waar zich elkaar verdringende, op een kluitje geplante oude bramen- en frambozenstruiken stonden, omringd door pollen brandnetels en veldzuring. Op een open plek stonden van omgehakte bomen en houtblokken gemaakte banken in rijen, waardoor een soort toneelruimte was gecreëerd.

Het meisje haalde haar notitieboekje tevoorschijn en schreef: *Hier worden lezingen en discussies gehouden, soms muziek opgevoerd.*

'Waar is iedereen?'

De meesten werken. We zijn met een heleboel projecten bezig, sommige op landbouwgebied, sommige opleidingsgericht. De vriend-kinderen zijn allemaal in de schoolsectie. Veel van onze vrienden zijn bij het schoolwerk betrokken, bij meditaties, bij mystieke vraagstellingen. Het is hard werken. We hebben hier een heleboel bijzonder intelligente en goed geïnformeerde vrienden.

De uil zat in de auto en ineens maakte Tayeb zich zorgen om hem. Hij overwoog hem te gaan halen, maar wilde Frieda niet alleen laten, en trouwens, wat zou hij ermee moeten doen? Hij sjokte nog een halfuur achter hen aan waarin er naar van alles gewezen werd en ze rijen kolen en bonen, die tegen bamboestokken op groeiden, mochten bekijken. Het was duidelijk een techniek om tijd te rekken en ze sjokten maar door. Ten slotte werden ze teruggebracht naar de eerste prefabruimte waar Robert Barker op hen zat te wachten, op een plastic stoel en met een berg onappetijtelijk ogende crackers op een geel bord voor hem.

'Wilt u hier op uw moeder wachten, alstublieft. Ze heeft erin toegestemd u te ontmoeten.'

'Ja. Dank u.'

Tayeb en Frieda zaten alleen in de ruimte. Tayeb had een heel sterke dwang om te tekenen. Dat overkwam hem soms. Tekenen. Of spuiten, of schilderen, of iets ontsieren – hoofdzakelijk om zijn sporen achter te laten – en die tent hier riep een oneerbiedig gevoel bij hem op. Hij haalde zijn vulpen en zijn aantekenboekje uit zijn pukkel en begon te tekenen wat hij recht voor zich zag: een vensterbank met een rij blikken erop waarin alleen maar potloden stonden, daarachter bomen. De beweging van het maken van zachte vlekjes en lijnen kalmeerde hem. Hij wilde aan zijn polsen en op zijn rug krabben, maar hij deed het niet. Hij wilde het niet.

TE OVERWINNEN MOEILIJKHEDEN. *Wat er ook gebeurt, ga door, hoe sneller hoe beter, totdat u de smaak te pakken hebt gekregen van dit tijdverdrijf; tot het idee van het immer-voortgaan bezit van u heeft genomen.*

Een dame op de fiets in Kashgar – aantekeningen

12 augustus

Waar te beginnen? Met de roze splinters van de dageraad aan de hemel terwijl ik voor de laatste keer met mijn fiets aan de hand door de poort van het Paviljoenhuis loop? Nee. Voor die tijd zelfs: ik was doodop na een nacht nadenken over wat ik met Lizzie moest doen. Mijn eerste gedachte was om haar in de zon te leggen en haar door de woestijn, de insecten en de hitte, te laten verslinden. Ik dacht dat dat het snelst zou gaan en te verkiezen was boven haar te laten wegteren in die kamer, waar Millicent in feite mijn lieve gansje heeft laten verhongeren. Maar toen ik haar begon te verplaatsen, herinnerde ik me het klooster dat we op de reis hierheen hadden bezocht, even buiten de stadsmuren van Osj, waar de in gewaden gehulde monniken de gieren voerden, omdat het verwerken van menselijke kadavers hun taak was. De gedachte aan snavels die Lizzie verscheurden was...

Nou ja. Uiteindelijk bedekte ik haar met sjaals en strooide ik jasmijn- en rozenblaadjes uit de tuin op haar haren. Bij gebrek aan een passende kerkelijke plechtigheid depte ik water op haar voorhoofd en kuste ik haar. Ontzield gansje.

Daarna was alles erop gericht om te vertrekken. Ik zorgde ervoor dat mijn dierbare, gestolen baby goed gevoed was met Allenbury-mix en legde haar in een bedje dat ik voor haar in de fietsmand had gemaakt. Ik had stokken aan de mand vastgemaakt met een sjaal eroverheen, een door mij verzonnen manier om haar tegen de zon te beschermen. Hachelijk balancerend en vastgebonden achter het fietszadel stond de wiegkoffer volgestopt met het volgende: het restant van de gedroogde Allenbury-voeding, de missieprent en de Ordnance Survey-kaarten; Lizzies Leica en diverse filmpjes van haar, de foto's in Millicents bijbeltje, dit dagboek en mijn boeken die al zo'n afstand met me waren meegereisd: de fietsgids van Mrs. Ward, Burton, Shaw en het boekje met de vertaalde volksverhalen van Mr. Greeves. Ik hield nog maar net ruimte over voor wat kleren en dekentjes voor Ai-Lien. Zodra al die spullen in de dichtgemaakte koffer zaten, bond ik met het touw waarmee Rebekah vroeger vastzat, de mimeograaf erbovenop. Die was zwaar maar compact ingepakt in zijn draagbare kist en kon nuttig zijn om te verkopen of om iemand mee om te kopen.

De fiets was te zwaar om mee te rijden, dus duwde ik hem. Ik voelde alle hobbels die samen het pad langs de oude rivierbedding vormden, en ook iedere verraderlijke draai van de wielen, die de afstand tot Lizzie vergrootte. Ai-Lien leek tevreden op haar rug naar de hemel te kijken terwijl het licht rozer werd en daarna geler. Ik duwde de fiets door het bomengebied waar jonge wilgen op populieren zijn geënt en het was alsof mijn zintuigen gevoeliger waren geworden. Ik had al vele malen over deze weg gewandeld, maar de geluiden overvielen me nu bijna. Voor het eerst merkte ik pollen wilde lavendel op en saliestruiken die langs de randen van het pad groeiden.

Ik hoopte aan te komen bij de vestingwerken van de Oude Stad voordat de zon op zijn hoogtepunt was. De ritmiek van het reizen nam bezit van mijn lichaam; tot mijn verbazing dacht ik in plaats van aan Lizzie, aan Millicent. Ik zou haar eigenlijk moeten haten – je zou kunnen zeggen dat ze mijn zusje heeft vermoord – maar de krachtige zon deed de haat verdwijnen. Het enige wat ik kon voelen was het neerploffen van mijn voortstappende voeten en het draaien van de fietswielen.

De schildwachten bij de stadspoort van Kashgar waren de ergste in hun soort: jong en dwaas. Ze keken me brutaal aan toen ze mijn papieren controleerden, ook al wist ik zeker dat ze niet konden lezen. Ze keken naar Ai-Lien. Ze rookten verscheidene sigaretten, staarden weer naar Ai-Lien, naar mij en naar de fiets, en fluisterden en rookten nog meer sigaretten. Mijn haar zat zo goed mogelijk verstopt onder een sjaal, maar ze bleven me scherp observeren en wellustige blikken op mijn gezicht werpen. Ik tikte met mijn vingers een ritme op mijn pols om rustig te blijven, totdat ze me uiteindelijk doorlieten. Binnen de stadsmuren vroeg ik aan een oudere man die er vriendelijk uitzag – hij had tijdens het hele toneelstukje staan toekijken – of hij me naar de messensoek wilde brengen. Ik moest mijn verzoek enkele malen herhalen voordat hij het begreep: messen.

Eerst dacht ik dat de pater niet thuis was, omdat het erg stil op zijn kamer was, maar toen rook ik dat er onlangs iets in olie was gebakken, en toen hoorde ik het geroekoekoe en het gekrakeel van zijn rusteloze duiven. Ik kon niet anders dan Ai-Lien oppakken en mijn fiets met al mijn bezittingen in de dubieuze, vreemd gevormde ingang van zijn huis laten staan. De ingang lijkt nergens op te rusten: de oude houten balken van de constructie zien eruit als een balanceerspelletje met stokjes voor kinderen.

Ik hield Ai-Lien tegen me aan terwijl we naar het dak klommen. De pater stond bij de kooien, voorovergebogen, en voerde de duiven. In eerste instantie hoorde hij me niet of hij besefte niet dat ik daar was, ondanks dat ik hem riep.

'Vader, ik heb uw hulp nodig,' zei ik terwijl ik op hem af liep. Het zonlicht was verblindend. Ik hield mijn sjaal over Ai-Lien heen en keek met half dichtgeknepen ogen naar Don Carlo. Hij draaide zich om en leek niet verbaasd me te zien.

'Kom uit die zon,' zei hij. Een duif zat schommelend op zijn arm en Don Carlo's magere gezicht was erg rood in de meedogenloze hitte. Zijn bonnet was smerig en stond scheef op zijn hoofd.

'Hebt u al iets over Millicent gehoord, vader?' De pater streelde de nek van de zilvergrijze duif, kuste hem op zijn kopje, bukte en stopte hem in een van de kooien. Toen kwam hij naar me toe.

'Ze houden haar in de gevangenis van de magistraat vast,' zei hij, terwijl hij op mijn elleboog klopte en me lichtjes tegen mijn rug duwde in de richting van de deur. 'Het is hier niet veilig voor je, *mi angeli*.'

Binnen verzorgde ik Ai-Lien. Ik voedde en verschoonde haar, en hij schonk wat water voor me in. Zodra ik klaar was met Ai-Lien en ik achteroverleunde en op het punt stond hem over Lizzie te vertellen, zag ik dat op de grond onder het raam kleine stukjes papier in een ingewikkeld patroon lagen, in rijen en over en om elkaar heen. Toen ik beter keek, zag ik dat ieder stukje in de vorm van een ster of een hexagoon was geknipt. 'Wat is dat, vader?'

'Een ornament. Ik heb de woorden uit de Bijbel genomen en ze in de geografische vormen van islamitische ornamenten gelegd.'

Suzanne Joinson

Ik boog me voorover. Een Italiaanse versie van de Bijbel was in duizenden en duizenden stukjes geknipt. Soms zag ik losse woorden, soms hele paragrafen. 'Wat wilt u daarmee doen?'

Hij keek naar me op en haalde een doosje lucifers uit zijn zak, stak een lucifer aan en raapte toen een van de stukjes papier op.

'Poef,' zei hij, 'verdwenen.'

De vlam gloeide op, waarna hij hem uitblies. Ik keek toe, gebiologeerd, terwijl hij het ene knipseltje papier na het andere in brand stak en de papieras uit het raam liet vallen, een moment oplichtend, als een vuurvliegje. In zekere zin was het mooi, het plotselinge opflakkeren en de papiervlokjes die vielen, maar de futiliteit ervan – van wat hij deed – en van Millicents missie, en van ons hier, voelde ineens onvoorstelbaar voor me aan.

'Ze gaan haar doden, ja hè?'

Vader Don Carlo begon zachtjes te zingen. Terwijl hij luisterde naar de fluitjes die bungelden aan de staarten van duiven en droomde over zijn islamitische wereld, vroeg ik me af wat de pater eigenlijk hier in Kashgar deed.

Ik herhaalde mezelf: 'Ja hè?'

Hij gaf geen antwoord maar bleef zijn vlammetjes ontsteken en ik had sterk het gevoel dat hij zich grondig had voorbereid op deze ontmoeting. De hemel mag weten hoelang die stukjes papier daar al op de vloer hadden gelegen om dit visoen uiteindelijk uit te kunnen beelden. De kans was groot dat hij het ook nog allemaal had gerepeteerd, de pauze voor het afstrijken van de lucifer, het laten bungelen van het vlammetje in de lucht, het puf-puf. Samen met zijn duiven, zag ik nu in, was het een cultivatie – een theatraal element – zijn sjofele kleding en de vilten zwarte hoed hoorden bij de rol die hij speelde. Hij was minder zweverig, drukte zich veel duidelijker uit dan ik eerder had aangenomen.

'Vader,' zei ik, 'kunnen we iets voor Millicent doen? Weet u hoe het met haar zal aflopen? U hebt goede contacten, u zou kunnen helpen.'

'Ik heb gisteren verzocht haar te spreken te krijgen, maar dat werd geweigerd.'

'Aan wie hebt u toestemming gevraagd?'

Hij keek weg en ik geloofde hem niet.

'Vader, u hebt veel tijd met Millicent doorgebracht, haar geholpen met de vertalingen, u moet begrijpen dat een deel van de...' Ik hield even mijn mond.

Toen hij geen lucifers meer had, keerde hij het doosje ondersteboven en keek erin alsof hij verbaasd was dat er niet zo'n grote voorraad in zat die tot de hemel reikte.

'... verantwoordelijkheid bij u ligt,' maakte ik mijn zin af.

Hij draaide zich om en keek me aan. Zijn bebaarde gezicht zag er verweerd uit, maar zijn handen trilden niet toen hij een slok van de wijn nam uit zijn smerige kopje. In het duister van zijn in de schaduw liggende kamer, en de pruimendonkerrode hitte die over ons heen lag, flakkerden de verschillende indrukken die ik van hem had om de seconde op, zodat hij het ene moment imponerend naar voren kwam, het volgende moment slechtgeluimd en gefrustreerd verscheen, en dan weer verdween, als een zich uitzettende en intrekkende levende blaasbalg. Toen zag ik ineens dat hij zich met een blik vol wantrouwen in zijn gezicht weer terugtrok.

'Verantwoordelijk waarvoor?'

'Voor Millicent, dat ze haar hebben ingerekend. Wat gaat er gebeuren?'

De zucht die hij uitstootte klonk bitter, en ik kon er geen touw aan vastknopen. Hij keek vertwijfeld naar het patroon van papiertjes en de aan stukken gescheurde boeken. De blik die hij me toewierp, liet aan duidelijkheid niets te wensen over, het was een superieure blik; hij verachtte me, mijn bestaan misschien wel, of mijn dwaasheid. Dit was zijn koninkrijk, begreep ik nu, en we waren minder welkom geweest dan we hadden aangenomen.

Ik hield me met Ai-Lien bezig om iets omhanden te hebben en wiegde haar in slaap, vroeg me ondertussen af wat ik moest doen. Door de grillen van de maarschalk zat Millicent, zonder haar bril, ergens opgesloten. Als ik haar zou gaan zoeken, zou ik waarschijnlijk ook onmiddellijk worden gearresteerd. Ze zouden Ai-Lien van me afpakken. Het was duidelijk dat ik niet op de hulp van vader Don Carlo kon rekenen. Integendeel zelfs: ik had gedacht dat hij Millicents bondgenoot was, maar nu ben ik daar niet meer zo zeker van. Maar ik had wel Mr. Steynings telegram waarin hij erop aandrong dat ik zou vertrekken, en de vogels die op Lizzies botten klopten.

De pater deed alsof hij een boek las. Hij draaide de bladzijden met minutieuze aandacht om, zijn houding tegenover mij nu helemaal hautain. Terwijl ik het fluweelzachte dons op Ai-Liens hoofdje aaide en de weergalm van de koerende vogels door de dakbalken hoorde, kwam er onmiddellijk een gevoel in me op dat ik Mr. Steyning moest zien te bereiken. De enige persoon die me misschien zou kunnen helpen om bij hem te komen, was Rami. Of liever gezegd, zij was de enige in deze hete, roze stad die ik ook nog kende. Misschien kon vader Don Carlo me met één ding helpen: zijn encyclopedische kennis van de bazaar.

'Vader, het enige wat ik van u wil vragen, is uw hulp om de Herberg van Harmonieuze Broederschap te vinden; daarna ben ik weg.'

De pater en ik liepen door de smalle straten, ik met de fiets aan de hand, hij zijn hoed voortdurend vasthoudend. Hij bood aan Ai-Lien over te nemen, maar dat sloeg ik af; ik hield haar dicht tegen me aan in de draagdoek. Hoewel de hitte op zijn hoogte-punt was, leek het raar dat de straten volledig verlaten waren. Voorheen hadden er kinderen in deuropeningen gespeeld en oudere mannen door de corridors van de bazaar gedwaald, zich soepeltjes aan de middaghitte aanpassend. Nu waren we alleen.

Langzaam kwamen we vooruit langs de rotsblokken en door het stof en de kuilen dieper de medina in, het bewust ingewik-kelde web dat enkel en alleen bedoeld is om een vreemdeling te desoriënteren. Elke kleine deur leidde naar een verborgen binnen-plaats, iedere corridor naar een volgende. Zonder de pater zou ik de bochtige steeg of het bord met de woorden ÉÉN WAAR GE-LOOF niet hebben gevonden.

Ik bonsde een tijdje op de onopvallende deur. Ai-Lien sliep tegen mijn lichaam, warm maar vredig. Ten slotte klonken er stemmen, gestommel, en werd de deur geopend door een kleine vrouw met donkere ogen; ze droeg een volledig lichaamsbedek-kende abaja. Toen ze ons aankeek hapte ze naar adem. Ze deed de deur weer dicht. Binnen klonk veel druk gepraat en ge-schreeuw. De deur ging weer open en toen stond Rami daar zon-der haar sluier, duidelijk hevig geschrokken mij te zien. Ze keek de pater kwaad aan. Hij boog, schudde mij de hand en stapte achteruit. Daarna greep Rami mijn pols vast en trok Ai-Lien en mij en de fiets door de deur en deed hem snel achter ons dicht voordat ik zelfs ook maar een woord ten afscheid tegen vader Don Carlo had kunnen zeggen. Hij werd niet uitgenodigd bin-nen te komen.

'Rami...' begon ik, 'Het spijt me dat ik je niet heb gewaar-schuwd dat ik...'

Haar gebaar zei: 'Waarom?'

'Ik moest hierheen komen. Er is van alles gebeurd. Ik kon ner-gens anders naartoe.'

Rami antwoordde me snel in het Oeigoers en ik begreep niet wat ze zei.

'Langzaam, Rami. Alsjeblieft.'

'Opstand.' Ze zei het langzaam, gaf me tijd om het te begrijpen. 'Mohammed doet mee. Vandaag is er een oproer uitgebroken in de stad. Luister maar.'

Ik vertaalde de woorden voor mezelf, stuk voor stuk, reeg ze aan elkaar als de zilveren schakels van een halsketting, en luisterde. Eerst zwak, maar daar was het, gescandeerde leuzen, trommgeroffel en gegons, en daarna een aantal knallen.

'Hier veilig, maar jij christen, jij gedood,' zei Rami langzaam om me te helpen het te begrijpen. Haar gezicht, de oude schoonheidsschimmen nog op de huid dansend, zag er vriendelijk uit.

'O, Rami, het spijt me. Ik heb je familie in gevaar gebracht.'

'Kom, kom.'

En daar was Lamara, de jonge, mooie echtgenote, en de andere vrouwen die als marionetten van het toneel wegglipten, en ook de fontein, de rozenblaadjes, de zachte, beschuttende schaduwen in de binnentuin. We werden uitgenodigd op kussens op de kleurige tapijten te gaan zitten en weer kropen de kleine kinderen vlak bij ons rond. Rami joeg de andere vrouwen, die Ai-Lien en mij aanstaarden en met elkaar fluisterden, met een 'kst, kst' weg.

Een slavinnetje bracht een blad met thee, naanbrood en fruit, gevolgd door schalen *leghmen* – zelfgemaakte mie – en rundvlees. Rami trok Ai-Lien uit mijn armen en zong zachtjes voor haar, en er werd melk gebracht. Ze waren vriendelijk, en als het had gekund, had ik hier wel een eeuwigheid in dit vrouwenverblijf willen blijven, tussen de zachte weefsels, ergens op de achtergrond. Ik huilde, en ik huil nu, nu ik dit opschrijf.

13 augustus

Aan het tromgeroffel komt geen eind, maar ondanks het oproer dat kennelijk in de stad rondwaart, voel ik me in deze herberg met zijn grote groep vrouwen veilig. Rami en Lamara helpen me Ai-Lien in bad te doen, die naakt over de vloer van de divankamer rolt, kirrend. Rami masseert haar, wrijft olie over haar hele lichaam zodat ze ontspannen en rustig wordt, haar kleine ledematen geven zich over aan de ervaring van te worden gemasseerd door zulke vaardige vingers.

Ik voel me zo'n dievegge als ik naar mijn gelukkige baby kijk. Ze hoort bij de bruine handen en zwarte ogen van deze vrouwen en hun oliën, samengesteld op een manier die ik me nooit eigen zal kunnen maken. Hun kunstgrepen om baby's te bekoren worden van moeder op moeder doorgegeven en ik, die ontheemd en ontworteld ben, ik weet niets. Ik speel vals.

Ze blijven me heerlijk voedsel voorschotelen alsof ze me vetmesten voor een offer: ik eet gefrituurde *sangza* van gedraaid deeg en *guxnan*-lamspasteitjes. We spreken niet over Khadega of Lizzie of Millicent. Na de pasteitjes volgt nog meer thee en brood en yoghurt en mint. We redden ons met wat mondjesmaat Engels en Oeigoers en gebaren.

14 augustus

Er is een eind aan gekomen, het kon ook niet anders.

'Eva,' zei Rami terwijl ze me wakker maakte, 'jij en Elizabeth moeten vertrekken. Is heel slecht voor jullie. Mohammed gauw thuis. Ik heb gids gevonden die jullie wegbrengt.'

'Elizabeth is dood.' Terwijl ik die woorden uitsprak, zag ik

Lizzie voor me op de kang, en ik kon mezelf niet tegenhouden, ik zakte ineen op de grond.

Rami sperde haar ogen open maar ze stelde me geen vragen, ze hielp me alleen weer op te staan.

'Je moet vertrekken.'

'Helpt Mohammed ons?'

Rami bleef in een moment van vertwijfeling doodstil staan – een insect gevangen in glas, in gelei, tot onbeweeglijkheid gedoemd – en ineens drong het tot me door in wat voor gevaar ik Rami had gebracht. Het was stom van me geweest.

'Zou hij mij vermoorden?'

Rami's gezicht, zacht en verdwijnend in zichzelf, een teloorgegane schoonheid, zei een Russisch woord: *dolg*.

Ik dacht aan Mohammed in zijn witte kaftan, zijn pijp rokend, en zocht naarstig in mijn ondeugdelijke woordenschat en vond het woord toen op miraculeuze wijze. Ja, het is zijn 'plicht'.

'Vanavond en morgen is hij hier niet. Ze vallen de Chinese maarschalk voor het ochtendgloren aan.'

'Draagt hij me over aan de maarschalk?'

'Nee. Hij doodt je. Alle buitenlanders dood.' Rami stond op, stopte haar haren achter haar oren en liep weg.

'Vader Don Carlo? Millicent?'

'Ja.'

Ik was vastbesloten om het trillen in mijn armen en benen te bedwingen, en dat lukte ook, althans wat mijn handen en benen betreft, maar mijn rechteroog begon in de kas te trekken en te schokken. Rami gaf me een leren zakje. Ik vermoedde dat ik wist wat erin zat. Nooit leek Southsea zo zo mijlenver verwijderd van waar ik nu stond.

'Alsjeblieft, weet dat Allah achter je staat. Ik zal altijd je vriendin zijn.'

Ik was dankbaar, maar kon haar dat onmogelijk tonen, en wilde haar dolgraag een geschenk teruggeven, maar ik had niets.

'Grijze dame en pater zijn slecht.'

'Rami, waarom zijn ze slecht? Wat bedoel je precies?'

Ze sprak snel, en ik begreep niet wat ze zei. '*Ezaam.*' Het leek alsof ze me nog een maaltijd wilde aanbieden, maar ik sloeg die af, omdat ik wist hoe gevaarlijk dat voor haar was, en zei dat ik moest vertrekken.

'Ik heb een gids voor je.'

Buiten de herberg stond Mr. Mah. Zijn keurige haar in een vlecht, zijn snor geolied. Hij knikte naar Rami maar zei niets tegen mij, en ik keek naar haar. Ik wilde niet met hem mee. Ik had geen enkele reden om hem te vertrouwen. Een hulpeloos gevoel overviel me; alsof ik weer een kind was dat van tafel werd gestuurd, naar bed gestuurd, weggestuurd, machteloos. Ik voelde weerstand, een vorm van woede, maar die verdween al weer snel. Ik wist dat ik geen keus had.

Ai-Lien lag goed ingepakt en behaaglijk in de fietsmand. Ik voelde iets bewegen binnen in mezelf en besefte, terwijl ik naar haar zachte, slapende gezichtje keek, dat het liefde was. Het schemerde toen we vertrokken, en de schildwachten bij de stadspoort bliezen op hun hoorns om te verkondigen dat de poorten werden gesloten. Rami had me duidelijk gemaakt dat het moslimleger zich buiten de moskee had verzameld en dat een aanval op de Chinese wijk van de stad ophanden was. Ze had me een volledig lichaamsbedekkende abaja gegeven en met mijn geheel bedekte gezicht gaf ik de schildwachten een munt van Rami's geld. Ik mocht er nog snel door, hoewel ze mijn fiets zagen en uiteraard wisten wie ik was.

Mah reed op een ezel naast me terwijl ik de fiets voortduwde.

Ik wist dat een reis door de woestijn in de nacht volstrekt iets anders was dan overdag en ik was zowel verontrust als blij vanwege zijn aanwezigheid.

Het werd al snel ongewoon koud. We verplaatsten ons snel, maar de temperatuur bleef na zonsondergang dalen en dus hielden we na verscheidene li's halt bij een kleine boerderij en Mr. Mah onderhandelde met de boer over een kamer.

'Is het wel veilig, Mr. Mah?' Ik wilde hem vragen waarom hij me hielp, maar het was moeilijk om een gesprek met hem te voeren; hij spreekt met een zwaar, moeilijk te bevatten accent.

Het geld dat Rami me had gegeven, zit verstopt onder mijn zwarte satijnen broek. In de boerderijkamer waarin ik nu zit te schrijven, staat een kang bedekt met een lap blauwe geweven stof. Als avondmaal aten we pannenkoekjes gemaakt van meel en olie, die we in azijn doopten. Mah rookte zijn pijp met lange steel en viel al snel in een diepe slaap, waardoor ik me afvroeg of hij opium had gerookt. Tijdens het eten had ik geprobeerd te weten te komen wat hij verwachtte.

'Ik weet niet hoe ik u moet bedanken,' zei ik

Hij glimlachte alleen maar en zei daarna: 'U betaalt mij.'

'Natuurlijk.'

De slaap wil niet komen. In plaats daarvan herhaal ik telkens weer in mijn hoofd het gesprek dat ik voor mijn vertrek met Rami had.

'Baby afgeven?' Het was een vraag. 'Jij beloven zij geen gevaar loopt. Mohammed niet weten.'

Terwijl ik op de geweefde patronen en kleuren zat, hield ik Ai-Lien bij mijn gezicht; ze tikte met haar vingers tegen mijn lippen. Ik dacht aan Khadega, haar haren gewikkeld om stenen op de rivierbodem; aan Mohammeds andere vrouw, Suheir, op de grond jammerend van de pijn, stompzinnig en hysterisch, omdat ze zo graag moeder wilde worden. Ik dacht aan Lolo, aan zijn tederheid tegenover Ai-Lien en aan zijn plotselinge verdwijning. Iets in me zegt dat hij haar mee had moeten nemen. Hoewel ze geen moeder of vader heeft, hoewel ze eigenlijk te vondeling is gelegd, en als dat is wat ze is, staat het buiten kijf dat ze hier thuishoort – net zoals de frêle rode papaver die ik heb zien groeien in de hardvochtige omgeving van rotsspleten in de woestijn. Ik aai haar gezichtje. Rami zou zeker goed voor haar zorgen. Maar wat zou haar lot zijn, het lot van een vondeling?

'Rami, ik...'

Ai-Lien tilde haar handjes op, duwde met haar vingertjes tegen mijn kin en raakte mijn lippen weer aan. Bij de deur legde Rami haar hand laag op mijn rug.

'Vrede zij met je. Allah glimlacht.'

Er klinken knallen en rommelende geluiden in de verte; het tromgeroffel gaat door en het drong net tot me door dat het woord dat Rami had genoemd, *ezaam*, Arabisch is voor 'botten'.

Sussex, heden

Een prefabgebouw op het terrein van de Prima Foundation

S lecht getekende vleugels. Vliegtuigen. Libellen. Vlinders. Allemaal hangen ze aan het plafond. Warme handen. Adem. Buiten schoppen eksters herrie, hun zang moet wel het lelijkste geluid zijn dat vogels maken. Tayeb was eerder met de jongere vrouw en Robert Barker vertrokken, waardoor Frieda in haar eentje achterbleef in de warme, hoofdpijn opwekkende ruimte, echoënd van Franse lessen uit een ver verleden. Of, preciezer uitgedrukt, haar gestuntel met het leren van Frans – het beschamende gevoel dat je minder dan gemiddeld bent in een klas, van de wijs gebracht wordt door woorden in lijstjes en werkwoorden in rijtjes die zich allemaal maar niet in haar hoofd wilden samenvoegen tot een geheel – en uiteindelijk de crue, onuitwisbare herinnering aan het falen.

Toen ging de deur open en kwam ze binnen. Ze had donker haar, als dat van Frieda, maar met strengen grijs erdoorheen geweven. Haar gezicht zag er wat dromerig uit, alsof het gevormd was door het nadenken over rivieren en zwanen en kroos op water. Geen glimlach, maar ze keek naar Frieda alsof haar ogen haar wel konden opdrinken, alsof Frieda van melk was. Een ongemakkelijke aarzeling ontstond. Moesten ze elkaar een hand geven of een kus? Frieda wachtte op een aanwijzing, maar die kwam niet en dus zei ze maar: 'Hallo.'

Nog steeds geen glimlach, dus Frieda zei: 'Je ziet er nog precies hetzelfde uit zoals ik me je herinner. Je lijkt geen dag ouder te zijn geworden.'

Haar moeder opende een met kralen versierde, stoffen tas, waarvan het lange hengsel als een veiligheidsriem dwars over haar bovenlichaam liep. Ze haalde een notitieboekje tevoorschijn, van hetzelfde soort als het blonde meisje bij zich had gehad, rood met een zwarte spiraal, en schreef erin op: *Een dieet van zeewier en geroosterd brood houdt me jong. Je ziet er mooi uit.*

'Kun je niet spreken?' Frieda schrok; haar kaak verstrakte.

Haar moeder schudde haar hoofd en schreef: *Zoveel vragen, zoveel in te halen. Hoelang blijf je?*

'Ik blijf niet lang,' zei Frieda, die met het woord 'mam' had willen eindigen, maar ze deed het niet. Er waren dingen die haar moeder had gemist en die een moeder niet had mogen missen, zoals de eerste vlekjes bloed in de onderbroek van haar dochter of de thuiskomst van de dochter van een schoolfeest en de ervaring van een gebroken hart, maar uiteindelijk waren die dingen niet zo belangrijk. Maar wat wel belangrijk was, was die imprint in haar hersenen die Frieda eraan had overgehouden, een terugkerende droom: Frieda die aan de voet van een heuvel staat terwijl haar moeder wegloopt zonder achterom te kijken, en een enorme gele dobbelsteen die van de heuvel op Frieda af rolt om haar te vermorzelen.

'Ik kwam eigenlijk alleen om je iets te vragen,' zei Frieda.

Het was interessant om de lichte lijntjes van spanning te zien die op haar moeders voorhoofd ontstonden en de ogen die half werden dichtgeknepen. Frieda kon zien dat ze dacht dat ze zou vragen waarom ze was weggegaan. Ze probeerde een antwoord te bedenken, wetend dat er geen ander antwoord was dan dat ze de voorkeur aan zichzelf had gegeven boven Frieda. Per slot van rekening offeren niet alle moeders zich voor hun kinderen op. Misschien had ze andere verklaringen, ingenieuze, die de imprint in haar hoofd zouden opruimen, maar dat was niet wat Frieda wilde vragen.

'Weet je wie Irene Guy is?'

Haar moeder keek verbaasd, haar ogen werden groot en toen wendde ze zich af en hoestte, heftig, in haar vuist. Kleine beetjes fluim moesten in haar handpalm zijn beland, dat zag Frieda aan de manier waarop ze haar hand hol hield en dat bleef doen. Ze moest hem ergens afschudden, of afvegen. Daar stond ze dan met het slijm uit haar borst in haar hand en ze zag er plotseling moe en een beetje bang uit. Ze knikte naar een tafel en samen gingen ze daaraan zitten. Daarna scheurde ze een blaadje uit haar notitieboekje, veegde haar hand eraan af en schreef op de volgende bladzijde: *Ze is mijn moeder.*

Aan de muur hing een ingelijste poster van een Indiase man, mollig, met daaromheen knalroze lotusbloemen, en eronder stond: IK ZAL VREDE OP AARDE BRENGEN. Frieda herinnerde zich hem uit de keuken, toen ze nog een kind was, het was de Margarine.

'Jij vertelde me dat je moeder dood was. Dood voordat ik werd geboren.'

Haar moeder keek naar de grond, haar jukbeenderen staken uit als de hoeken van stoepkrijt.

'Waarom kun je niet praten?'

Ze pakte haar pen op. *Sereniteit zetelt in stilte.*

'Ik dacht dat het zetelde in het naaien van de mannen van je vriendinnen.'

De woorden waren eruit voordat ze er erg in had en Frieda had er onmiddellijk spijt van. Daarom was ze niet hier. In haar oren klonk een geruis als van de zee, als het slepende geluid van het terugtrekkende tij tussen de kiezels door, terwijl alles wat deze vrouw haar al die jaren geleden over liefde en grenzen had verteld door haar hoofd schoot. Dingen die ze haar had verteld toen ze te jong was om die te horen. Of, als Frieda dan zo nodig geïndoctrineerd moest worden met de rites van de vrije liefde, dan had ze toen toch op z'n minst niet afgedankt moeten worden, als een versleten kledingstuk.

Frieda stond op om het gegons in haar hoofd te stoppen. Ze keek om zich heen en naar de foto van de Indiase man. De lotusbloemen die om de lijst heen hingen, waren bruin langs de randen en bogen door van het stof.

'Dat is de Maharaji, ik herinner me hem.' Een klein glimlachje verscheen op haar moeders gezicht.

'Heb je dít verkozen boven mij?' Haar moeder kwam niet in beweging, zei niets. 'Was het het waard? Heeft het je gebracht wat je nodig had?'

Frieda keek op naar het plafond, naar de gebroken vleugels, en dacht aan haar grootmoeder in Norwood die een uil bezat, hun namen al die tijd al in een database met elkaar verbonden.

'Ik vond dit in het huis van Irene.' Ze haalde de foto uit haar zak en liet hem zien. Ze hield haar moeder in de gaten terwijl die even naar de foto keek; het was niet aan haar gezicht te zien wat ze dacht terwijl ze ernaar keek.

'Ik wilde dat ik had geweten dat ik een oma had. Nou ja, nu is ze dood. Ze stuurden me een brief over de begrafenis, maar die ben ik misgelopen, ik was in het buitenland. Hebben ze contact met jou opgenomen?'

Haar moeder schudde haar hoofd en keek Frieda deze keer even recht aan. Ze bracht haar hand naar haar mond en keek uit het raam. Frieda schaamde zich. Ze had niet zo onverhoeds en bot over de dood van Irene Guy moeten praten.

Haar moeder pakte haar pen en begon toen als een bezetene te schrijven, haar hoofd gebogen vlak boven het papier, haar elleboog om het notitieboekje gekromd als een student tijdens een tentamen. Frieda schoof met haar voeten over het tapijt, liet ze naar achteren en naar voren glijden terwijl ze haar moeder snel zag schrijven, met blauwe inkt, met haar slordige hand-schrift het papier vullend, totdat ze ten slotte het notitieboekje aan Frieda gaf en achteroverleunde. Ze wreef in haar ogen, wendde haar hoofd af van Frieda en keek uit het raam naar de gevaarlijk scheef hangende boom.

Frieda. Luister. Ik ga niet zeggen dat het me spijt dat ik je in de steek heb gelaten, omdat het het moeilijkste was wat ik ooit heb gedaan – dat wil je niet weten. En ik verwacht niet dat je me vergeeft. Ik wil alleen dit zeggen: bedankt dat je hierheen bent gekomen om me over Irene te vertellen. Anders zou ik nooit heb-ben gehoord dat ze was overleden. Het betekent veel voor me.

Haar moeder zat voor haar, als een kat op een muurtje, be-daard.

'Ik wou dat ik het had geweten,' zei Frieda nadat ze de woor-den had gelezen. 'Dat er nog iemand anders was dan jij en papa. Ik heb me altijd zo... stuurloos gevoeld.'

De stilte was intens.

'Ik heb zoveel vragen.'

Haar moeder keek naar de foto. Ze tikte er een paar keer met haar vinger tegen en pakte toen haar pen weer op.

Ik was 19 op die foto, zwanger van jou, al behoorlijk ver zoals je kunt zien. Ik heb je altijd verteld dat je grootmoeder dood was, omdat ze dat in werkelijkheid voor mij ook was.

'Waarom praat je niet?' vroeg Frieda weer. Het was om gek van te worden, dat gekrabbel.

Haar moeder keek naar de tafel.

'Waarom was ze dood voor jou?' vroeg Frieda.

Irene, mijn moeder, woonde in Hastings – behalve voor een korte periode in Londen na de oorlog, een periode waarin ik ben ontstaan – er was geen vader – ik bedoel, ik heb hem nooit ontmoet. Irene was geadopteerd en haar adoptiemoeder stierf toen ik nog een baby was en dus waren we alleen, zij en ik, met z'n tweetjes en niemand anders, en ik ging ervandoor zodra het maar even kon. Niet omdat ik haar haatte, ze was een goed mens, maar... het was claustrofobisch. Te benauwd op de een of andere manier.

Dat verklaarde haar vaders vage reacties op Frieda's 'stamboom'-project.

'Ik vroeg papa wel eens naar mijn grootouders, maar hij zei altijd dat hij er niets van wist. Ik dacht altijd dat hij loog. Ik begrijp nog steeds niet waarom je nooit meer met haar hebt gesproken.'

Weer kromde de arm zich om het notitieboekje terwijl ze schreef.

Ik ben samen met je vader weggelopen, maar toen ik zwanger raakte, wilde ik haar dat vertellen. Ik klopte bij haar aan, liet haar mijn dikke buik zien, vertelde haar dat we gelukkig waren en dat het goed ging. Ze vroeg me om terug te komen, zei dat we samen voor de baby – jou – konden zorgen, en even werd ik in de verleiding gebracht. Maar ze zei dat ik moest kiezen: mijn man, jouw vader, of haar, Irene.

'Je koos voor hem, maar bent uiteindelijk toch bij hem weg-gegaan.'

Ze keken elkaar over de tafel aan.

'Was dat de laatste keer dat je haar hebt gezien?'

Ze knikte.

Het was alsof ik was gehypnotiseerd: zoals zij daar stond, het huis vol boeken en dromen. Ze had het altijd over het leren van een taal en over reizen. Aan de muren hingen landkaarten van over de hele wereld, de meeste van haar adoptiemoeder geërfd, samen met een enorme drang om te reizen. 'We gaan naar India! We gaan naar China!' zei ze heel vaak toen ik nog een kind was, maar op de een of andere manier... was ze niet uit Hastings weg te slaan.

'Je moeder – Irene Guy – hoe is die dan uiteindelijk in Norwood beland?' vroeg Frieda. 'Als ze in het huis in Hastings woonde?'

Frieda keek toe terwijl haar moeder nog meer opschreef, ieder woord snel uit haar pen vloeiend, een blauwe vlek.

Ik hoorde via een jeugdvriendin dat ze naar Londen was ver-huisd. Ik had toen al geen contact meer met haar. Ik wilde alleen maar weg bij haar. Ik werd doodziek van al die dromen en plan-nen waar uiteindelijk nooit iets van terechtkwam, het had alle-maal geen enkele betekenis wat ze zei. De realiteit van haar leven – in haar eentje in een huurhuis aan zee, nooit genoeg geld, zor-gen voor mij – stond zo ver af van haar luchtkastelen, dat ik een ontzettende hekel kreeg aan die hersenschimmen, aan de manier waarop ze zichzelf een loer draaide.

Buiten klonk gerinkel en het geknerp van voetstappen.

'Dus je bent vertrokken en hebt haar nooit meer gesproken?' Frieda's been trilde een beetje, dus duwde ze haar voet hard tegen de grond om het beven te stoppen.

Het leek een vicieuze cirkel, alsof fouten telkens weer worden herhaald, al die vrouwen met baby's maar zonder mannen. Ik was doodsbang dat ik er ook in zou vastlopen. Dat ik zoals zij zou eindigen, dat al mijn verlangens, plannen en dromen zouden worden kapotgemaakt door dat zelfbedrog. Ik rende de tuin uit, weg uit Hastings, en toen je oud genoeg was, vertelde ik je dat ze dood was. Het spijt me dat ik tegen je heb gelogen en dat ik ben weggegaan. Nu denk ik uiteraard de hele tijd aan haar en aan jou. En ik hou van je, ook al weet ik dat je me niet zult geloven. Ik heb je niet in de steek gelaten omdat ik niet van je hield, maar omdat ik niet anders kon.

Frieda trok aan de huid op haar handrug om zichzelf een knijpschokje te geven. Ze stond op het punt om te zeggen – wilde zeggen: Als dat zo was, waarom verstop je je nu dan hier, op deze plek?

'Wat moet ik met haar spullen doen?'

Maar haar moeder was al bezig zich terug te trekken in de spelonken in haar hoofd, zag Frieda, en ineens was de sfeer weer ongemakkelijk. Frieda werd verteerd door een bekend gevoel, de droefheid van dat ze ongewenst was; van een kind dat op een bank zit te wachten om opgehaald te worden door iemand die niet van haar houdt. Ze stond op en die beweging haalde haar moeder in één klap uit haar hypnotiserende gemijmer. Ze stak haar hand in haar kralentas, haalde er een opgevouwen, bedrukt velletje papier uit en propte het in Frieda's handpalm.

Frieda wierp er even een blik op en herhaalde: 'Haar spullen... haar meubels, boeken. Wat moet ik ermee doen?'

Hou ze als je dat wilt.

'Wil jij er dan helemaal niets van hebben?'

Ze schudde haar hoofd.

'Bedankt dan. Ja toch?'

Haar moeder pakte Frieda's hand, kneep er te hard in en liet hem toen weer los. Daarna keken ze elkaar niet meer aan, en toen het pijnlijk werd om door te gaan met het vermijden van oogcontact, deed Frieda haar ogen dicht, haar geest broedend op de feiten die ze zojuist in zich had opgenomen. Haar moeder stond op terwijl Frieda's ogen nog steeds gesloten waren en liep de kamer uit. Of ze achterom keek naar haar, of wat precies de uitdrukking in haar ogen was, Frieda besloot dat ze het niet wilde weten. Maar ze hoorde alles haarscherp, het geschraap van de stoel over de vloer, iedere stap, en de aarzeling met de deurkruk in de hand. De klap van de deur die dichtsloeg en het gehoest aan de andere kant, en daarna niets.

Weer terug buiten was de lucht drukkend, opengerold in grijze strepen. Frieda liep over het gras en de bruinrode bladeren en de zachte modder. Even verderop op het pad bleef Frieda staan. Ze leunde tegen de prefabmuur en wilde een sigaret.

Het duurde even voordat het ruisende geluid in haar hoofd minder werd. Ze wist niet waar Tayeb was, in de buurt van de auto nam ze aan. Ze vouwde het vel papier open.

Khechari Mudra

Kha betekent 'Akasa' en *Chari* betekent 'bewegen'. De yogi beweegt in de Akasa. De tong en de geest blijven in de Akasa. Vandaar dat het bekendstaat als Khechari Mudra.

Deze mudra kan alleen worden uitgevoerd door een individu als hij of zij de voorbereidende oefening rechtstreeks onder leiding van een goeroe heeft uitgevoerd, iemand die Khechari Mudra praktiseert. Het voorbereidende deel van deze mudra bestaat uit het zó lang maken van de tong dat de punt van de tong de ruimte tussen de twee wenkbrauwen kan aanraken.

De goeroe zal de tongriem iedere week met een glanzend, schoon mes een stukje verder insnijden. Door de wond te bestrooien met zout en kurkuma zullen de snijranden zich niet meer met elkaar verbinden. Het insnijden van de tongriem moet regelmatig gebeuren, eenmaal per week en gedurende een periode van zes maanden. Smeer de tong met verse boter in en rek hem uit. Pak de tong met uw vingers vast en beweeg hem heen en weer. Het 'melken van de tong' betekent: hem vastpakken en eraan trekken zoals een melker met de uier van een koe doet tijdens het melken. Op die manier kunt u de tong verlengen zodat hij tot het voorhoofd kan reiken. Dat is het voorbereidende deel van Khechari Mudra. Als dat eenmaal is gedaan, bestaat er geen reden meer om te spreken.

Breng de tong dan omhoog en terug terwijl u in de Siddhasana zit en aldus het gehemelte aanraakt en de neusgangen in de keelholte met de omgelegde tong afsluit en de blik fixeert op de ruimte tussen de twee wenkbrauwen. Laat nu de Ida en Pingala los, en Prana zal in de Sushumna Nadi stromen. De ademhaling zal ophouden. De tong ligt op de opening van de bron van nectar. Dat is Khechari Mudra.

Bij het praktiseren van deze mudra zal de yogi niet flauwvallen, geen honger en dorst hebben en geen lusteloosheid ervaren. Hij is verlost van ziektes, verval, ouderdom en dood. Deze mudra maakt een mens tot een Oordhvaretas. Omdat het lichaam van de yogi vol nectar is, zal hij niet sterven, zelfs niet door een dodelijk gif. Deze mudra geeft Siddhis aan Yogins. Khechari is de beste van alle mudra's.

Een man met een geschoren hoofd en een paars, katoenen hemd liep in haar richting. Toen hij dicht bij haar was, zei ze: 'Neemt u me niet kwalijk, maar eh…?'

Hij glimlachte.

'Mag ik vragen hoe u heet?'

Hij trok een rood notitieboekje tevoorschijn en schreef erin: *Tom. En jij?*

'Frieda.'

Ze hield de folder omhoog en wees toen naar zijn mond. 'Heb je hem laten insnijden?'

Hij knikte en schreef op: *Belofte van eeuwige stilte: ware nectar.*

Frieda liep naar de omheining en herinnerde zich ineens het knip-knip-knip van het nagelschaartje in de hotelkamer. Wat zou de sjeik vinden van het insnijden van de tong? Het schaartje, de pony, de sjeik, alles versmolt met elkaar, voorschriften kwamen ineens in haar hoofd op. Ze wilde dat ze die tot zwijgen kon brengen door Tayeb tegen te komen, maar het enige wat ze zag waren bladeren en het oneindige gras.

BUITEN ADEM; LICHAMELIJKE BEPERKINGEN. *Als u opziet tegen iets wat u hebt ondernomen en het als te moeilijk ervaart, des te meer kracht kost het om dat gevoel te overwinnen. Als u op de fiets gezeten in een gemoedstoestand van bezorgdheid doorrijdt, dan brengt dat een hoge nerveuze spanning teweeg, en als u daar tegenstand aan wilt bieden en die wilt compenseren, kost dat enorm veel energie.*

Een dame op de fiets in Kashgar – aantekeningen

15 augustus

De dorpen hebben we zo veel mogelijk vermeden en gelukkig is het tromgeroffel verdwenen. Ik denk dat ik dat geluid misschien wel enige tijd binnen in mijn hoofd heb meegedragen, omdat, toen ik tegen mezelf zei dat ik er niet meer naar moest luisteren, het aanhoudende gedreun langzamerhand ophield. Mah zegt dat het nog twintig li naar Aksu is.

Twintig li – het klinkt aanvaardbaar, maar deze route voert langs de randen van de Takla-Makanwoestijn in het allerslechtste jaargetijde om te reizen. We hebben een voerman gehuurd en voor mij een kleine pony. De voerman is van oorsprong een Kirgies, geloof ik, heel jong en met een chagrijnig gezicht. Zijn kar vervoert mijn fiets, die ik weigerde achter te laten, en al mijn bezittingen. Ik betaalde de voerman een kleine som vooraf, met de belofte het volledige bedrag in Kucha te betalen.

De dieren – en wij in feite ook – zijn alleen in staat om 's nachts te reizen, omdat het overdag gewoonweg te heet is, en dus is ons ritme als volgt: we staan om drie uur 's morgens op, reizen tot de zon helemaal op is en zoeken dan een schuilgelegenheid, meestal een eenvoudig afdak of een grotwoning van een plaatselijke bewoner. Ik was stomverbaasd toen ik ontdekte dat dorpelingen hier de uren overdag onder de grond doorbrengen om zich in dit jaargetijde tegen de hitte te beschermen. We eten en slapen tijdens de heetste uren van de dag en beginnen 's avonds weer te rijden. We gaan daar tot middernacht mee door, of tot nog later als we daar de kracht voor hebben.

Tijdens die helse middagslaap droom ik verschrikkelijke dromen: over mijn zusje met grote zwarte veren aan haar armen gebonden; over Kashgar dat in de brand staat; over de moskee in vlammen; over Millicent geketend in een gevangenis in de kelder van de politierechtbank; Lizzie met de in haar haren rondkruipende knalrode mieren die je hier ziet. Ik dacht dat ik me lichter zou voelen naarmate ik verder van Millicent verwijderd zou zijn, maar het omgekeerde is waar: ik voel me zwaarder, vanbinnen, en ik stik zowat in deze hitte.

(Een paar dagen later) augustus. Ik weet niet meer wat voor dag het is...

Vanmorgen hebben we brood op de kop kunnen tikken bij een bakker die het in een oven in een grot aan het bakken was – tien kleine broden, allemaal klef van de olie, maar daardoor blijven ze wel langer vers. Het is duidelijk dat de opstanden de handelaren niet hebben kunnen tegenhouden. Al voor het ochtendgloren kwamen we karren vanuit Aksu of Turpan tegen, hoog opgeladen met kleedjes en tapijten, of met gedroogd fruit en ruwe katoen. De voermannen stoppen en praten met Mah en soms wordt er koopwaar gekocht.

Gisteren hebben we zes komkommers gekocht en die onder een vlechtwerk van ranken van dode populieren opgegeten. De afstanden tussen verkoopkraampjes die tegen de schemering worden opgezet en de afgelegen herbergen die we passeren, zijn lang en somber stemmend.

Ik probeer de uitwisseling van nieuwtjes te begrijpen: gesprekken over ordeverstoringen en problemen en opstanden in Herat, Tasjkent, Samarkand, Turpan en Barkol. Ze wijzen naar mij, gapen Ai-Lien aan en Mah zegt: 'Ze komt uit Engeland, dat ligt aan de andere kant van Hindoestan,' en ze knikken allemaal alsof dat mijn vreemde uiterlijk verklaart.

augustus

Ai-Liens heldere ogen knipperen, ze zuigt op haar vuistjes. Mah heeft een stoofpot van een soort woestijnkonijn gemaakt. Net als slangen slapen we in holen. Deze grotwoningen liggen meestal verscholen aan de voet van de golvende heuvels of zijn uitgegraven in de rotsige steile bases van morenen. Ze hebben een smal looppaadje en de rest van de vloer wordt bezet door een kang van opgedroogde modder. De plafonds zijn een lappendeken van hooi en smerig gras, en de ventilatie, als die er al is, bestaat uit niet meer dan een paar kleine gaten. Ramen hebben deze holen niet, en als de deur dichtgaat, krijg je een gevoel dat nog het dichtst komt bij levend te zijn begraven. Mah, de voerman, Ai-Lien en ik delen één kamer om kosten te besparen en iedere keer als de deur dichtgaat, komt dezelfde gedachte bij me op: zullen Mah en zijn voerman mij vermoorden? Of nog erger? Maar tot nu toe valt Mah al snel in een diepe slaap, geholpen, vermoed ik, door een trek aan zijn opiumpijp voordat hij binnenkomt, en de twee mannen snurken luid. Het is dus alsof je in een doodskist ligt, en iedere keer denk ik dat ik het niet uithoud, maar dan word ik door uitputting overmand en Ai-Lien ook. Verbazingwekkend genoeg slapen we vast in de koele zwarte ruimte, en ik moet toegeven, nu ik er langzaam aan begin te wennen, dat deze rotsholen precies verschaffen wat we nodig hebben: verlossing van de zon en bescherming tegen dieven.

augustus

We kunnen niet naar Aksu – te gevaarlijk. We zitten op Nan Lu, de Zuidelijke Route. De koopmannen en reizigers op Nan Lu vertellen ons dat er bloed vloeit in de straten van Aksu, waar veldslagen plaatsvinden tussen de Hui en Oeigoerse mannen. Dat betekent dat we onze voorraden niet voldoende kunnen aanvullen en we gedwongen zijn om in de primitieve boerendorpen op jacht te gaan naar onderdak.

Hoewel het bijna niet mogelijk lijkt, voelt het alsof het iedere dag nog warmer is dan de vorige. Soms draag ik Ai-Lien op mijn rug, soms in de mand met de schaduwconstructie. Ik kijk telkens weer op de landkaart en droom over Kucha, waar ik hoop dat Mr. Steyning op ons wacht. Omdat we de stad niet in konden, zijn we gedwongen om smerig, vervuild water te drinken. Ik maak Ai-Liens gedroogd voedsel ook klaar met dat water.

Net toen het ochtend was geworden vandaag, waren we getuige van iets wonderbaarlijks: een karavaan van kamelen, een stuk of vijftig, geleid door hun Kirgizische drijver die op een ezel voor hen uit reed. Ze staken een droge rivierbedding over op hun weg diep de Takla in. Zelfs de voerman bleef staan om te kijken. De bellen om hun nekken brachten een melancholiek geluid voort dat gevoelens opriep aan de gevaren, denk ik, van afzondering en eenzaamheid.

Zonder Ai-Lien zou ik me onverdraaglijk eenzaam hebben gevoeld, ondanks Mah en de voerman. De kamelen kwamen maar langzaam vooruit, aan elkaar vastgebonden met versierde wollen banden met kwasten.

Ik herinnerde me dat Millicent een keer zei: 'Behandel een kameel te vaak te ruw en hij verliest de wil om te leven en gaat gewoon ergens liggen om dood te gaan.'

augustus

Mah houdt lange periodes achter elkaar zijn mond. En als hij dan wel wat zegt, langzaam en op een sonore toon, begrijp ik er niets van. Het is eenzaam om aan de zijde van iemand te reizen die onmetelijk ver weg is. Ik ben niet consequent in mijn waardering voor hem. Ik wil dat hij me meer ziet staan – en me beschermt, neem ik aan – maar tegelijkertijd ben ik dankbaar dat hij afstand houdt. De manier waarop hij botjes en graten uitspuugt, vind ik ontstellend.

Dit laatste deel van de reis is verschrikkelijk: tenten opgezet op eenzame vlaktes, een reeks verlaten dorpen, nu zonder water en met zand dat tot in alle hoeken en gaten is doorgedrongen. De wind brengt een bijna ondraaglijk gevoel van troosteloosheid met zich mee en Ai-Lien is overgevoelig, voelt zich niet op haar gemak en is moeilijk te troosten. De huid van mijn wangen is verbrand en vervelt; mijn voeten doen vreselijk pijn. Ik durf er niet eens naar te kijken.

De voerman irriteert me, eist dit en dat, hier te stoppen, sneller te gaan of langzamer. Hij is voortdurend opgewonden als een
kleine puppy, en dat is niet goed voor mijn zenuwen. Ik ben begonnen te hallucineren. Zo nu en dan hoor ik in een windvlaag
de stem van mijn zusje en menigmaal zie ik Millicent voor me
staan, naast een zwerfkei, haar haren in de stijve knoet waar
slechts een of twee krullen uitsteken, en met een jachtgeweer
in haar hand, het gelaat afgewend. Mr. Hatchett, in smoking,
zwaait naar me vanachter een tamariskboom, en vandaag zag ik
tussen de lichttrillingen de hele promenade van Southsea, inclusief pier en gedenkteken, en rook de frisse geur van zout en
enigszins wegrottend zeewier.

? augustus

Nu ben ik echt van het pad af. Ik vertelde Mr. Mah dat ik op een
normale, degelijke, rechte kang moest slapen, en niet op eentje
onder de grond. Ik had behoefte aan een fatsoenlijke maaltijd en
ik moest Ai-Lien wassen; het arme kind had zwarte randjes achter haar oren van het stof en haar haartjes zaten tegen haar
hoofd geplakt. Ik kon er niet meer tegen. Dus maakten we een
kleine omweg van Nan Lu af naar een moslimdorp, waar we kamers namen in de Herberg van Hemelse Vriendschap. Het dorp
werd, zoals de meeste mohammedaanse plaatsen, omgeven door
een beschermende muur. De poortwachters waren niet vriendelijk. Of liever gezegd, ze waren vijandig, en het had tot me door
moeten dringen dat het niet verstandig was om het dorp in te
gaan. Door een deuropening zag ik een elegante blauwe iris met
een lange steel.
Onze kamer was bloedheet maar schoon, en ik betaalde extra

voor water om mezelf en Ai-Lien te wassen. De kussens en de
thee en het brood, de glimpen die ik opving van de in bonte gewaden en witte en gekleurde sluiers geklede vrouwen, kalmeer-
den me en het was een opluchting even niet in de buurt van Mah
te hoeven verkeren die met de waard thee zat te drinken en te
roken.

Nadat ik de rust en het water ten volle had uitgebuit, en Ai-Lien
in haar bedje had gelegd, klopte Mah op mijn deur en ontbood
me mee te komen. Twee soldaten redetwistten met de oudere
waard.

Op ons verzoek had de waard de autoriteiten niet op de hoogte
gebracht van onze komst, en nu stond hij als gevolg daarvan oog
in oog met deze boze militairen, die waren gewaarschuwd dat
we hier logeerden. De enige manier om de situatie te doen bedaren, was steekpenningen betalen aan zowel de waard als de soldaten. Ik gaf Mah de helft van het geld dat Rami me had gegeven en zei tegen hem dat het alles was wat ik had. Het was
idioterie om uit de veiligheid van het woestere gedeelte van de
woestijn te komen, ook omdat mijn paspoort is verlopen en ik
geen officiële papieren heb waarin mij toestemming is verleend
om door deze regio te reizen. We werden gedwongen onmiddellijk te vertrekken, een flinke bom duiten lichter.

Terug naar de rotsholen en de weg dus; wat een omslag in mijn
hoofd, wat een warboel met die zon die laag na laag van mijn
huid weghaalt, hem diep kleurt en afpelt, laat verdwijnen. Om het
nog erger te maken kwamen we de volgende dag, of de dag daarna – ik weet niet meer waar we zijn – in een nog erbarmelijker deel
van de woestijn, waar golven van steen een leeg plateau kruisten.
De wind blies onophoudelijk, pijnigde mijn gezicht, en ik hield
Ai-Lien dicht tegen me aan, gewikkeld in zijden en katoenen lappen, maar ze mopperde en wrong zich in bochten. Tussen alle rug-

gen van steengruis, rotsblokken en zwerfstenen in zag ik een verhoogd vierkant van stenen liggen, met botten bedekt. Toen we er weer een passeerden, zag ik dat het niet alleen botten van schapen en koeien waren, maar dat er ook paardenschedels bij lagen. Ik dacht dat dit troggen voor nomadische beesten waren.

Ik wees ernaar en Mah zei: 'Sneeuw.'

De dieren moesten zijn overvallen door sneeuwjachten, begraven bij hun troggen, omgekomen van de honger of doodgevroren. Het is onmogelijk je sneeuw voor te stellen in deze vreselijke hitte. Als dit weer aanhoudt, is het nog een dag naar Kucha, de boeddhistische stad, waar ik hoop dat Mr. Steyning op ons wacht.

augustus

Teleurstelling: hij is er niet. In plaats daarvan ving een van zijn Singalese bedienden ons bij de stadspoort op, met een boodschap: Mr. Steyning is niet in staat om naar Kucha te komen, in plaats daarvan zal hij in Korla zijn, de volgende pleisterplaats op onze reis. Hij zal zorgen dat er gidsen worden betaald als we daar zijn. We zullen voorbereidingen treffen voor het oversteken van de bergpas naar Karashahr, en hij zal ons dan door de Tianshanbergen leiden naar zijn huis in Urumqi. Het is afstand waar geen einde aan komt. Ik hou me vast aan die lieve Ai-Lien, dankbaar voor de voorraad gedroogd voedsel.

augustus

Een groep priesters en bedelaars kwam vandaag over de weg op ons af, waardoor ik aan Lizzie moest denken. Ze zou hen graag hebben gefotografeerd. Ik werd in de war gebracht; ik dacht dat ze iets kwaads in de zin hadden, maar Mah voerde energiek een gesprek met een van hen. De man trok even zijn lange robe naar achteren, waardoor de gebruikelijke broek zichtbaar werd, en toen kwam het bij me op dat ze verkenners waren of spionnen. Ze nodigden ons uit om naar een in de buurt gelegen dorpje mee te gaan, waar het volgens hen veilig was. Wat kon ik anders dan vertrouwen op Mah's oordeel?

We daalden af en voor het eerst zag ik met eigen ogen het bewijs dat sommige van de bandieten hierlangs waren gekomen op weg naar Aksu en Kashgar: boerderijen afgebrand tot een verkoold, houten skelet; een heel dorp geplunderd, behalve het huis van de hoefsmid, die gedwongen was geweest paarden te beslaan en ontelbaar veel karren te repareren. De bewoners hadden al hun brood en andere voorraden moeten afstaan. Mah schijnt iedereen op deze weg te kennen, maar daardoor voel ik me niet veiliger; integendeel zelfs, ik heb het gevoel alsof ik in de richting van mijn graf word geleid. We komen nu regelmatig groepjes lusteloos uitziende mannen en jongens tegen, sommige erg jong, die uit de ronselaarsbendes zijn gedeserteerd. Iedere dag zien we wel een of twee groepjes die zich in het gras verbergen. Ik geef de voorkeur aan meer afgelegen streken.

augustus – misschien september?

Mr. Steyning bevond zich in een kampement buiten Korla.

Mijn opluchting was als een duik in het water. Gisteravond ontmoetten we hem in een Kirgizisch tentenkamp, met vers water en voedsel. Het eerste wat hij deed, was Mah en de voerman apart nemen, waarna de onderhandelingen over de betaling ettelijke uren in beslag namen. Ik deed een poging om zo veel mogelijk geld bij te dragen, maar Mr. Steyning sloeg dat af. Ik beloofde het hem in de toekomst terug te betalen, maar hij schudde zijn hoofd. Toen de som was vastgesteld en overhandigd, klom Mah eenvoudigweg op zijn ezel en vertrok, zonder achterom te kijken of gedag te zeggen. De voerman, nog steeds mopperend en rondhuppelend als een puppy, eiste een maaltijd.

Ik verzorgde Ai-Lien, die dringend toe was aan een fatsoenlijke wasbeurt en schone dekens en kleren. Mr. Steyning had daaraan gedacht en proper beddengoed meegenomen, waar ik de baby dankbaar in wikkelde. Hij kwam ook aanzetten met een overvloedige voorraad koeienmelk en wat brood en Russische jam. Zodra Ai-Lien schoon in haar bedje lag, begonnen we te praten.

'Waar is uw zusje?'

Ik vertelde het hem.

Hij stond met de bijbel in zijn ene hand, legde zijn andere hand op mijn arm en zei oprecht: 'Lieve mevrouw, wat spijt me dat te horen.'

Hij legde de situatie in het land tot in detail uit, wat ik ondanks alles voor mijn gids probeerde te begrijpen: een overgelopen Chinese generaal leidt een opstand van moslims, en een Chinees leger heeft op zijn beurt de achtervolging op hen ingezet. Zowel de moslimbandieten als de Chinezen ronselen jongens voor hun legers, vallen dorpen aan om hun voorraden aan te vullen, en de algehele dreiging van beide kanten maakt iedereen doodsbang.

'Het grootste probleem is dat ze de oasebronnen blijven vergiftigen en dichtgooien,' zei Mr. Steyning, waarna hij eraan toevoegde: 'De verkenners die ik heb gesproken, wekten de indruk dat ze in de richting van de Gobiwoestijn wilden trekken. Onze route loopt door de Hemelse Bergen. Zodra we eenmaal over de pas zijn, zullen we gevrijwaard zijn van al die narigheden.'

Ik was uitgeput en overspannen. Buitengewoon vriendelijk legde hij een deken om me heen en ik leunde zelfs tegen zijn schouder, zo moe was ik. Ik viel met mijn hoofd tegen hem aan in slaap. Toen ik vanmorgen wakker werd, lag ik heerlijk toegedekt op een dunne matras; dat moet hij zelf hebben gedaan, heel voorzichtig, zonder me wakker te maken.

september?

Na twee dagen uitrusten treffen we voorbereidingen om de pas door de Hemelse Bergen over te steken. Als monumentale kathedralen liggen de bergen voor ons. Het lijkt onmogelijk om daaroverheen te komen; ze zijn zo enorm dat er gewoonweg niet zoiets als een 'overheen' kan bestaan. Daardoor zit er ineens geen schot meer in mijn voorbereidingen. Ik zou wel zeven jaar willen slapen.

Samen met twee van Mr. Steynings bedienden, een Singalees en een Kirgies, reizen we te paard. Ik heb mijn fiets achtergelaten. Het is ondoenlijk om hem door de bergen heen mee te nemen, hoewel ik me niet kan voorstellen dat ik me zonder de fiets zou kunnen voortbewegen. Ik herinner me dat Lizzie en Millicent alleen maar konden lachen toen ik voor het eerst ter sprake bracht om een fiets op onze reis mee te nemen. Toen het tot hen doordrong dat ik het serieus meende, stelde Millicent de voorwaarde dat ik dan zelf alle bijkomende kosten voor de fiets zou moeten betalen.

'Waarom wil je hem meenemen?' vroeg Lizzie.

Ik geloof niet dat ik haar antwoord gaf. Ik vertelde haar niet dat ik me daarachter kon verschuilen en dat het mijn manier was om te ontsnappen; of dat ik, sinds ik me voor het eerst op pedalen had voortbewogen en de vrijheid van het fietsen had gevoeld, heb geweten dat het het dichtst bij vliegen kwam. De fiets zal wegroesten in de woestijn, daarna tot stof vergaan, en ik ben diepbedroefd.

Tien uur op een vreselijk smal pad te paard. We hebben geluk met het weer, zegt Mr. Steyning, een wolkeloze hemel. Voor Ai-Lien hebben we van een zak een slaapzak gemaakt. Soms draag ik haar op mijn rug, soms een van de bedienden. Terwijl onze paarden voortploeteren, word ik stijf. Alles doet me pijn, en om mijn aandacht af te leiden van de steile afgronden aan één kant van het pad, vertelt Mr. Steyning me een liefdesgeschiedenis over de Tiemanpas: een heel oud verhaal over een prinses en een burgerman die elkaar ontmoeten en verliefd op elkaar worden. De koning verzet zich tegen de relatie en daarom springen de twee geliefden de dood tegemoet in de Kongque He, de Pauwenrivier.

Ik probeer te luisteren, maar ik ben bezorgd. Want terwijl we hoger klimmen, wordt Ai-Lien lustelozer, minder stevig dan anders in haar armpjes en beentjes, en ze kijkt niet echt meer op haar opgewekte manier om zich heen. Ik zorg ervoor dat ze meer dan genoeg drinkt, maar het is moeilijk. Als ik haar ledematen omhooghoud, lijkt ze behoorlijk zwak.

De rotsen waren ruig en helden over. Ze rezen aan alle kanten boven ons op. Het steile, smalle pad was maar een centimeter of vijftig breed, maar de pony's leken stevig op hun benen te staan. Mẹt sneeuw bedekte pieken reikten tot de hemel, sommige zwart, sommige grijs, een Vaticaan met eindeloos veel torenspitsen. We bleven doorrijden toen de nacht viel, omdat we het risico niet konden nemen om vast te komen zitten als het weer zou omslaan. Terwijl we stegen, maakte ik me zorgen om Ai-Lien. Ze haalde adem en dronk haar melk, maar ze leek te stilletjes. De glimlachende Kirgizische jongen bood aan haar te dragen en ik stemde ermee in – hoewel ik haar eigenlijk niet wilde loslaten – omdat het me, toen we aan een nog steilere passage begonnen, te veel moeite begon te kosten haar verder te dragen.

Vervolgens kwam er een angstaanjagend gedeelte, een grijze kale rotswand aan de ene kant, een loodrechte afgrond aan de andere kant. Ik praatte op mezelf in om de misselijkheid tot bedaren te brengen: Kijk niet naar beneden. Kijk voor je uit, naar Mr. Steyning, naar zijn rug, zijn verbazingwekkende, gestaag over het smalle pad doorlopende pony.

De angst om Ai-Lien groeide.

Mijn benen deden pijn en zo nu en dan kletterde achter ons een losse kei naar beneden, door onze aanwezigheid losgewrikt van zijn eeuwige plek.

En toen, vlak voor het vallen van de avond, zei Mr. Steyning: 'Kijk.'

Achter ons was een ontzagwekkend panorama te zien: purpers, schakeringen van lila via violet tot diepzwart, en zo'n indrukwekkende schoonheid in de grillige vormen dat mijn ogen het beeld zowaar verslonden en de uitputting, de pijnen en duizeligheid verdwenen.

Maar we moesten door terwijl de duisternis naderde en bij iedere bocht in het pad dacht ik dat we er waren: bij het vlakke grasland om de tenten op te slaan waarover Mr. Steyning had gezegd dat dat even verderop lag. Ik begon de verraderlijke schaduwen te haten, en o goeie genade, die pijn in mijn benen. Het pad had eindeloos veel bochten en terwijl de duisternis ons verzwolg, bleven allerlei roofvogels, inclusief gieren en minstens één arend, boven ons rondzweven. We maakten een scherpe bocht en het pad daalde, maar zo erg hadden we het nog niet meegemaakt: puin en stenen raakten los en rolden om de trillende, voortdurend ergens tegen stotende hoeven van de pony's heen – verder, naar nog een scherpe bocht, tot we uitkwamen bij een verbazingwekkend grote vlakte: een uitgestrekt vlak terrein met zacht gras. Als je niet zo'n moeite had met ademhalen, leek het ondenkbaar dat je je op zo'n grote hoogte bevond, al een heel eind op weg het Tianshangebergte in.

We zitten in een herberg, maar het is duidelijk dat ze hier geen behoefte aan buitenlanders hebben. Dit is Karashahr, 'de Zwarte Stad', ooit een boeddhistisch centrum, maar nu is het Oeigoers, heel erg zelfs.

'Ik ga wel even kijken wat die herrie te betekenen heeft,' zei Mr. Steyning. Hij liet Ai-Lien en mij hier alleen achter in deze rommelige kamer vol kussens.

We waren de stad door de Chinese wijk binnengekomen, die is omgeven door een muur en een sloot. Omdat we de Chinezen niet opmerkzaam wilden maken op onze aanwezigheid, namen we een van de wat primitiever uitziende poorten. Langs de muur van opgedroogde modder bevonden zich Turkse winkeltjes. Daar stonden ook de gebruikelijke torens met hun pagodeachtige daken, en vanaf een van deze torens werden we door een aantal mannen gadegeslagen. Ze waren jong, maar ze zagen er niet vriendelijk uit; hun gezichten stonden dreigend.

We zijn er wel aan gewend te worden aangestaard, maar de sfeer was hier anders, en nu schijnt het dat die mannen de herbergier uitjouwen en stenen tegen de ramen en deuren gooien. Het is een paar uur geleden begonnen en toen Mr. Steyning wat van onze bagage begon af te laden, kwam hij terug met de mededeling dat ze nu met zo'n twintig man zijn.

'Wie zijn dat?' vroeg ik Mr. Steyning toen hij terugkwam.

'Jonge mohammedanen. Ze storen zich eraan dat we hier zijn.'

'Waarom?'

'De stad is een Oeigoers bolwerk.'

De herbergier kwam binnen, een oudere man met handen in elkaar gedraaid als saksaulwortels. Hij staarde ons met zijn waterige ogen aan en sprak snel, in dialect, met Mr. Steyning.

'Ze gooien met kluiten aarde, ze schreeuwen. Hij is bang dat hun aantal zal groeien.'

'Proberen ze ons weg te pesten?' Het leek onvoorstelbaar dat ze zoiets deden: we hadden hun niets aangedaan.

'Hij staat erop dat we vertrekken,' zei Mr. Steyning. 'Laat me met hem praten.' Hij pakte de oude herbergier bij zijn arm vast en nu staan ze op de binnenplaats te praten.

Later: we hadden geen keus. We werden gedwongen om aan het begin van de avond de weg te nemen die naar het beroemde zoetwatermeer leidt, het Bagrash Kol, en zelf maar ergens een schuilplaats te zoeken. Uiteindelijk streken we neer tussen een groep populieren, waarbij we om de beurt sliepen of de wacht betrokken. De hele nacht beeldde ik me in dat ik het gekraak

van voetstappen hoorde of de dolk van een jongeman zag glin-
steren.

⁓

We zitten weer hoog in de bergen. Vandaag hebben we onze tenten opgeslagen in een prachtige, goudgele, diepe vallei. De lucht is
kouder, de besneeuwde pieken lijken dichterbij, maar ze zijn welkom na de recente hitte. Het gras om ons heen is goudgeel, de bergen in de verte zijn blauw met goud en we hebben zelfs helder bron-
water tot onze beschikking. Toch kan ik er niet van genieten omdat
Ai-Lien zo goed als zeker ziek is. Ze is warm en huilt voortdurend,
en ze houdt daar alleen mee op als ze in een verontrustend diepe
slaap valt. Mr. Steyning heeft haar onderzocht, maar geeft toe dat
hij niet medisch is geschoold. Zijn metgezel in Urumqi is dat wel.
'We kunnen het beste maar zorgen dat we zo snel mogelijk in
Urumqi komen.'
'Maar het reizen is juist het probleem.' Ik weet zeker dat ze
alleen maar wil slapen, rustig en in stilte, en niet hortend en sto-
tend en hobbelend.
Mr. Steyning pakte mijn hand. 'Als je liever hier blijft,' zei hij,
'doen we dat.'
Dat was aardig.
'Maar we hebben een dokter nodig,' zei hij.
Mijn baby: ze eet niet goed en er zit bloed in haar ontlasting.
Ik hield haar dicht tegen me aan in de hoop dat ze rustig zou
worden, maar ze bleef maar huilen, heel lang. En toen ze was
uitgeput, werd ze zo vreselijk stil. Niets heeft me voorbereid op
deze enorme drang om haar te beschermen, en op de hopeloos-
heid die ik op dat moment voelde. Ik wiegde haar urenlang, tot
Mr. Steyning naar me toe kwam.

'Ga een uurtje liggen, we vertrekken over niet al te lange tijd en je hebt helemaal niet geslapen. Ik let wel op haar.'

Ik ging languit boven op de deken liggen en luisterde naar Mr. Steyning terwijl hij probeerde Ai-Lien te troosten. Ik heb deze enorme afstand afgelegd terwijl ik er min of meer van overtuigd was dat Mah me wilde vermoorden (hoewel ik nu besef dat zijn wens om te worden betaald veel zwaarder woog dan de wens om mij kwaad te doen). De opluchting nu samen met Mr. Steyning te zijn is immens. Zelfs te midden van al mijn zorgen om Ai-Lien is het gevoel van veiligheid groot. Mr. Steynings gezelschap geeft me het gevoel warm te worden ingestopt, lekker onder de dekens, veilig. Als Lizzie hier zou zijn, zou ik haar dat kunnen vertellen, en ik denk dat ze het wel zou begrijpen. Hij heeft iets rustigs over zich, iets kalms waarnaar ik – dat besef ik nu – op zoek was. Zou dat het zijn wat Lizzie bij Millicent voelde? Het komt in me op dat als ik van een man zou houden, Mr. Steyning het soort man zou zijn van wie ik inderdaad zou kunnen houden. Dat is een verwarrende gedachte, maar ze is ook nog eens verweven met herinneringen aan de genegenheid die ik voor mijn fijngevoelige, overleden zusje voel. Ik moet een absoluut vertrouwen in hem hebben. Het kan gewoon niet dat Ai-Lien onder zijn hoede dood zou gaan.

Ai-Lien huilt voortdurend en ze geeft over. Ik heb de afgelopen paar nachten niet meer dan een uur of zo geslapen. Als ik wel slaap, heb ik nachtmerries: Millicent die omringd wordt door kraaien, lege koffers achtergelaten op perrons, Lizzie verdwaald en op zoek naar mij, Mr. Hatchett die het voorstel voor mijn boek aan een bestuur van kwakende kikkers presenteert, een klok in een walnotenhouten kast op een plek die 'thuis' wordt genoemd.

—

We gingen langs bij een dokter in een piepklein bergdorpje waar nauwelijks Chinezen of Russen woonden. Het pad zigzagde eindeloos omhoog. Het duurde een eeuwigheid voordat we het plaatsje hadden bereikt en we moesten een onwelkome omweg nemen. We zagen vuren in de verte. Zodra we aankwamen, vroeg Mr. Steyning een paar mannen van het dorp naar de dokter en niet lang daarna kwamen ze terug met een oudere man en een streng kijkende vrouw, die zijn dochter is. Deze vrouw nam Ai-Lien in haar armen en begon haar te onderzoeken; de oude man stelde Mr. Steyning een heleboel vragen.

Aanvankelijk was ik optimistisch toen de vrouw Ai-Liens lipje naar beneden trok en professioneel in haar mond staarde en daarna naar haar ogen tuurde, de hele tijd krassend, krijsend en wauwelend, maar toen liep ze weg en kwam al snel weer terug met een brouwseltje in een kom dat er erg smerig uitzag. Ik vroeg de dokter en zijn dochter wat het was, maar ze wilden me geen antwoord geven. Ik keek gefrustreerd naar Mr. Steyning. Ze gingen weg en ik fluisterde hem in zijn oor: 'Dat vergif ga ik haar niet geven.'

Hij wreef met zijn handpalm over zijn zwarte baard alsof hij moe van me werd. Het was de eerste keer dat hij op zo'n manier in mijn aanwezigheid had gezucht en duidelijk te kennen gaf dat ik me te veel zorgen maakte, en onmiddellijk verdween de illusie van ingestopte dekens en veiligheid. Ik hield het brouwseltje wat dichter bij hem zodat hij het met eigen ogen kon zien.

'Ik geloof dat je gelijk hebt.'

'Waar zijn ze allemaal gebleven?' De kleine Ai-Lien was stilletjes en witjes, gewikkeld in haar katoenen lappen, maar ze haalde adem.

'Ze bereiden nu een ritueel voor om de goden een streek te leveren zodat die haar niet meenemen,' zei hij.

'Wat?' zei ik. 'Denken ze dan dat ze doodgaat?'

'Het is niet uit te sluiten.'

'Wat houdt dat ritueel in?'

Hij vertelde me dat ze van plan waren Ai-Lien op een brandstapel voor lijkverbrandingen te leggen en te doen alsof ze dood was, om op die manier hun gemene afgoden in de war te brengen. Ik was verbijsterd en verbood het onmiddellijk, geërgerd door al die hocus pocus, maar zelfs Mr. Steyning, die ik als een pragmatische man was gaan beschouwen, knielde domweg neer om te bidden alsof hij alle hoop had opgegeven dat Ai-Lien haar ziekte te boven zou komen. Hij deed alsof hij de garantie wilde hebben dat ze veilig naar gene zijde zou overgaan.

Mijn woede verhardde tot een heldere geestesgesteldheid waarin gedachtes en beelden tot een uitgekristalliseerd geheel stolden. Ik keek aandachtig naar Ai-Liens bleke, lieve gezichtje – weer dat volschieten van liefde; zij die me zo dierbaar is, die broze sculptuur van de fijnste botjes en huid. Ik besloot dat de praktische kant nu aan bod was, dat ik kalm moest blijven en de symptomen moest duiden. In haar ontlasting zat bloed en ze had het benauwd op de borst, wat dysenterie zou kunnen betekenen. Ik ploegde door mijn geheugen om me te herinneren wat ze in dat geval nodig zou hebben en besloot: heel veel vloeistof en heel veel slaap.

Het was moeilijk, maar het lukte me om haar regelmatig teugjes gekookt en afgekoeld water in haar mond te geven. Ik masseerde haar, herinnerde me Rami's handen – wilde dat ik nu wist wat Rami wist – wilde, op de een of andere rare manier, dat Millicent hier was; zij zou misschien weten wat er moest gebeuren. Ik wiegde Ai-Lien en zong haar in slaap.

—

Ze was wat helderder toen ze wakker werd. Mr. Steyning leverde geen commentaar, maar glimlachte, en ik zag aan de manier waarop zijn vingers over zijn snor bewogen dat hij werkelijk geloofde dat zijn gebeden waren verhoord. Zijn zinloze gebeden! En tegen het einde van de dag kwamen we overeen om zo snel mogelijk door te rijden naar Urumqi nu Ai-Lien ietsje beter leek te zijn.

Ik wikkelde Ai-Lien strak in haar slaapzak, hing hem op mijn rug, en het was een vreugde om haar kleine, wriemelende handjes weer te voelen, haar vingers die met mijn haar speelden, eraan trokken. Ik ben nog steeds bezorgd om haar, ontzettend, en te veel arenden lijken boven onze hoofden rond te blijven cirkelen.

—

De wegen zijn goed en vrij vlak. Gisteren besloten we om de hele nacht door te rijden, allebei verlangend om zo snel mogelijk in Urumqi aan te komen. Een boodschapper kwam ons op een kleine pony tegemoet over het duin, een Kirgies met een bruine huid en in een fraai versierde jas, met het nieuws dat de ongeregeldheden en opstanden zelfs deze kant van de bergen hadden bereikt. Hij beschreef een groep moslimsoldaten, in schaapsleren broeken en met messen aan hun gordels, dorstend naar wraak voor de slechte behandeling die ze hadden ondergaan. Het is nog steeds erg gevaarlijk voor ons.

De boodschapper begeleidde Mr. Steyning en mij gedurende

onze reis bij maanlicht over een pas. De hoge, steile rotsen aan beide zijden wierpen griezelige schaduwen over het smalle pad en terwijl we doorreden keek ik aandachtig naar de contouren van Mr. Steynings rug voor me. Hij is een grote man en zijn brede lichaam roept associaties op aan bescherming tegen stormen en verdrietige dromen. Ik ben zijn zwakheid in verband met Ai-Lien niet vergeten, maar kijken naar zijn rug terwijl hij voor me reed, was geruststellend, zij het tegelijkertijd ook nieuw en vreemd, en die gevoelens werden gekoppeld aan de ongewone nachtelijke sfeer op de pas waar we overheen reden.

Gedachten zoals deze komen in conflict – ik weet niet waarom – met beelden van mijn zusje die naar het einde van de tuin van het Paviljoenhuis rent en haar hand op de bast van de zakdoekenboom legt. Gedachten aan haar komen ongenood op en laten een stempel van geknaktheid bij me achter. Weldra zullen we in Urumqi aankomen, de hoofdstad van Sinkiang. Ik ben zo lang onderweg geweest naar deze stad dat het iets van een sprookjeskasteel heeft gekregen, en anders dan Lizzie heb ik nooit van sprookjes gehouden.

Eastbourne, heden

Sunnyside View B&B

Het water was zo heet mogelijk. Frieda liet haar voet erin zakken en door de plotseling hitte kwam er onwillekeurig een geluid uit haar mond dat klonk als: '*Zzzzaaaah*.' Met een licht hoofd zag ze dat haar ondergedompelde huid rozerood werd. Snel trok ze haar voet weer uit het water.

Ze ging op de rand van het bad zitten met haar voeten in balans op de tegenoverliggende kant. Op de handdoeken stonden rozenknoppen en op de douchegordijnen lelies. In feite waren de meeste voorwerpen in de B&B-kamer voorzien van afbeeldingen van meeldraden, blaadjes en andere onderdelen van bloemen. Door de stoom besloeg haar bril, dus zette ze hem af en gaf zich over aan het wazige zicht. De kranen werden zilveren niet-vormen zwevend voor een witte achtergrond.

'Was ze niet zoals je had verwacht?' had Tayeb gevraagd, maar Frieda had toen geen antwoord gegeven. In sommige opzichten, ja, in sommige opzichten, nee. De korte duur van de ontmoeting was een schok na al die jaren van afvragen en al die eindeloze gesprekken die ze in haar hoofd met haar moeder had gevoerd. En dan waren er ook nog haar moeders onverzorgde haren, zwart met grijs, ongewassen en in de knoop. Het was eigenaardig, die vreemde mengeling van een laag zelfbeeld en arrogantie die in haar gezichtsuitdrukking was te zien. Over het feit dat ze dat leven had verkozen boven haar, was Frieda immens verbolgen. Nee, het was minder dan verbolgenheid, iets wat afgestompter voelde, meer zoiets als buikpijn, maar niettemin ongewenst.

Stoom wond zich om haar heen, verlichtte de misselijkheid die was opgekomen toen ze in de auto het pamflet nog eens had herlezen. Het badwater trok haar naar beneden en liet gedachten aan scheermessen op het kleine snoertje huid dat de tong met de onderkant van de mond verbindt in het niets verdwijnen.

Als kind had ze ooit een keer tegen haar vader gezegd dat ze een zeemeermin wilde worden: 'Ik wil dat mijn voeten leegbloeden van het dansen op zwaarden en het lopen over glas; ik wil verdwijnen in een spleet tussen het schuim van de zilte zee, om te bruisen en te gisten aan de rand van het strand tot ik me nergens meer van bewust ben.'

Hij had gereageerd met: 'Je weet niet waarover je het hebt.'

Terwijl Frieda met veel lawaai uit het water opstond, hoorde ze dat Tayeb de kamerdeur opendeed en binnenkwam. Ze had al haar kleren buiten de badkamer op het bed laten liggen, dus zat er niets anders op dan enkel gewikkeld in de grote roze bloemenhanddoek naar buiten te komen. Tayeb zette een papieren tas van een afhaalrestaurant op de tafel en in de kamer rook het onmiddellijk naar kardemom en vet.

Frieda glimlachte naar hem. 'Heb je curry gehaald?'

'Ja.'

Ze keek naar haar lichaam met de handdoek erom, onder haar arm bij elkaar gehouden. Tayeb keek naar haar schouders.

'Curry is een goed idee,' zei ze, terwijl ze de tas pakte. 'Zullen we gaan eten?'

Na het eten en een glas bier ging Frieda liggen, rustend tegen de kussens. Tayeb zette de draagbare tv aan en kwam verlegen naast haar zitten. Ze was zich ervan bewust dat ze onder de handdoek naakt was. Ze zou zich moeten aankleden. Ze had maar de helft van de portie curry opgegeten en stond op om naar de badkamer te gaan en wat water te drinken. Toen ze weer terug in de kamer kwam, zat Tayeb rechtop op het bed.

'Frieda,' zei hij, 'je rug is... mooi.'

'O.' Ze voelde dat in haar hals een blos opsteeg.

Tayeb stopte al het verpakkingsmateriaal van de curry in de bruine zak en vouwde hem goed dicht. Daarna deed hij de deur open en zette de zak op de gang. Onmiddellijk begon de geur te verdwijnen.

'Frieda,' zei hij weer.

'Ja.'

'Ik zou echt heel graag...'

Ze keek hem even aan. Het geluid van de tv uit een andere kamer was door de muur heen te horen, een boem-boem-boem dreunende herkenningsmelodie van iets. Frieda stond voor Tayeb en keek naar zijn gezicht, wreef de ene voet over de andere, zich hyperbewust, ineens, van haar naakte voeten, haar lelijke knobbelige voeten, en keek ernaar.

'Ik zou heel graag op jou willen tekenen.'

Frieda hief snel haar hoofd op, keek hem aan. 'Tekenen?'

'Op je rug,' zei hij.

Ze dacht er een minuut over na; haar mond was droog, haar ogen geïrriteerd. Ze opende en sloot haar vuist. Waarom niet? Ze vond het idee eigenlijk wel leuk. 'Oké.'

Tayeb grijnsde, liep naar zijn pukkel en haalde er iets uit. 'Dit zijn bamboepennen, voor Arabische kalligrafie. Ik wil op je ruggengraat tekenen, de inkt zal er een tijdje op blijven zitten, maar gaat er uiteindelijk wel weer af. Wat vind je daarvan?'

'Oké,' zei ze weer, rustig, alsof het een volstrekt normale zaak voor haar was om met bamboe Arabische kalligrafie op haar rug te laten tekenen. Ze ging op haar buik op het bed liggen en wendde haar hoofd af van het raam en keerde het naar de muur. Hij liep nog even wat rond en installeerde zich toen naast haar op het bed.

'Ooit,' zei Tayeb, 'maakten kalligrafen zelf hun eigen inkt van walnoot gemengd met granaatappelschil en water.'

'Dat klinkt leuk.'

Tayeb trok voorzichtig aan de handdoek en Frieda verplaatste zich een stukje. Hij verschoof de handdoek zodanig dat haar hele rug bloot kwam te liggen. De lucht voelde koel op haar huid. Zijn ogen moesten wel naar haar kijken, maar in plaats van verlegen of kregelig te worden, deed ze haar ogen dicht en dwong zichzelf stil te blijven liggen. Tik-tik klonk het en toen voelde ze een punt, en daarna het trekken van een lijn langs haar ruggengraat. Tayeb haalde de punt weg en wachtte even, en daarna begon het opnieuw. Een lange, neerwaarts getrokken druk over haar rug, vrij hard, gevolgd door een scherp, bijna kietelig gevoel op haar huid, en bij de volgende paar pennenstreken rilde ze van schrik bij iedere aanzet, iedere lijn, maar de vijfde of zesde keer reageerden haar spieren als vanzelf, spanden zich even aan onder de huid en smolten daarna weer weg. De tv gonsde zijn schallende geluiden.

'Wat teken je?' vroeg ze, voornamelijk in het kussen.

Het was even stil voordat hij antwoordde: 'Een veer van een Arabische struisvogel.'

'O.'

Voor Frieda leek het of iedere pennenstreek fijner werd, langer. Met een langzame stem en met zijn fluweelzachte Arabische accent begon hij haar te vertellen over deze vogel, deze Arabische struisvogel.

'Hij is uitgestorven.'

'Ach nee toch.' Frieda draaide haar hoofd ietsje zodat haar gezicht niet zo in het kussen werd platgedrukt.

Tayeb praatte verder. 'Mijn vader vertelde me vaak verhalen over de woestijnstruisvogels,' zei hij, terwijl de streken op Frieda's rug zelfs nog langer en zachter aanvoelden. 'Ze konden sneller dan welk dier ook rennen en hun nekken waren lang, als slangen. Ze waren gracieuzer en mooier dan welke vogel ook.'

'Heb je er ooit een gezien?' vroeg ze.

'Nee. Ze zijn... Ik ben in 1967 geboren en toen waren ze al een tijdje uitgestorven.' Zijn stem klonk zacht, bijna als geneurie.

'Jammer.'

'Hmm.' De pennenstreken gingen door, bijna als regen. 'Niemand kon het wat schelen of ze bleven voortleven of niet. Waar ik vandaan kom, doden ze vogels zonder ook maar een seconde bij hun overleving stil te staan.'

'Maar ik dacht dat je zei dat ze sneller dan welk dier ook waren.'

'Maar niet sneller dan een kogel, helaas.'

Frieda zag voor zich hoe de gracieuze struisvogels werden neergeschoten en op een hoop belandden.

'Vroeger geloofde ik dat het magische vogels waren,' ging

Tayeb door, 'en dat ik op de rug van een van hen mee kon reizen, over enorme afstanden vliegen.' Terwijl hij praatte, nam de snelheid van zijn pennenstreken enigszins af.

'Nu besef ik dat het stom van me was om te dromen over wegvliegen op een vogel die niet kan vliegen.'

Frieda deed haar ogen open. Ze kon voelen dat hij zijn gewicht op het bed verplaatste. Zelf had hij haar niet echt aangeraakt; het was alleen de bamboepen die het spoor van zijn mare volgde. Iedere veeraanraking galmde zachtjes na in haar huid en ze begon zich enigszins slaperig te voelen. Achter haar oogleden zag ze haar moeder met haar gemêleerde haar en haar getemde tong, maar toen verdween ze weer; daarna zakte Frieda weg alsof ze in de ban van Tayebs huid raakte en hij in die van haar, alsof hun lichamen samen konden komen in deze subtiel getekende tatoeage.

Ze was in slaap gevallen. Ze ging rechtop zitten. Tayeb was niet in de kamer; hij was de deur uitgegaan, om een sigaret te roken misschien. De uil was nu helemaal wakker en staarde haar aan. Hij keek naar haar met een duidelijke uitdrukking van afwachting en honger in zijn ogen, en toen ze naakt van het bed opstond en naar de badkamer liep, riep hij voor het eerst naar haar, een zacht raspend geluid. In de badkamer wrong ze haar nek in bochten om naar haar rug te kijken.

Langs haar ruggengraat was een prachtig getekende veer te zien. De pluimen liepen vanaf de wervels in kabbelende golven tot over haar ribben. Ze probeerde haar nek nog verder te draaien om de tekening helemaal te zien, maar ze had een passpiegel nodig om hem echt goed te kunnen zien. De inkt droogde op, wat haar een gekriebel op haar huid bezorgde, een aangenaam gevoel. Ze kuierde terug de kamer in, keek naar de uil, vroeg zich af of hij honger had, en dacht dat ze wel voor altijd naakt zou willen blijven zodat de hele wereld haar rug zou kunnen zien.

DE KUNST VAN HET FIETSEN. *De algemeen aanbevolen regel voor het klimmen luidt: 'Let niet op heuvels. Rijd ze gewoon op.'*

Een dame op de fiets in Kashgar – aantekeningen

19 september

Ik ben gezegend dat ik in een op zijn Engels ingerichte werkkamer, inclusief open haard, mag zitten. Zo sluit je de elementen buiten!

Urumqi is erg Oeigoers en doet me aan Kashgar denken, met zijn moslimwijk die zich anderhalve kilometer lang uitstrekt vanaf de Zuidpoort en met de moskeeën die hun sirenenzangen uitdragen om de mannen om twaalf uur 's middags te laten ophouden met werken.

Mr. Steynings huis is eenvoudig, maar ook uiterst comfortabel, als je beschutting tegen de woestijn zo kunt noemen – en dat doe ik zeer zeker. Afgelopen nacht slief ik in een bed, een echt bed, uit Rusland geïmporteerd, en er stond een lampetkan met kom en het water was schoon. We werden bij de Buitenpoort door een andere Singalese bediende opgevangen. Hij had nieuwe dieren voor ons meegenomen om het laatste stuk te rijden, en iets te eten en te drinken: zacht brood en tegelthee. Ik was verbaasd dat Mr. Steyning mij plotseling aan de zorgen van de Singalees toevertrouwde en met een kleine zwaai van de hand verdween.

De stad is niet mooi, maar het leven spat ervan af. De straten zijn smerig en de lage gebouwen onaantrekkelijk. Het lijkt er te wemelen van de vliegen. Ik werd door de straten geleid. In groepjes bijeengekropen mannen en vrouwen stonden op om ons openlijk aan te staren. Voor het eerst kon ik de invloeden vanuit Rusland zien: cyrillisch schrift op muren en uithangborden, en Russische *bubliki*-broodjes en zwart brood uitgestald op bakkersplateaus.

We stopten bij het missiehuis, eindelijk, een huis in bijna Europese stijl met twee verdiepingen. Het huis daarnaast is ook van de missie, klaarblijkelijk, en huisvest de bedienden. Mr. Steyning stond voor de deur, volledig in pak en met glimmende schoenen en een zwarte hoed – hij had zich omgekleed, speciaal om Ai-Lien en mij in zijn huis te verwelkomen, en hij zag er, zo besefte ik, ontzettend robuust uit, stralende ogen, in het geheel niet moe van de reis.

Ik ben de eerste Britse vrouw die ooit een bezoek aan Urumqi brengt. Maar daarover later meer.

21 september

Problemen met slapen: zodra ik mijn ogen dichtdoe, ben ik weer terug in zo'n armoedig onderkomen onder de grond, begraven in het donker met Mah die Ai-Lien en mij ieder moment zou kunnen vermorzelen, en buiten zijn dieven. Om dat gevoel tot bedaren te brengen en moed te scheppen ben ik mijn boeken aan het herlezen. Beste Richard Burton, wat hebt u me beschermd. Lieve

Maria E. Ward, uw wijsheid stelt nooit teleur. Millicents bijbeltje biedt mij geen soelaas.

25 september

Mr. Steynings metgezel, Mr. Greeves, is teruggekeerd van een studiereis naar Buiten-Mongolië, waar hij de volkstaal op zijn opnameapparaat heeft vastgelegd. Hij kwam aan, geflankeerd door een klein legertje inheemse jongens die zijn bezittingen droegen, maar ook rollen stof en botanische specimens, zijn opnameapparatuur en de hemel mag weten wat nog meer.

Laat ik hier een poging wagen om hem te beschrijven, omdat zijn terugkeer een verandering in de sfeer heeft teweeggebracht: hij is een levendige verschijning en is klein, heeft blauwe ogen en is een wandelend affiche voor Engeland, ook al is het duidelijk dat hij zich hier erg op zijn gemak voelt. Hij schittert als de zon in de zee. Zijn snor lijkt wel gebeeldhouwd en wordt met een soort pommade bij elkaar gehouden, en hij beweegt zich voort als een schicht, als een ringslang. In zijn aanwezigheid ziet Mr. Steyning er nog groter en beerachtiger uit dan anders. Kennelijk was Mr. Greeves ooit arts in Londen. Na zijn thuiskomst onderzocht hij Ai-Lien van top tot teen. Hij concludeerde dat ze, afgezien van een lichte uitdroging, volledig gezond was.

Urumqi is een onhygiënische stad. Die situatie wordt nog eens verergerd door de rottende meloenen die overal door de inwoners worden neergekwakt, wat een hoop vliegen aantrekt. Niettemin is Mr. Steynings onderkomen uitermate gerieflijk. Ai-Lien en ik hebben een hele kamer ter beschikking gekregen en een 'tante' helpt me om voor Ai-Lien te zorgen. Daardoor kan ik zo nu en dan tijd vrijmaken om aan mijn boek te schrijven, en ik mag aan

Suzanne Joinson

Mr. Steynings eigen bureau zitten om dat te doen. Zijn kamer lijkt wel de studeerkamer van een landheer uit Yorkshire, zo volgepropt als die is met zijn verzamelingen en kunstvoorwerpen en allerhande spullen die onder glas worden bewaard. Mr. Steyning is, misschien, meer een victoriaan.

Ik word overladen met maaltijden en gesprekken. Tot nu toe waren de maaltijden 's avonds erg onderhoudend, met enkele van Mr. Steynings Russische collega's en hun betoverend mooie vrouwen. Vanavond spraken Mr. Greeves en Mr. Steyning allebei enthousiast over mijn boek. Na het diner liet Mr. Steyning me weten, met die zachte stem van hem, dat hij Mr. Hatchett persoonlijk had aangeschreven, ten behoeve van mij, om te helpen bij de maatregelen die moeten worden getroffen om het honorarium van £150 naar hier over te maken.

Ik schaam me te moeten zeggen dat ik moeder nog steeds niet heb geschreven. Ik weet niet hoe ik haar over Lizzie moet vertellen, van wie de afwezigheid als een molensteen op mijn hart ligt. We hebben nog geen nieuws van Millicent of de pater ontvangen. Ik probeer aan andere dingen te denken.

Maar ik moet werken en dit is wat ik voorlopig aan aantekeningen voor mijn gids over Urumqi heb opgeschreven:

Historisch gezien de plek waar vele veldslagen tussen Mongolen, mohammedanen en Chinezen hebben plaatsgevonden, ligt de oude stad Urumqi op het kruispunt van vier oude handelsroutes: de route van Hami naar Kansu, een weg die Urumqi met Ili en Rusland verbindt; een verbindingsweg met Mongolië; en de lange route naar Kashgar. Oorspronkelijk werd de plaats Bishbalik genoemd en is die de Oeigoerse hoofdstad van het koninkrijk Sinkiang. De Oeigoeren komen oorspronkelijk uit het noorden van de provincie, maar wer-

*den verdreven en vestigden zich aan de voet van de Hemelse
Bergen, en zelfs zo ver als de stad Hami. Halverwege de achttiende eeuw verwierven de Chinezen uiteindelijk de macht in
het gewest Dzjoengarije. Tijdens de islamitische opstand van
1865 werden vele Chinezen vermoord...*

Mijn hemel. Ja, veel te saai.

27 september

Ik ben de eerste Britse vrouw ooit die een bezoek aan Urumqi
brengt en dus word ik als een soort beroemdheid beschouwd.
Voortdurend komen er mensen bij me op bezoek. Ik heb de Chinese gouverneur en zijn vrouw ontmoet, de Kazachse leiders, de
vooraanstaande leden van de Russische emigrantengemeenschap,
een Perzische familie die lange, vlezige, aromatische dadels mee-
bracht. Dat doet me aan Burtons commentaar denken: *iedereen
praat, en ze praten hier altijd in extremen: of ze fluisteren of ze
schreeuwen.* Het is doodvermoeiend en ik voel steeds meer de behoefte om mijn tijd alleen met Mr. Steyning door te brengen. Hij
is in Ai-Lien geïnteresseerd, is me opgevallen. Hij neemt haar vaak
over van de 'tante' en dan zingt hij voor haar en sust haar in slaap.
   Ik heb besloten dat ik met Mr. Steyning over mijn gevoelens
voor hem moet praten, maar het lijkt me onmogelijk om een gevoel dat zo persoonlijk en intiem is in woorden uit te drukken,
alsof ik een deel van mezelf binnenstebuiten moet keren; maar
een alternatief is er volgens mij niet. Ik kan dit niet zo laten voort-
duren. Morgen gaan we picknicken bij Tian Chi, het Hemelse
Meer. Het is kennelijk een feestdag. Ik heb me voorgenomen om
dan iets te zeggen.

29 september

De picknick werd aan dat ongelofelijk miraculeuze meer gehouden en dat was een zeer vreemd gezicht: een Europees landschap slechts zes uur rijden ten zuidoosten van Urumqi. Met sneeuw bedekte bergtoppen, cipressen en varens, het was alsof ik naar mijn geliefde Zwitserse Alpen was getransporteerd. Het meer is van een verbluffend mooi saffierblauw en langs de oevers werden groepjes Kirgizische joerts opgezet, de bewoners duidelijk in feeststemming. Er kwam veel rook van de vuren en de tijdelijke kookplaatsen, en kinderen renden in en uit het water, krijsend en wel. Het had de perfecte gelegenheid moeten zijn om met Mr. Steyning te praten, maar dat was het niet. Er klonk een zacht gegons van wespen en al snel kreeg ik last van hoofdpijn, die ongetwijfeld werd verergerd door de scherpe, heldere lucht. Bovendien aten we zure haringen en die vielen volledig verkeerd bij mij. Ondanks dit alles overtuigde ik mezelf ervan dat ik mijn zelfopgelegde gedragslijn moest blijven volgen.

Uiteindelijk vielen de gesprekken stil. Mr. Greeves was weggekuierd om met een Kirgizische man te praten die hij kende, Ai-Lien sliep en terwijl we samen vol bewondering naar de schitteringen op het meer zaten te kijken, vond ik de moed om Mr. Steyning te vragen of hij ooit een vrouw had willen hebben. Zodra ik het had gezegd, was ik verbijsterd te zien dat ik hem enorm in verlegenheid had gebracht.

'O, ik geloof niet dat het missionarissenleven erg in trek is bij de meeste vrouwen,' zei hij.

Ik weet zeker dat ik afschuwelijk bloosde, maar nu ik zo ver was gekomen, kon ik niet meer terug, vond ik. 'Mij lijkt het een prachtig leven,' zei ik, terwijl ik naar het meer keek in plaats van naar hem.

'Nou ja, u bent ook een uitzonderlijke vrouw.' Zijn neus, een trotse driehoekige spits, leek nog spitser, alsof hij vastbesloten was zijn eigenaar een welkome uitweg te bieden, terwijl Mr. Steyning nu naar het meer keek in plaats van naar mij.

Ik wist me geen raad, viel bijna flauw van de hoofdpijn en het niet-weten. Mijn hart stond op het punt om uit eigen beweging weg te rennen en zichzelf in het meer te werpen, terwijl mijn hoofd alle deuren binnen in me wilde dichtgooien die ik zo dom was geweest open te zetten, en me snel terug te trekken. Maar toch kwamen ze eruit, die vreselijke woorden, met een hoge stem alsof niet ik ze uitsprak maar een kind dat iemand na-aapte.

'Ik kan het niet laten om te denken dat u, Mr. Steyning, toch iemand nodig hebt die voor u zorgt.'

'Denkt u dat, miss English?'

'Ja.' Ik liet een stukje brood tussen mijn vingers rondrollen. 'Echt waar.' En ik keek hem recht aan.

Hij zag er in het intense zonlicht inderdaad erg knap uit. Zijn baard, zwart en weerbarstig, omlijst de onderste helft van zijn aangename gezicht en zijn ogen zijn intelligent. Zijn grote postuur straalt een gebrek aan bekrompenheid uit. Ik weet zeker dat ik iets in zijn ogen zag schitteren, iets van begrip. Maar op dat moment, hoe kon het anders, begon Ai-Lien te huilen; ik draaide me om en verzorgde haar, en toen ik weer achterom- en opkeek, was hij opgestaan en keek naar de horizon, met zijn hand boven zijn ogen om ze af te schermen tegen de zon. Hij keek een aantal minuten niet meer naar beneden, naar mij. Maar ik geloofde wel dat ik mijn boodschap aan hem duidelijk had overgebracht, hoewel ik dat niet zeker wist.

Ik heb absoluut geen ervaring met het aanpakken van seksuele kwesties. Toen we weer thuis waren ging hij meteen weer druk aan het werk. Ik was alleen en begon te piekeren over het gesprek. Ik herhaalde het zo vaak in mijn hoofd dat ik nu niet meer weet wat het te betekenen had, als het al iets te betekenen had.

Ik ben in mijn geheugen op zoek gegaan naar tekenen van zijn reactie die middag, maar hij was beleefd en hartelijk was als altijd, en verder kon ik geen enkele aanwijzing bespeuren.

4 oktober

Ik ben, dat besef ik, een stommeling geweest. Het leven gaat weer zijn gewone gangetje. De twee heren zijn welwillend, ze verlangen niets van me, geen geld. Ze zeggen gewoon: 'Schrijf uw boek, miss English.' Ik probeer ze zo ver te krijgen dat ze me Evangeline noemen, maar hoewel ze dan knikken, vergeten ze dat onmiddellijk weer en blijven me met miss English aanspreken.

Maar vandaag kwam ik in de kamer waar Mr. Greeves een verzameling nachtvlinders stond te bekijken die hij op een tafel had uitgestald. Ik liep naar binnen en keek naar de sprookjesachtige insecten, de tere vleugels vastgeprikt en in de val gelopen; hun lot: ontsmetten en catalogiseren.

'Dat is een pijlstaart,' zei hij. Met een glimlach op zijn gezicht begon hij de verzameling met me door te nemen. Terwijl hij dat deed, bungelde zijn gouden horloge tegen zijn vest, en met zijn keurig bijgeknipte snor en nette gouden riemklem kwam het in me op dat hij ongrijpbaarder is dan Mr. Steyning en gemaakt beleefder. Hij liep naar de andere kant van de kamer, waar het attractieve opklapbare Bilhorn-harmonium tegen de muur stond.

'Hoe vordert uw boek, miss English?'

'Och ja, het krijgt vorm. Ik heb ideeën en herinneringen en beelden, maar er is één probleem. Het is moeilijk om het, u weet wel, tot een... betekenisvol geheel te maken.'

'Inderdaad, dat is de kunst.' Hij tilde de deksel van het harmonium op en drukte een paar toetsen in. Het was duidelijk dat hij niet bepaald muzikaal was aangelegd.

'Het is verbazingwekkend,' zei hij, 'als je bedenkt wat een afstand dit harmonium heeft afgelegd.'

'O ja?'

Zijn vingers sloegen nog een paar tonen aan, een zacht geluid, een fluit van lucht.

'Ja, van hot naar her versleept. Mongolië, Shanghai.'

'U hebt veel van de wereld gezien, Mr. Greeves.'

Hij had een Hatamen tevoorschijn gehaald, zei: 'Bezwaar?' en stak hem op nog voordat – viel me op – ik er feitelijk mee had ingestemd. Hij bood mij er ook een aan.

'O, nee,' zei ik, 'dank u.'

'Natuurlijk, ik ben gewend aan die beste Millicent – die rookt als een soldaat, zoals u weet.'

'Bent u bevriend met Millicent?'

'Absoluut, ik heb haar al een hele tijd geleden in Londen ontmoet, vandaar.'

Ik dacht dat hij me misschien vragen zou gaan stellen over haar huidige toestand. Ik voelde me ineens nogal op mijn hoede ten overstaan van Mr. Greeves.

'We verkeerden in dezelfde... kringen.' De rook van zijn Hatamen verspreidde zich over de opgeprikte insecten.

'O,' zei ik. Hij blies nog een lange sliert rook uit en keek me in mijn ogen.

'Ik kan me voorstellen dat ze haar klauwen in uw zusje heeft geslagen.'

Ik ademde diep in, geschokt door de vrijpostige toon. Ongetwijfeld was het een snerende opmerking. 'Ik geloof niet dat ik u kan volgen, Mr. Greeves.'

'Ze viel altijd al op jongere vrouwen en ik heb gehoord dat uw zusje een schoonheid was.'

Ik wendde me af om me even te verstoppen voor wat hij had gezegd. Een aantal dingen begreep ik: ten eerste dat hij mij niet als een schoonheid beschouwde – maar dat wist ik toch al – maar ook nog iets anders: dat Millicent en hij uit een volstrekt andere wereld kwamen dan ik, en dat was tot op dat moment helemaal niet tot me doorgedrongen.

'U weet toch wel dat mijn zusje onlangs is overleden?' Het was bedoeld als een reprimande en om mijn verontwaardiging te verbergen.

'Ja, dat weet ik. En dat spijt me ontzettend. Het is verschrikkelijk.' Met de onopvallendheid van een kat stapte hij keurig terug in de rol van vriendelijke arts, vertaler en vlinderdeskundige, maar ik had even een totaal andere persoon gezien – een totaal ander leven – en hoewel me dat niet beviel, voelde ik ineens de onweerstaanbare drang om een openhartig gesprek met hem te voeren.

'Mr. Greeves.' Ik draaide me zo om dat ik hem recht in de ogen kon kijken.

Hij vestigde zijn heldere blauwe ogen ook op mij en weer was daar die schittering als op een watervlakte in zijn gezicht te zien. Ik stond op het punt hem te vragen of hij dacht dat er ook maar een kans, een klein kansje bestond dat Mr. Steyning met me zou willen trouwen. De woorden hadden zich al helemaal gevormd, maar net toen ik ze wilden uitspreken, stapte Mr. Steyning zelf de kamer binnen en keek naar ons. Hij had me daar niet verwacht, dat was duidelijk, omdat hij een klein beetje ontkleed was, zijn bretels hingen naar beneden en zijn boordje was losgemaakt.

'Aha, miss English,' zei hij glimlachend en daarna keek hij boos naar Mr. Greeves. 'Larry! Rook toch niet in deze kamer.'

Hij deed alsof hij moest hoesten, wapperde overdreven met zijn handen en liep naar de ramen om er een open te zetten.

'Excuus,' zei Mr. Greeves.

Mr. Steyning liep langs Mr. Greeves en terwijl hij dat deed, zag ik dat Mr. Greeves zijn hand uitstak en die van Mr. Steyning pakte, heel even, en erin kneep.

Mr. Steyning trok zijn hand razendsnel weg en wendde zich tot mij: 'De verse meloenen zijn afgeleverd, miss English.'

Mr. Greeves had zijn sigaret gedoofd, maakte een sarcastisch buiginkje, en richtte zijn aandacht weer op zijn nachtvlinders terwijl hij zijn vingers over de glazen behuizing liet glijden.

Ik excuseerde me, liep terug naar mijn kamer en ging verbijsterd en in elkaar gedoken op een kleine stoel bij het raam zitten.

Eastbourne, heden

Visrestaurant Prima Kabeljauw!

Tayeb had Frieda's hand graag vastgehouden terwijl ze op het restaurant op de hoek van High Street in Eastbourne af liepen. Het was net open. Zijn vingers fladderden in haar richting, maar in plaats daarvan stapte hij voor haar naar binnen en vroeg even later zachtjes aan de visbakker: 'Is Nikolai hier?'

De visbakker was een donkere, kleine man die met een afkeurende blik naar Tayeb keek, zijn hoofd daarna omdraaide naar de keuken en een fluitend geluid maakte. Na een minuut stak een nukkig Oost-Europees lijkend meisje haar hoofd door het doorgeefluik.

'Haal Nikolai,' zei hij en zonder iets te zeggen verdween ze weer. De groene ingemaakte augurken in een pot glommen in het licht, obsceen in hun grootte, als vingers van een reus.

Na een paar minuten wachten kwam een lange man met krul-

lend haar en de donkere sporen van een baard op zijn gezicht tevoorschijn. Hij liep recht op Tayeb af en omhelsde hem, wendde
zich toen tot Frieda en gaf haar een hand.

'Boven, broeder,' zei hij, 'kom mee naar boven.'

Als kind geloofde Tayeb dat snorharen van honden geluk
brachten. Hij kroop regelmatig door het stof op de grond van
hun huis op zoek naar die snorharen. Hun buren vonden hen ge-
schift dat ze honden in hun huis lieten leven. De meeste mensen
in Sana'a zouden het niet in hun hoofd halen om een hond als
huisdier te nemen, laat staan meerdere grote, slungelige, magere
beesten. Maar Tayebs vader was een tijdje omgegaan met een
Engelsman die op de ambassade werkte en die in de valkerij was
geïnteresseerd. Die man had altijd honden bij zich, en dat idee
stond Tayebs vader wel aan. Hij had een aantal saloeki's en die
blaften de hele dag naar de vogels.

Toen Tayeb Nikolai's hond voor het eerst ontmoette – een enthousiaste, kwijlende boxer – rende het beest op hem af, een
wervelwind van hondenpoten die in zijn armen sprongen, en die
Tayeb een glibberige veeg met zijn smerige tong en ranzige adem
gaf. Tayeb lachte. Het was lang geleden dat hij zo dicht bij een
hond was geweest, en terwijl hij worstelde om hem tegen de
keukenvloer te drukken, had Nikolai, die met een sigaret in zijn
mond toekeek, ook gelachen. Daarna was Tayeb weer overeind
gekomen, opgestaan en had tegen de hond geroepen dat hij
moest gaan zitten. Dat deed hij en Nikolai was onder de indruk
geweest.

'Meestal luistert hij niet naar commando's van andere mensen,
maar alleen naar de mijne,' had hij gezegd.

'Nou ja, bij honden gaat het vooral om de toon.'

Het schoot Tayeb allemaal weer te binnen; de herinneringen
vlogen langs.

Ze hadden tot laat gewerkt. Nikolai had een fles whisky op tafel gezet en de hele keukenstaf uitgenodigd om samen wat te drinken en een spelletje te spelen. De ruimte was bedompt van de rook en de sfeer verhit door het spel terwijl de afwassers nog vóór de dag waarop ze werden uitbetaald hun loon vergokten. Om ongeveer kwart over twaalf 's nachts werd er op de deur gebonsd.

Nikolai schreeuwde dat ze het moesten negeren terwijl hij een schoppenheer neerlegde en de laatste restjes uit zijn glas achterovergooide. Maar het gebons hield aan. Tayeb stond op en schoof zijn stoel naar achteren over de linoleum keukenvloer.

'Ik ga wel even kijken,' zei hij. Hij liep door het restaurant, met Burdock de boxer om zijn voeten heen draaiend. Burdock blafte, maar Tayeb vermaande hem stil te zijn.

Voor de deur stond een vrouw, heel jong, een jaar of negentien, piekerig haar, waterige blauwe ogen, en ze zag er behoorlijk dronken uit. Ze had een handpalm plat tegen de ruit van de deur gelegd; haar hoofd hing naar beneden alsof ze het had opgegeven om verder te willen leven. Ze huilde.

Tayeb draaide het nachtslot om en terwijl hij dat deed, keek het meisje naar hem op. Haar mascara had zich als spinnenpoten onder haar ogen verspreid. Hij opende de deur.

'Ik moet Nik hebben,' zei ze.

'Nik?'

'Hij is hier, ik weet het zeker, die klootzak.'

Tayeb keek naar het meisje. 'Je bent dronken, schat. Je moet naar huis.'

'Ik moet Nikolai spreken.'

'Wacht hier even,' zei hij. Hij deed de deur weer dicht en toen zakte ze ertegenaan in elkaar, haar rug gleed langs het glas.

Tayeb liep terug de keuken in, waar Nikolai zat te schreeuwen tegen Seif, die zijn kaarten net verkeerd had weggegooid. Seif sloeg met zijn vuist op tafel van frustratie.

Tayeb liep naar Nikolai toe en boog zich naar hem over, fluisterde in zijn oor: 'Een dronken meisje moet je hebben, ik denk niet dat ze weg zal gaan.'

Nikolai keek op: 'Zeg tegen haar dat ze moet ophoepelen.'

'Zo makkelijk is dat niet.'

Nikolai keek de tafel rond. Iedereen keek naar hem, luisterde mee.

'Jong, ziet er een beetje wanhopig uit,' zei Tayeb.

Nikolai gromde, gooide zijn sigaret in de asbak en stond op. Hij verdween. Tayeb, Seif en de afwassers luisterden allemaal naar het geluid van de voordeur die werd geopend en een meisje dat snikte. Tayeb deed de keukendeur dicht zodat de andere mannen het niet konden horen, maar ze hadden zich toch al bijna allemaal naar het tv-scherm omgedraaid, omdat het commentaar bij een bokswedstrijd op volle toeren kwam.

Tayeb opende de deur naar het restaurant en glipte de keuken uit.

'Hoe kun je me dit aandoen?' Het gezicht van het meisje was een warboel van tranen en mascara. Tayeb bleef bij de vistoonbank staan en keek toe. Hij zag dat Nikolai gespannen was, wat ongebruikelijk was. Hij probeerde de armen van het meisje naar beneden te trekken, maar ze was woedend en zwaaide ermee. Ze mepte naar een tuiltje plastic bloemen waarmee een tafel was versierd, sloeg het op de grond.

'Je zei dat je bij haar weg zou gaan, je zei dat je van me hield, maar je hebt me gewoon als een stuk vuil afgedankt.' Ze greep een stoel vast alsof ze ermee wilde gooien.

Tayeb keek door het raam naar buiten en zag een auto stoppen. Het was Nikolai's vrouw. Hij schreeuwde naar Nikolai: 'De Mondeo staat buiten!'

Nikolai ging rechtop staan, draaide zich om en keek naar Tayeb, die pure angst in zijn ogen zag. Het meisje was op de grond neergezakt, snikkend, en aaide met haar rechterhand over het tapijt. Tayeb liep naar haar toe, kreeg haar elleboog te pakken en trok haar voorzichtig overeind.

'Kom met mij mee,' zei hij terwijl hij haar naar zich toe trok en ze tegen hem aan zakte.

'Ik moet overgeven.'

Hij nam haar mee naar het invalidentoilet achter in het restaurant en draaide de deur achter zich op slot. Zodra ze de wc zag, boog ze zich eroverheen om zich te bevrijden van de resten van een avondje drinken (die Engelse meisjes drinken zoveel) en boven het geluid van het kokhalzende meisje uit hoorde hij Nikolai met zijn vrouw kibbelen over naar huis gaan.

'Maar er is een wedstrijd, Sarah,' zei hij. 'Ik kom thuis zodra die is afgelopen. Het is de belangrijkste in tien jaar!'

Tayeb hoorde haar stem, krijsend en ontdaan. 'De kinderen hebben je al in geen zeven dagen gezien, Nikolai.'

Hij moest haar toen de deur uit hebben gewerkt naar de auto, omdat eerst hun stemmen gedempter klonken en daarna de weergalm van een ronkende en optrekkende motor was te horen. Het meisje gleed op de grond en liet haar hoofd tegen de niet-zo-schone tegels achter haar hoofd rusten.

Ze keek naar Tayeb. 'Hij is een Grieks-Cypriotische rukker.'

Tayeb bood haar een sigaret aan, die ze wel wilde hebben. 'Helemaal waar,' zei hij, terwijl hij er een voor haar opstak en daarna een voor hemzelf. 'Thuis rookte ik vaak zo een sigaret op de wc,' zei hij.

Ze keek naar hem. Zoals de meeste Engelse mensen nam ze

niet de moeite om te vragen waar dat thuis was. Ze staarde naar de sigaret in haar hand alsof het dynamiet was, maar rookte hem toch op.

'Ik zou dit niet moeten doen,' zei ze.

Tayeb keek naar haar. Haar haren, die nat en bezweet waren van de inspanning van het overgeven, plakten rondom haar gezicht en hingen half voor haar ogen. Ze had een gezicht dat niet zozeer mooi was vanwege de bijzondere gelaatstrekken, maar omdat het jong was. De huid zag er zacht uit, tot nu toe niet door het weer of het leven aangetast; ze had een marmerbleek gezicht en haar heldere ogen glansden en zagen er ondanks de alcohol in haar systeem gezond uit.

'Ik ben zwanger, snap je?' zei ze.

'Van Nikolai?'

'Yes.' Ze begon weer te huilen, deze keer minder hysterisch, maar als een kind.

Tayeb deed de wc-bril naar beneden, trok door en hees haar omhoog tot ze zat, zodat haar haren uit de buurt van die onhygiënische tegels waren. Ze zag er echt heel jong uit.

'Ik zou ook niet moeten drinken,' zei ze, 'maar dat doe ik wel, ik wil ermee stoppen voordat het groter groeit. Snap je?' Ze keek naar hem op. 'Ik heb geld nodig... om er, eh... van af te komen. Wil je dat voor me aan hem vragen? Met mij wil hij niet praten.'

Tayeb knikte, dacht dat hij meer zou moeten voelen, vriendelijker voor haar moest zijn, voor dit meisje in nood, maar ze had iets wat hem tegenstond. Niettemin probeerde hij beleefd te blijven.

'Waarom kom je niet mee naar het restaurant?' zei hij. 'Dan maak ik een kop koffie voor je en probeer Nikolai zover te krijgen dat hij met je praat.'

Ze stond op, wankelde een beetje en gleed bijna weer onderuit. Hij greep haar bij haar elleboog vast en deed de deur open. In een hoek van het restaurant zette hij haar aan een tafel en ging op zoek naar Nikolai, die met een glas whisky in de hand en chagrijnig naar de tv aan de muur stond te kijken. De keukenjongens hielden zich gedeisd.

'Nik,' zei Tayeb.

Nikolai draaide zich om en liep met een bars gezicht op hem af.

Tayeb gebaarde naar het restaurant en liet Nikolai door om de confrontatie met het meisje aan te gaan.

De volgende dag gaf Nikolai honderd pond aan Tayeb.

'Waar is dat voor?' had hij gezegd.

'Voor je weet wel, dat je me uit de brand hebt geholpen, met Sarah en die... je weet wel.'

'Yalla, dat hoeft niet.' Hij gaf het terug. 'Je moet dat méísje geld geven, mij niet.' Tayeb keek hem recht in zijn ogen. 'Ze heeft het me verteld.'

Nikolai maakte een geluid alsof hij met zijn vingers knipte. Een gebaar van frustratie.

'Ik heb er niets mee te maken. Laat maar zitten.' Tayeb boog zich naar voren en aaide Burdock. 'Brave hond.'

'Hoor eens,' zei Nikolai, 'je hebt me gered, haar uit de buurt van Sarah gehouden. Dat waardeer ik. Als je ooit hulp nodig hebt, ooit ook maar iets nodig hebt, kom je naar mij toe. Oké?'

'Oké.'

'Ik meen het echt.'

'Oké.'

En nu stond hij hier, na al die jaren, en had hulp nodig, had Nikolai nodig. Jarenlang had hij in kringetjes rondgelopen, maar hij was niets opgeschoten, zoals soms de strepen en lijnen in zijn

tekeningen waarvan het de bedoeling was dat ze een geheel zouden gaan vormen maar dat op de een of andere manier nooit werden. Hij hoopte dat Nikolai gemeend had wat hij had gezegd.

BUITEN ADEM; FYSIEKE BEPERKINGEN. *Rijdend voelt de fietser zich meester over de situatie. De fiets gehoorzaamt aan de kleinste impulsen, beweegt zoals u wilt, bijna zonder bewuste inspanning, bijna zoiets als onderdeel van de berijder, en net zo makkelijk onder controle te houden als een hand of een voet.*

Een dame op de fiets in Kashgar – aantekeningen

8 oktober

Ik liet Mr. Steyning weten dat het tijd voor me is om te vertrekken, want ik wil zo snel mogelijk naar Engeland terugkeren. Daarom verklaarde ik dat ik plotseling werd verteerd door een vreselijk schuldgevoel tegenover mijn moeder – wat in feite ook niet geheel onwaar is.

Uiteraard zette hij me niet onder druk om te blijven. Hij zag er alleen maar behulpzaam en meelevend uit. Wat verwachtte ik anders? Ik ben ontzettend geschrokken van mijn eigen onnozelheid.

We hebben samen de kaarten bekeken en hij is te rade gegaan bij verschillende vrienden in de stad. Heel vriendelijk pakte hij mijn hand in de zijne en zei: 'Het missiehoofdkwartier hier in China zal zorg voor u dragen.'

'U bent heel vriendelijk,' zei ik, 'maar ik red mezelf wel. U hebt al zoveel gedaan.'

'Onzin. Ik zorg ervoor dat een collega in Moskou u daar opvangt en u zal begeleiden en helpen bij het kopen van tickets naar Warschau en Berlijn en verder naar Parijs. De laatste etappe zal de veerboot van Calais naar Dover zijn.'

Misschien verbeeldde ik het me, maar ik geloofde dat hij er weemoedig uitzag, heel even, bij de gedachte aan Dover.

'Het zal een buitengemeen lange reis voor u worden, maar we zullen ons best doen om er een aangename reis van te maken.'

'Ik weet niet hoe ik u moet bedanken.'

'Ik zal u zelf tot Chuguchak aan de grens begeleiden – of, zoals de Chinezen hem noemen: "Stad van de zeemeeuwen".'

Ik had wel kunnen huilen. Toen hij me thee gaf en voor Ai-Lien zorgde, had ik bijna iets over mijn enorme dwaasheid gezegd. Ik kon op dat moment duidelijk zien dat hij gewoon een goed mens was en dat ik verkeerd had geïnterpreteerd wat er allemaal tussen ons had plaatsgevonden. Maar hij zou er nooit achter komen, hoopte ik, en daar ben ik blij om.

10 oktober

Er moet veel worden voorbereid. Aan al het papierwerk komt geen einde. Er zijn enorme, lastige problemen met de visa voor de ingewikkelde passage van de grens tussen deze regio en Rusland. Ik zit te wachten tot het geld van Mr. Hatchett is overgemaakt, omdat er hoogstwaarschijnlijk wel steekpenningen moeten worden betaald. Het is zevenhonderd li van Urumqi naar Chuguchak en het is noodzakelijk dat we binnenkort vertrekken. Als we iets later zouden gaan, wordt het 's nachts te koud voor deze reis; anderzijds, als ik die uitstel tot de lente, dan gaat het ontzettend dooien waardoor de rivieren verraderlijk worden en wekenlang niet kunnen worden overgestoken. Het is nu gewoon de juiste tijd.

We hebben veel over Ai-Lien gesproken, mijn eigen vondelinge.

'Ik ben van plan haar mee te nemen,' zei ik tegen Mr. Greeves en Mr. Steyning. 'Denkt u dat dat kan?'

'Natuurlijk,' zei Mr. Greeves. 'Ik geloof niet dat hier één ambtenaar is die wil opdraaien voor de kosten om in haar levensonderhoud te voorzien, maar weet ú het zeker?'

Mr. Steyning legde zijn hand op de mijne en zei: 'Ze is aan u toevertrouwd, beste miss English, om welke reden dan ook. U hoort nu bij elkaar.'

14 oktober

Mr. Greeves en Mr. Steyning hebben me als afscheidcadeau een kostelijk Chinees miniatuurstraatje gegeven, compleet met opiumkit, een put, een markt en een merkwaardige zilverkleurige martelscène met een beul of zo, en dat allemaal onder een glazen stolp.

'Een praktisch geschenk lijkt het niet echt, vrees ik,' had Mr. Steyning gezegd, terwijl hij het uit verschillende lagen zaklinnen uitpakte, 'maar als u terug in Engeland bent, zult u naar het tafereel kijken, in verwondering dat u hier bent geweest en dit leven hebt geleid.'

Hij wond het ding op, en toen begonnen de figuurtjes onder het glas op de maat van een rinkel-boem oriëntaalse melodie te bewegen. Daarna tilde hij het op en liet me zien dat je de bodem van het houten voetstuk kan openschuiven en er dan een geheim vak tevoorschijn komt.

'Bij het passeren van de grens met Siberië kunt u geen boeken, brieven, papieren of foto's meenemen. Als u die hierin verstopt en verkondigt dat het een souvenir is, dat u een toerist bent, dan bestaat de kans dat u het wel over de grens krijgt, inclusief een paar ongeschonden kunstvoorwerpen, en uiteraard uw manuscript.'

In het geheime vak is ruimte voor Lizzies camera, dit dagboek en het begin van het manuscript voor mijn gids. En ook nog een paar boeken die me op deze reis hebben begeleid, die beste Mrs. Ward en Burton. Ik heb Millicents bijbeltje er ook in gestopt, wat van Lizzies foto's en, ook al kan ik niet zeggen waarom ik die zo'n eind wil meenemen, enkele van vader Don Carlo's vertalingen. Ik heb bovendien besloten om de mimeograafmachine mee te nemen. Of die het redt om over de grens te komen, kan ik niet zeggen.

Mr. Steyning heeft me ook geholpen om het noodzakelijke papierwerk voor Ai-Lien in orde te maken. Ze moest worden geregistreerd om een paspoort te krijgen, en dus hebben we dat ook ter hand genomen.

'U moet haar naam verengelsen,' zei hij.

Ik probeerde een paar namen uit. Het voelde vreemd aan om haar een Engelse naam te geven, Ai-Lien, aan elkaar zou het *'Alien'* zijn – oftewel 'buitenaards'. Ze heet Liefdesband. Ai-Lien klinkt een beetje als Irene. En de naam van haar moeder, zo werd ons op die dag lang geleden verteld toen we als boeddha's in de politierechtbank zaten, was Giyun.

Ik pakte de vulpen en op de papieren voor haar paspoort schreef ik haar naam op als Irene Guy. Mr. Steyning was zo vriendelijk om het noodzakelijke bedrag aan het gerecht hier te betalen en nu is ze officieel mijn geadopteerde dochter.

Ik kus haar van boven tot onder, mooie kleine Irene, haar gezichtje stralend, open en lief en nu, wat een wonder, glimlacht ze naar me.

16 oktober

Ik word gekweld door gedachten aan Millicent in de kerker onder het gerechtsgebouw, haar ribben steken door haar huid ik denk aan vader Don Carlo, die in zijn lange, zwarte ambtsgewaad op de mohammedaanse ongeregeldheden af loopt, zijn bijbel in zijn hand; en aan Lizzie, aan vogels die in haar lichaam pikken. Mr. Steyning vond me bij het raam in zijn studeerkamer, op de slapende zwarte stad neerkijkend, peinzend over dit alles. Ik vertelde hem wat van mijn zorgen. 'Zouden we, Mr. Steyning, achter Millicents lot in Kashgar kunnen komen? Nu de datum van vertrek steeds dichterbij komt, grijpt het me naar de keel dat ik haar niet in de steek had moeten laten.'

'U moet nu vooruitkijken, miss English. Ga stapje voor stapje voorwaarts, dan zal het steeds makkelijker worden.'

'Ik had mijn zusje op de een of andere manier moeten begraven, Mr. Steyning.'

'Dat was onmogelijk, heb ik begrepen uit wat u me hebt verteld.'

'Deze woestijn verlaten voelt als een diepgaand verraad, maar als ik hier zou blijven, nou ja... ik geloof niet dat ik dat kan.'

'Dat begrijp ik,' zei hij.

30 oktober

De eerste gelegenheid om weer te schrijven – we reizen nu per Russische *tarantass*. Dat is een Siberische wagen, veel sneller dan die kleinere karren met veren getrokken door Chinese muilezels. Voor de lange tweewielige kar zijn drie paardjes gespannen, alle drie via een grote hoepel met elkaar verbonden. Aan die hoepel

hangen vele bellen waarvan het getingel in mijn hoofd blijft na-
galmen, zo erg zelfs dat het me begint te duizelen en ik bijna gek
word.

We zijn niet lang in de kleurrijke stad Manas gebleven, waar
Mr. Steyning voldoende proviand heeft ingeslagen voor de volgende etappe van de reis; we zitten nu vijftig li van Chuguchak
af. Deze paardjes zijn sterke beesten. Mr. Steyning is streng voor
onze Kazachse voerman en de reis verloopt, tot nu toe, goed.

Ai-Lien zit schattig verpakt in een kussensloop, dat ik zowel
aan de voorkant als aan de achterkant van mijn lichaam kan
vastmaken, en van waaruit ze om zich heen kan kijken of slapen.
Het wegennet is redelijk dicht en er is veel verkeer: voermannen
en handelaren, verkopers en reizigers, allemaal hier- of daarheen
trekkend. We hebben reizigers uit Novosibirsk ontmoet die met
grote hoeveelheden opium (waar ze ook wat van aan Mr. Steyning
probeerden te slijten!) onderweg waren naar Kashgar; ook ka-
toenhandelaren en Kazachse gezinnen en marskramers die bossen gember, venkel, kardemom en knoflook verkochten. Op een
gegeven moment ontmoetten we een groep Siberische monniken
die ons zogenoemde 'iconen' aanboden.

Er zijn meer dan genoeg herbergen onderweg; onderdak zoeken
voor de nacht is geen probleem. In het belang van de snelheid houden we ons overdag in leven met thee en brood en 's avonds met
stoofpot of rijst of mie. Zo nu en dan houden we halt om schapenmelk of meloenen te kopen, maar voor het overige rijden we
door, en de grenzen van onze wereld lijken te wankelen alsof de
bodem onder de woestijn zou kunnen wegvallen; soms kan ik lucht
en aarde niet meer van elkaar onderscheiden. Iedere li brengt me
verder weg van mijn dode zusje. Het enige wat duidelijk is, is dat
ik, vanwege deze baby, verder moet, voorwaarts naar een plek
elders, hoewel ik me niet meer precies kan herinneren waarom.

5 november

De stad doet zijn naam eer aan: zeemeeuwen hebben zich hier in overvloed verzameld. Ik heb begrepen dat ze een enorme afstand langs de rivier de Irtysj hebben afgelegd, vanuit de Arctische streken, en vanavond is er zeker een Arctische bries voelbaar; het is extreem koud, maar sneeuw, die komt nog niet. Zeemeeuwen moeten geweldige trekkers zijn, geweldige reizigers: ze vervelen zich niet, ze zingen niet zachtjes in zichzelf en ze zijn niet droevig.

Chuguchak is een belangrijke grensstad, het is de voornaamste doorgangsroute tussen Turkestan en Siberië en dus duurt het in orde maken van tijdelijke paspoorten en visa eindeloos. De consulaten bevinden zich in het centrum van de stad, waarvan de Russische niet over het hoofd is te zien – het is de belangrijkste. De hele stad is veel meer Russisch dan Chinees. Net als in Urumqi is er een groot postcentrum en zijn er telegraafkantoren. Ik heb een telegram naar huis, naar moeder gestuurd, en haar over Lizzies dood en mijn terugkeer bericht. Arme moeder.

Ai-Lien – ik probeer haar nieuwe naam uit, Irene – en ik kijken naar de zeemeeuwen die krijsen en met elkaar kibbelen. We moeten wachten tot de visa en het papierwerk zijn afgehandeld, maar ik wil niet wachten. Ik ken nu het verschil tussen beweging en stilstand; het gevoel dat ik weg wil, maar paradoxaal genoeg, ook wil blijven. Met een onderbreking schiet ik niets op, je krijgt tijd om na te denken en nadenken lijdt onvermijdelijk tot verdriet. Ik denk aan mezelf, toen ik aankwam in Kashgar, doodsbang voor de woestijn, en nu... zou ik teruggaan als het kon, naar dat enorm uitgestrekte gebied? Ik geloof het wel. Ik begrijp dat je daar tot in eeuwigheid zou kunnen rondzwerven.

Ai-Lien glimlacht iedere keer wanneer ze naar me kijkt – heldere mooie zwarte ogen – en ik denk aan wat ik tegen moeder zal zeggen om uit te leggen hoe ik aan deze baby ben gekomen. Het kan best dat het volstrekt verkeerd is om Ai-Lien uit de woestijn weg te halen. En terwijl we naar de zeemeeuwen kijken, komt het bij me op dat ik het misschien uiteindelijk toch wel fijn zou vinden om aan zee te wonen.

9 *november*

De zeemeeuwen duiken en dansen, al het papierwerk is nu geregeld en tickets zijn gekocht. Hutkoffers zijn gepakt en meer gereed dan nu kan ik niet voor het volgende deel van mijn reis zijn: een zes dagen durende rit naar het Zajsanmeer, per stoomschip stroomopwaarts over de Irtysj, de trans-Syberische spoorlijn via Omsk naar Moskou, waar ik een week blijf, en daarna verder naar Berlijn en Londen.

Gisteravond een poging – meer was het ook niet – om afscheid van Mr. Steyning te nemen aan wie ik zo veel te danken heb, terwijl we uitstekende Russische biefstuk aten en sterke, gitzwarte koffie dronken in het kleine restaurantgedeelte van een herberg.

'Zoals ik reeds heb gezegd, weet ik gewoonweg niet hoe ik u moet bedanken.'

Hij pakte mijn hand, zijn gezicht breed glimlachend en open. 'Lieve miss English. Ga naar huis, naar Engeland, maak het uzelf aangenaam. Lees uw dagboek door en schrijf uw boek.'

'Denkt u echt dat ik het kan schrijven?'

'Natuurlijk wel.'

Ik wilde dat ik hem iets cadeau kon geven, iets waardevols. Dat zei ik ook. 'Ik zal u een exemplaar sturen, als het ooit een tastbaar boek zal zijn geworden. En denkt u dat ik het, als moeder, ooit... zal kunnen realiseren?'

Weer glimlachte hij. 'Ik heb geregeld dat iemand u op Victoria Station komt afhalen, als alles volgens plan verloopt en u op vijftien januari aankomt.' Daarna zei hij terwijl hij mijn hand vastpakte: 'Ik ga u niet vertellen wie. Als u aankomt, ga dan op de vijftiende om zes uur onder de grote klok in de stationshal staan en dan zult u worden gevonden.'

Morgen passeer ik de grens. De paarden zullen moeilijk te beteugelen zijn, de Kazachse voerman zal op de bok springen. Er zal even opwinding en activiteit zijn en de paarden zullen snuiven, en dan een plotselinge ruk naar voren en ik zal zwaaien en Mr. Steyning zal zwaaien. Lizzie zal achter hem staan, in haar lange jak, met in haar hand een blauwe windebloem uit de tuin van het Paviljoenhuis, niet zwaaiend, alleen maar toekijkend. Millicent zal er ook zijn, hoewel ze haar gelaat zal afwenden en in de verte zal staren naar iets aan de andere kant van de heuvels.

Eastbourne, heden

Visrestaurant Prima Kabeljauw!

Ze had die droom weer gehad, van het hotel en de telefoon die niet werkt. Buiten gezagdragers, de sjeik die tegen haar praat – haar bevelen geeft – over de juiste methode voor het insnijden van tongriemen... Terwijl ze rechtop ging zitten, keek ze om zich heen. Nikolai en Tayeb zaten op een Perzisch tapijt, Nikolai zei iets in zijn mobieltje. Schalen chips en noten stonden op een rij tussen hen in. Het was duidelijk dat er het een en ander was geregeld. Ze glimlachten naar haar. Ze lag op een bank boven het restaurant en was kennelijk even in slaap gesukkeld.

Nikolai legde zijn telefoon op de tafel, stak een sigaret op en gaf uitleg over wat er was besloten: ze hadden nog een dag in Eastbourne – vandaag – en vanavond zou Tayeb naar Harwich in Essex worden gebracht, door Nikolais broer die een vrachtwagen met een geheime ruimte onder de vloer had om nagemaakte merkgoederen met de veerboot over te zetten.

Frieda keek naar Tayeb: hij krabde aan zijn pols en staarde naar het tapijt. In de B&B was ze wakker geworden met haar benen verstrengeld met de zijne, enkel tegen een kuit en haar hand liggend op een rug. Het heldere ochtendlicht viel op zijn huid en ze zag dat die onder de littekentjes en wonden zat, alsof de huid zelf over problemen sprak. Ze bewoog haar hand, langzaam, over zijn rug. Het was niet onaangenaam, het was alleen zijn huid die zich uitsprak, zijn boodschap verspreidde, net zoals hij zijn boodschap 's avonds op haar had getekend.

'Tayeb,' zei Frieda, 'wat denk je? Zie je dat plan zitten?'

'Mijn eigen privécompartiment,' zei hij rustig, maar ze kon niet zeggen of er verbittering in doorklonk; ze dacht van wel.

Terwijl deze plannen werden besproken onder het genot van pistachenootjes, haalde Frieda het aantekenboek van de vrouwelijke missionaris uit haar tas en bladerde voorzichtig door de pagina's, denkend aan haar moeder en aan Irene, een vrouw die ze nooit had gekend. Nikolai zat dicht bij Tayeb en ze lispelden met elkaar.

Ze herinnerde zich de andere spullen uit Irene Guys huis en stond op, rekte zich uit en liep naar beneden naar de auto. In de achterbak lag de grote tas met de spullen die ze uit het huis had meegenomen, ervan uitgaande dat ze er nooit meer binnen zou kunnen komen omdat de week bijna voorbij was. Er zat een stapel boeken in, samengebonden met de lange, geweven lap stof, de afschriften, de camera, het Chinese stuk speelgoed met die merkwaardige martelscène en het zwarte bijbeltje. Dat moest van Millicent zijn geweest, besefte ze terwijl ze het aandachtig bekeek. Het was behoorlijk beduimeld. Ze staarde naar een bladzijde die was losgekomen. TABEL VAN VERANDERLIJKE FEESTDAGEN VOOR ZESENVEERTIG JAAR 1913-1958. Ze maakte de lap stof los om de boeken te bekijken. De eerste had een verschoten blauwe band en de gouden belettering was afgesleten. Ooit had het waarschijnlijk een stofomslag gehad. Op de binnenkant van de omslag stond een illustratie van een meer in een woestijn met als titel: 'Het Hemelse Meer'. Frieda sloeg de eerste pagina op. Het boek begon aldus:

Reizen is, in vele opzichten, een nauwelijks weer te geven ervaring. Bij het schrijven van dit boek heb ik me vooral gebaseerd op mijn dagboeken en aantekeningen, maar in feite zijn die nu net zo onwezenlijk en liggen ze net zo ver van me vandaan als mijn herinneringen aan de woestijn die ooit zo vreselijk echt voor me was. Dat is het probleem met het overbrengen van een andere sfeer; in alle eerlijkheid zijn 'avonturen' – bij gebrek aan een beter woord – per definitie persoonlijk en intiem. Zelfs zulke materiële zaken als het kopen van tickets, het uit treinen stappen, het halen van veerponten en al die kleinigheden met ernstige gevolgen die vastzitten aan de organisatie van zo'n onderneming, monden uiteindelijk uit in een reeks persoonlijke momenten. Toch is dit boek mijn poging om iets van deze reizen weer te geven. Laten we hopen dat het een waardevolle poging is.

Ze keek weer naar de omslag en zag het stempel van de al lang vervaagde titel: *Een dame op de fiets in Kashgar – een gids*, door Evangeline English. Dit, zo realiseerde ze zich, was een gedrukte versie van het dagboek dat ze had gelezen, en op de eerste, lege bladzijde van het boek stond met inkt geschreven: *Francis Hatchett*. Het was waarschijnlijk zijn exemplaar van haar boek. Frieda keerde terug naar de kamer van de keuvelende, rokende mannen, met in haar handen het blauwe boek en het bijbeltje.

'Oké: dit is het plan,' zei Nikolai. 'We leveren Tay in Nederland af en dan gaat hij rechtstreeks naar Amsterdam.'

'Wat ga je in Amsterdam doen?' vroeg Frieda.

'Een oude vriend van de familie woont daar. Daar kan hij een poosje blijven,' antwoordde Nikolai.

Nikolai bood aan alle noodzakelijke kosten te betalen en gaf Tayeb genoeg geld mee om een tijd van te leven. Er werden veel handen geschud en op ruggen geklopt en geknikt en gerookt tijdens dit afrondingsgesprek. Nikolai was nors, ijdel, en, dat kon Frieda zien, een beetje schofterig, maar het was duidelijk dat hij om Tayeb gaf.

Nikolai zette whiskyglazen op de lage tafel en hoewel het nog geen elf uur 's morgens was, nipte Frieda aan de wat dik vloeibare, zoete, bruine drank en genoot van de brandgolf in haar mond. Ze opende het verschoten boek en bladerde erdoor; er stonden nog meer illustraties in, een foto van kinderen met bestofte gezichten en staarten, in exotische kleren; ze stonden voor een panorama van bergen die in de oneindigheid verdwenen. Achter in het boek, tussen de index geschoven, zat een bruine envelop. Ze trok hem eruit en opende hem. Binnenin zaten verscheidene brieven. Het papier van een chic merk.

Het was opwindend om over de dunne blauwe velletjes te strijken en de krullen in inkt te zien; onmiddellijk herkende ze Evangelines handschrift. Er waren brieven, of delen van brieven, en een paar telegrammen met een paperclip bij elkaar gehouden. Francis Hatchett moest ze in zijn boek hebben bewaard; ze waren nauwelijks gekreukeld. Ze begon te lezen: *30 januari 1924, Acacia House,* maar Tayeb zei iets tegen haar.

'Wat zullen we dan nu gaan doen?' zei Tayeb met een glimlach. 'We hebben vandaag kennelijk nog samen.'

Frieda liep naar het raam en keek naar de straat die aan het strand lag. Een flinke bende zeemeeuwen krijste en vocht rond de inhoud van een grote vuilcontainer. Ze maakten jacht op elkaar, vleugels scheefgetrokken en snavels oranje, een pandemonium voortbrengend met hun herrie en geschreeuw. Ze stopte de brieven terug in de tere, dunne envelop en legde ze weer in het indexgedeelte van het boek.

'Laten we naar buiten gaan,' zei ze, 'een tijdje rondkijken.'

BUITEN ADEM; LICHAMELIJKE BEPERKINGEN. *Een zekere hoeveelheid
kunt u doen, of denkt u te kunnen doen; dat is één maatstaf voor
uw capaciteiten.*

Een dame op de fiets in Kashgar – aantekeningen

15 januari 1924

De heerlijkheid van de overtocht per veerboot en de schok van
Engelse stemmen; een stem uit Kent die roept: 'Doorlopen
dame, doorlopen!'

Ogen staarden me van alle kanten aan en monsterden mijn
zonderlinge outfit. Mr. Steynings vriend, Herr Schomaker, hielp
me in Berlijn Europese kleding te kopen, maar zijn smaak was
erg Duits: een bontsjaal en clochehoed. Ze contrasteerden sterk
met de onelegant kleurige overslagjassen van vrouwen in de trein
van Dover naar Londen.

Op Victoria Station stapte ik de drukke stroom van Londense
arbeiders in die om mij heen dansten en vochten terwijl ze zich
een weg baanden, de hemel mag weten waarheen. Overweldigd
stond ik te zwaaien op mijn benen, bang dat ik zou flauwvallen.
Ik hield Ai-Lien als een talisman tegen me aan gedrukt, terwijl
ik nu juist háár zou moeten beschermen. Ze lag in mijn armen

te slapen, haar gezichtje ontspannen en haar mond een stukje open.

Ik zette mijn voeten zo plat mogelijk op de grond om in het geduw en gedrang overeind te blijven, terwijl ik in de hal bleef staan die van de enorme winsten van het Britse Rijk kon worden gebouwd. Ai-Lien voelde als een dood gewicht in mijn armen en mijn grote koffers en reistassen stonden achter me. De jonge kruier stond hoopvol te wachten. Ik keek om me heen om de klok te zoeken en was verbaasd over de veranderingen die het station had ondergaan. De kant voor Brighton en de zuidkust was verbonden met de Chatham-kant. De Southern Railway Company had zelfs het grote mededelingenbord verhuisd en de perrons waren opnieuw genummerd sinds mijn laatste bezoek. Maar de klok hing nog steeds hoog aan de muur op zijn gebruikelijke plaats en ik gebaarde naar de kruier dat hij me moest volgen terwijl ik ernaartoe liep.

Ik zag daar niemand die ik kende – sterker nog, ik dacht: nou ja, het kan toch ook niet waar zijn dat iemand mij hier en nu ophaalt? Ik zag daar alleen een duif die over de vloer schuifelde, en ik had even tijd nodig om mezelf weer bij elkaar te rapen. Mijn reis was nog niet helemaal voorbij. Ik moest ook nog de trein naar Southsea nemen, als ik het juiste perron kon vinden, maar daar was ik nog niet aan toe. Ik betaalde de kruier en keek hem na terwijl hij in de mensenmassa verdween. Ik bleef staan, aaide het zachte haar op Ai-Liens hoofdje, dacht aan Millicent op de divan en Lizzie die met haar Leica-camera klikt, en hoorde de enorme tikkende klok luid zes uur slaan.

Achter me klonk ineens een stem: 'Miss English?'

Ik draaide me om. Het was Mr. Hatchett.

'Ach,' zei ik voordat ik er erg in had. Hij bleef voor me staan, een beetje beschroomd, en wierp verbaasd een blik op Ai-Lien, maar zei niets. Ik keek ook naar Ai-Lien. 'Dit is Irene,' zei ik. En vervolgens: 'Het is echt geweldig om u te zien, Mr. Hatchett.'

'Noem me alsjeblieft Francis en zeg maar "je".'

Zijn gezicht veranderde terwijl hij glimlachte, alsof een masker openbrak, opgewekt daaronder, en hij rechtte zijn rug. Nu herkende ik hem weer, die rossige baard en levendige, vriendelijke ogen.

'Kom mee,' zei hij, 'ik heb een kamer in het Grosvenor voor je gereserveerd, waar je een warm bad kunt nemen en iets eten.'

Ik stak mijn hand naar hem uit en toen hij die pakte, zong mijn lichaam uit eigen beweging zijn reactie.

'Ik kan me zo voorstellen dat je meer dan wat ook trek hebt in een kop thee?'

Ik draaide me om naar mijn bagage zodat hij de uitdrukking op mijn gezicht niet kon zien. De van luiken voorziene daken van Victoria Station strekten zich met hun kathedraalachtige bogen in enorme stroken boven ons uit, en buiten hoorde ik regendruppels herrie maken alsof ze gehoord wilden worden.

'Je hebt het woestijnweer niet meegenomen, hè?'

'Nee, Mr. Hatchett... Francis,' zei ik, terwijl ik me weer naar hem omdraaide. 'Ik heb het woestijnweer daar achtergelaten.'

Eastbourne, heden

Henry's Café op de promenade

'Dat overleeft hij niet,' zei Tayeb, terwijl hij in zijn thee roerde.

Ze zaten op witte plastic stoelen op het terras voor Henry's Café en keken naar de zee, die glad was en weinig indrukwekkend. Het was eb, het strand breed, en het zag er niet naar uit dat het tij haast had om op te komen.

Gedachten aan Frieda's werk, haar flatje, haar leven, stapelden zich op aan de rand van de dag, maar ze verjoeg ze zo veel mogelijk. Het was zonnig, maar toch wat fris. Ze hadden over de elegante, keurig onderhouden strandboulevard gelopen naar het alledaagse café aan de voet van de witte, puntige kliffen. Ze praatten niet veel, maar raakten elkaar aan, lichtjes, de hele dag, hand op een arm, een elleboog; een aai over het haar. Zijn handen waren ruw en tamelijk klein, en ze had het gevoel dat ze die zou kunnen koesteren, als hij het zou toelaten. Wanneer ze praatten, ging het meestal over het lot van de uil. Frieda maakte geen gewag van de brieven.

'Maar ik vraag me wel af of we hem moeten loslaten.' De vogel stond op dat moment in Nikolais restaurant in de kamer waar het gesprek had plaatsgevonden, met een deken eroverheen. Nikolai had een van de jongens uit de keuken opdracht gegeven om hem rauw vlees te voeren.

'Echt waar, Frieda, dat overleeft hij niet.'

'Ik weet het nog zo net niet,' zei Frieda. 'Hij zal toch vast wel zijn eigen weg kunnen vinden, daar ergens in de wereld? Hij moet instincten hebben om te overleven.'

'Het zou wreed zijn,' zei hij. 'Vrijheid zou zijn dood betekenen.'

Frieda's tanden beten gleufjes in de rand van haar plastic bekertje. 'Is dat een eufemisme, voor jou, bedoel ik?'

Hij glimlachte. 'Hou hem,' zei Tayeb, 'en als hij je te veel wordt, breng je hem naar een vogelopvang.'

'Je hebt gelijk,' zei Frieda en het verbaasde haar dat het een opluchting was dat ze verlost was van het gevoel dat ze de uil moest vrijlaten.

Achter Henry's Café liep een kalkpad helemaal omhoog tot waar de Downs begonnen, en ze klommen langzaam naar boven. Het was het pad dat naar Beachy Head leidde. De wolken hingen laag, werden maar half verlicht, wat een vreemd gezicht was, maar eenmaal boven op het vrij vlakke terrein van de Downs, konden ze over zee uitkijken. Frieda liep naar de rand van de klif, aarzelend. Tayeb kwam achter haar aan. Toen ze ongeveer een meter van de rand was, draaide ze zich om en riep: 'Wees voorzichtig, soms brokkelt het wel tot zover af als dit.'

Frieda ging in het gras zitten, voelde wat nattigheid door de stof van haar spijkerbroek optrekken. Ze ging op haar handen en knieën zitten en kroop naar de rand van de klif. 'Kom op.'

Tayeb deed hetzelfde, op handen en knieën, en toen ze allebei bij de rand waren, gingen ze plat op hun buik liggen en bogen hun hoofden met gestrekte nek over het einde van het gras en het krijt. Het was een gigantische afstand naar beneden, naar de zee, waar de golven tegen de krijtrotsen sloegen. Een gevoel van duizeligheid sidderde door haar lijf, maar het was niet onaangenaam. Wat klein waren ze, samen, en wat voelden ze zich verbonden, met hun nekken gestrekt over de rand van de klif naar beneden kijkend naar het beukende, luide geraas van de zee op het kiezelstrand.

De avond wierp een onherbergzaam licht over de beschaafde plantsoenen langs de strandboulevard. Frieda stond naast Tayeb terwijl ze het tij zagen opkomen. Met een ongelofelijke snelheid was de zee over het strand opgeschoven, en met het geluid van kiezels die omhoog werden gesleurd en weer naar beneden, werden ook alle leugens meegenomen die haar als kind waren verteld, die onzin over het open huwelijk en de vrije liefde, haar moeder en haar vader en de ingesneden tongen. Dat alles vloeide weg in de ruimtes tussen de kiezelstenen en Frieda had het gevoel dat ze vrij was om van alles te veranderen. Verhuizen van de stad naar de zee, misschien, beginnen aan een ander soort leven met minder reizen, minder lege hotelkamers, minder in vicieuze cirkels lopen, weg van haarzelf.

'Je zou naar Amsterdam kunnen komen, als ik het daar heb gemaakt,' zei Tayeb half tegen Frieda, half tegen de wind in.

'Misschien wel,' zei ze.

Brieven in een envelop, opgeborgen tussen het register van een boek

30 januari 1924
Acacia House
17 George Street,
Hastings

Beste Francis,
We hebben ons in het pension geïnstalleerd en we zijn dank-
baar. Het is er schoon, de pensionhoudster kookt goed. We
zullen het hier aangenaam hebben en vol goede moed het
nieuwe jaar in gaan. Het is hier in het stadje winderig, hel-
der, en het heeft alles wat een plaats aan zee hoort te heb-
ben: kliffen, lange stukken strand, de geur van zeekool en
lavendel. Er is een oude visserswijk – de Oude Stad – met
smalle straatjes en vissershuisjes en bergen touw en ander
vistuig. Daar staat ook de cottage van de kustwachter, en
Irene en ik zijn dankbaar. We zijn je zoveel dank verschul-
digd, dat is wat ik bedoel te zeggen. Wanneer kom je weer?

Met vriendelijke groet,
Evangeline

Vervolgens één pagina van een brief:

je voor de boeken. Ik kan ze goed als afleiding gebruiken, als
doel. Ik denk dat moeder zich er eindelijk in heeft geschikt
dat we niet naar Southsea terugkomen, maar ze heeft me er
volstrekt terecht op gewezen dat Hastings echt niet zoveel
meer voordelen heeft dan Southsea. Dat had ik zelf ook al
bedacht. Ik werk heel hard aan het definitieve manuscript;
je hebt me kracht gegeven. Ik ben zo dankbaar voor je ge-
ruststelling. De taak om eenheid te brengen in wat er nog
rest aan gedachten en herinneringen lijkt zo nu en dan over-
weldigend. Vandaag kon ik bijvoorbeeld nauwelijks een
woord op papier krijgen; iedere keer wanneer ik een woord
probeerde op te schrijven, was het alsof er een woestijngeest
op de loer lag om me aan te vallen – ik klink belachelijk, ik
weet het. God weet, en ik ook, dat al die details je volkomen
koud laten, je wilt alleen dat het boek afkomt! Hoe kan ik
je ooit bedanken? Irene wordt nog steeds molliger en blijer.

En de volgende:

30 maart 1925
Black Rock House,
Stanley Road,
Hastings

Liefste,
Wat prachtig ziet het eruit: echt, al die pagina's, werkelijk

373

hier. Ik ben ontroerd – echt waar, je kunt je niet voorstellen hoe erg ontroerd – nu ik ernaar kijk. Dankzij jou bestaat het. Je zult misschien nooit volledig kunnen begrijpen hoe vaak ik aan je heb gedacht toen ik in Turkestan zat; hoeveel je opdracht voor me betekende. En nu ben je ook nog mijn liefste vriend, dat staat vast. Je zegt dat Emily het nu eindelijk begrijpt dat je Irene 'sponsort'? Ik hoop het echt, schat. Zeg het me als ik meer voor je kan doen. Ik heb een klein probleem met het kindermeisje, maar dat kunnen we bespreken als je hier bent.

Iets eigenaardigs: vanmorgen vond ik Millicents bijbeltje, in mijn la. Ik had het daar niet gelegd, ik ben er niet helemaal zeker van hoe het daar terecht is gekomen, maar toen ik het zag, riep dat allerlei herinneringen aan haar op en het is echt merkwaardig dat ik meer aan haar denk dan aan mijn zusje. Ik kan niet helemaal zeggen waarom dat zo is. Ze heeft een indruk, bijna een vingerafdruk op mijn leven achtergelaten.

De jouwe,
Evangeline

Frieda keek de serie telegrammen door die met een paperclip bij elkaar werden gehouden:

IRENE ZIEK. DOKTER HIER. KOM.
DONDERD OM 11 IS BESTE.
BRENG HET PAKJE MEE. WIL JE ZIEN.
E.
IRENE KUST 'S AVONDS DE FOTO.

7 *oktober 1926*
Black Rock House,
Stanley Road,
Hastings

Geliefde Francis,
Mrs. Reckham heeft aan Martha verteld dat iedereen hier
in het stadje 'het' weet. Op momenten zoals dit moet ik
toegeven dat ik het een beetje moeilijk heb met onze af-
spraak. Niet dat ik – mijn liefste – er aanstoot aan neem
dat ik van dit huisje je 'tweede thuis' maak, zoals jij het
noemt. Ik wil dit ook tot een plek voor jou maken, echt
waar, ik geniet van het creëren van deze rustige plek, weg
van alles wat je vrouw en kinderen van je verlangen en van
de frivole oppervlakkigheden van Londen – ik denk vaak
aan wat je zei over dat de stoeptegels omhoogkomen, dat
die koppen allemaal door elkaar praten alsof ze vol demo-
nen zitten en dat de lucht naar bedorven cider ruikt – ik
praat alsof ik het leven in Londen ken, ik die hier samen
met Irene aan de zee zit vastgebakken.
   Het spijt me. Ik zou blijer moeten zijn. Irene is een dik-
kerdje en blij; ze houdt van Miriam voor zover ik kan zien.
Ik moet je deze brief niet sturen, lieveling. Je hebt zelf al ge-
noeg problemen. Maar al het werk om het huis een thuis te
laten blijven, de meubilering, en het vuur aanmaken, de
voorraad in de keuken op peil houden, alles vredig voor je
bezoeken, uiteindelijk, 's avonds... Dit is slechts een stem-
ming van voorbijgaande aard. Vergeef me.
Gezegend en behoed zij je,
De jouwe,
Eva.

21 juni 1945
Black Rock House,
Stanley Road,
Hastings

Geliefde Francis,
Na je mooie lange brief voelde ik me gekalmeerd en geluk-
kig. Ik ben blij dat je rust hebt genomen en dat Emily ook
beter is. Vroeg in de morgen kan ik het beste werken; door-
werken zonder op te kijken tot één uur en dan na de lunch:
ontspanning. Het is een veel beter systeem dan jouw vroe-
gere manier. Heb je mijn telegram ontvangen? Ik verwacht
Irene nu ieder moment terug. Ze was boos op me dat ik niet
op de Dag van de Overwinning in Europa ben komen op-
dagen en ik probeerde haar uit te leggen dat ik het binnen in
me voelde, een soort bevrijding – of een waardig gevoel van
een moeizame overwinning, als je dat zo mag zeggen – maar
als ik eerlijk ben, voelde ik me vooral alsof ik uit mijn raam
naar een gebroken stuk glas keek. Ik maakte een wandeling
over de promenade die vol prikkeldraad en ijzeren versper-
ringen ligt, met zandzakken ertegenaan. Het was triest, be-
hoorlijk leeg ook.
*   Ik kan het beeld niet van me afzetten dat Irene in die flat*
aan Regent's Park zit, met haar kandelaars in de schouw en
alsof het volkomen normaal is dat de ramen eruit zijn gesla-
gen; zonder de onontbeerlijke vrienden: elektrisch licht, en
water om zich te wassen. Die dingen die ze tegen me zei: 'Eva,
ik kan helemaal nooit op die plekken komen waar jij bent ge-
weest. Hoe zou ik dat in hemelsnaam moeten doen?' Ze zei
dat ze me 'verstikkend' vond. Ik denk dat er een manspersoon
in haar leven is gekomen, maar ze vertelt me niets.

Nu de oorlog voorbij is, zal ze wel weer bij mij in Hastings willen komen wonen. Ik ben bang dat het wel eens moeilijk voor ons kan zijn om ons weer aan elkaar aan te passen na die tijd waarin we op onszelf hebben gewoond. Ik ben zenuwachtig, lieverd, maar ik denk dat we het wel zullen redden. Misschien blijft ze niet eens lang? Ik weet zeker dat ze reizen zal willen maken, naar de plaatsen gaan waarover ze het heeft. Laten we maar hopen dat de wereld zijn deuren nu weer voor de jongelui zal openen.

Deze abnormaal veel stralende zonneschijn is slopend, en ik mis je. Zou je volgende maand niet hierheen komen? Onderwijl, heel veel liefs.

Je Evangeline.

Londen, heden

Victoria Station

Op Victoria Station verdrongen de forenzen elkaar om de beste zitplaatsen te veroveren. Het was warm en de sfeer gespannen. Frieda stond opvallend met een grote vogelkooi in haar hand te wachten in de hal om een trein naar zee te nemen. Ze had haar flatje onderverhuurd, het rapport overlegd dat ze had geschreven. Ze had om een sabbatical verzocht en dat was haar verleend; een kans, een pauze, om aan zee te wonen.

'Maar wat ga je dan doen?' hadden collega's haar gevraagd, nadat ze samen twee uur hadden besteed aan een strategiebespreking die resulteerde in een lijst van actiepunten die geen enkele overeenkomst vertoonden met of verwezen naar wat voor actie ook, of punt. Ze had het woord 'onderzoek' laten vallen en gezinspeeld op persoonlijke projecten, maar meer had ze hun niet verteld.

'De jeugd in de islamitische wereld zal zonder jou moeten doorworstelen,' zeiden ze.

Ze was nu meer een expert in het voeren van bevroren muizen aan de uil, die, zoals de uitdraai had gewaarschuwd, zich aan haar had 'gehecht' en nu de hele nacht kraste en blies, omdat hij, droevig genoeg, dacht dat Frieda zijn wijfje was. Om niet onaardig en onsportief te zijn, kraste Frieda terug. Uiteindelijk had ze een man teruggestuurd naar zijn ontevreden echtgenote en hun drie jongens.

Ze bleef even staan voor het bord met vertrektijden. De perronnummers draaiden om en haar trein verscheen: perron 19. Ze baande zich een weg naar de trein en vond een onbezette plaats bij het raam. Ze zette de kooi, overdekt met een kleine deken, op de stoel naast zich. Het moment van desoriëntatie, als het onmogelijk is vast te stellen of het perron beweegt of de trein, als het perron net zo goed terug het verleden in kon worden gesleept of de trein snel de toekomst tegemoet kon rijden, leek extra lang te duren. Ze bleef erin hangen. Maar toen viel ineens de zon door het raam en verwarmde haar als een oude vriend. Battersea Power Station floot een afscheidslied. Het was eb in de Theems, en net als zij begaf het water zich naar de zee. Er zat een ansichtkaart in Frieda's zak: op de voorkant een foto van een vrouw in een grijze jurk die uit een raam hangt, naar buiten kijkt. Op de achterkant, geschreven in een prachtig, kalligrafisch handschrift, stond: *Ik heb de Leica meegenomen. Kom me maar zoeken, dan krijg je hem terug insjallah,* en daaronder een tekening van een vogel die er heel eigenaardig uitzag, met een dunne snavel en lange stakige poten.

De uil bewoog zich, maakte een ritselend geluid. Frieda raakte de kooi aan.

'Nu zijn we hier,' zei ze, 'en binnenkort, over niet al te lange tijd, zullen we daar zijn.'

Dankwoord

Veel, heel veel dank ben ik verschuldigd aan vrienden, collega's en familie, die mij gaandeweg hebben gesteund en geholpen: Ali Smith die me heel lang geleden een hart onder de riem stak; vroege lezers van Goldsmith University Tamara Howard, Louise McElvogue, Blake Morrison, Maura Dooley en Stephen Knight; Chris Gribble en Becky Swift (de *New Writing Ventures*-prijs en de studie Literaire Consultatie gaven me de best mogelijke start); Sara Maitland – en Zoe – voor gevatheid en wijsheid op het juiste moment; Arts Council England voor een research- en reisbeurs waardoor ik in staat was een bezoek aan Kashgar te brengen; Gemma Seltzer en Kate Griffin (en jij, Kate, bedankt voor je hulp met het schilderij van Serebriakova); Tamara Sharp en de in Beijing woonachtige journalist Paul Mooney voor adviezen over Kashgar, en het anonieme Chinese meisje dat me hielp om de provincie Xinjiang uit te komen toen er in Urumqi en Kashgar ongeregeldheden uitbraken; vrienden van het Brits Cultureel Genootschap over de hele wereld en in het bijzonder Jonathan Barker (jij ontzettend bedankt), Hannah Henderson, Sinead Russell, Susie Nicklin, Kate Joyce en Vibeke Burke; Elizabeth White die ervoor zorgde dat ik een tijd in de mooiste bibliotheek van Jemen kon doorbrengen; Cathy Costain die in Cairo voor me zorgde; Tony Calderbank voor zijn deskundige adviezen op het gebied van de Arabische kalligrafie; Laila Hourani voor een geweldige vriendschap (ik hoop dat je binnenkort weer terug kunt naar je mooie Damascus); Emma House omdat je de beste reisgezel bent die er bestaat; Nasser Jarrous voor je hoffelijke gastvrijheid in Libanon; Salah Saleh, Amer Rifat en Hussein Mazeh voor hun vriendelijkheid in Sana'a; en Peter Clark voor een fantastische trip rondom de Perzische Golf in het voetspoor van Iba Battuta.

Veel van mijn research in de geschriften, dagboeken en verslagen van reizen voor de missie werd uitgevoerd in het missionarissen-archief van de China Inland Mission op de Faculteit Oriëntaalse en Afrikaanse Studies in Londen. Mijn dank aan het toegewijde personeel van het archief en het overeenkomstige personeel van de British Library. Mijn agent, Rachel Calder, jij bedankt voor je immense steun – zowel redactioneel als in het leven! – en mijn begaafde redactrice Helen Garnons-Williams voor je enthousiasme en je scherpe oog. Erica Jarnes, Alexandra Pringle, Amanda Shipp, Katie Bond en Nigel Newton hebben me allemaal het gevoel gegeven dat ik bij Bloomsbury heel welkom was. Bloomsbury USA ook bedankt, in het bijzonder mijn buitengewoon aardige Amerikaanse redactrice, Nancy Miller, en Michelle Blankenship, George Gibson en Peter Miller voor hun zo hartelijke reactie op mijn boek; Sarah Greeno voor de prachtige omslag; en cartograaf John Gilkes voor Evangelines kaart.

Ik ben mijn ouders, John en Lynda Joinson heel dankbaar, en Dave Joinson, voor zoveel hulp en steun met de jaren, en Florence McKinney, Neville Joinson, Jean Joinson (onlangs overleden) en de rest van mijn familie. Dank jullie vrienden sinds heuglijke tijden voor jullie langdurige vertrouwen; Alice Khimasia, David Parr, Stephanie Cole, Helena Rebecca Howe. Een groot deel van dit boek is geschreven toen mijn kinderen heel klein waren, en dus: dank, Woodrow en Scout, dat jullie in mijn leven zijn gekomen en choas, verwondering en liefde meebrengen. Bovenal dank ik mijn man, Ben Nicholls, voor alles. Ik heb dit boek voor jou geschreven.